RETRATO EM SÉPIA

Da autora:

Afrodite: Contos, Receitas e Outros Afrodisíacos
O Amante Japonês
Amor
O Caderno de Maya
Cartas a Paula
A Casa dos Espíritos
Contos de Eva Luna
De Amor e de Sombra
Eva Luna
Filha da Fortuna
A Ilha sob o Mar
Inés da Minha Alma
O Jogo de Ripper
Longa Pétala de Mar
Meu País Inventado
Muito Além do Inverno
Paula
O Plano Infinito
Retrato em Sépia
A Soma dos Dias
Zorro
Mulheres de Minha Alma
Violeta
O vento sabe meu nome

As Aventuras da Águia e do Jaguar

A Cidade das Feras (Vol. 1)
O Reino do Dragão de Ouro (Vol. 2)
A Floresta dos Pigmeus (Vol. 3)

ISABEL ALLENDE

RETRATO EM SÉPIA

Tradução
Mario Pontes

2ª edição

Rio de Janeiro | 2025

CIP-BRASIL. CATALOGAÇÃO NA PUBLICAÇÃO
SINDICATO NACIONAL DOS EDITORES DE LIVROS, RJ

A428r Allende, Isabel, 1942-
Retrato em sépia / Isabel Allende ; tradução Mario Pontes. - 2. ed. - Rio de Janeiro : Bertrand Brasil, 2025.

Tradução de: *Retrato en sepia*
ISBN 978-65-5838-219-5

1. Romance chileno. I. Ponte, Mario. II. Título.

23-86107 CDD: 868.99333
CDU: 83-31(83)

Meri Gleice Rodrigues de Souza - Bibliotecária - CRB-7/6439

Título original: *Retrato en Sepia*

Design de capa: Penguin Randon House Grupo Editorial / Marta Pardina

Imagem de capa ©Amanda Arlotta

Imagem de miolo: Maritime_m / Adobe Stock

Texto revisado segundo o Acordo Ortográfico da Língua Portuguesa de 1990.

Direitos exclusivos de publicação em língua portuguesa somente para o Brasil adquiridos pela:
EDITORA BERTRAND BRASIL LTDA.
Rua Argentina, 171 — 3º andar — São Cristóvão
20921-380 — Rio de Janeiro — RJ
Tel.: (21) 2585-2000,
que se reserva a propriedade literária desta tradução.

Seja um leitor preferencial. Cadastre-se no site www.record.com.br e receba informações sobre nossos lançamentos e nossas promoções.

Atendimento e venda direta ao leitor:
sac@record.com.br

Para Carmen Balcells e Ramón Huidobro,
dois leões nascidos no mesmo dia
e vivos para sempre.

Por eso tengo que volver
a tantos sitios venideros
para encontrarme conmigo
y examinarme sin cesar,
sin más testigo que la luna
y luego silbar de alegría
pisando piedras y terrones,
sin más tarea que existir,
sin más familia que el camino.

Pablo Neruda
Fin de mundo (El viento)

Primeira Parte

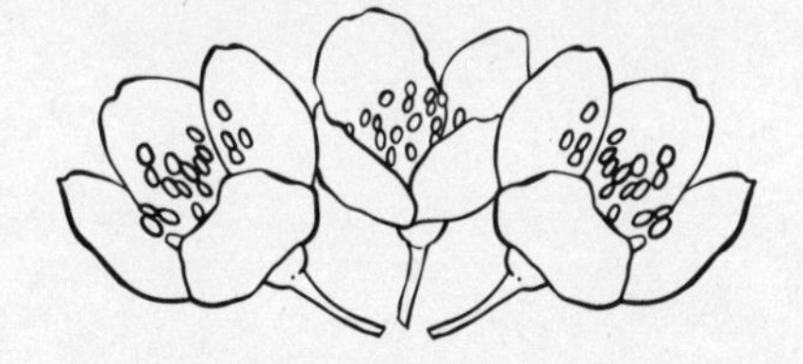

1862-1880

Vim ao mundo em uma terça-feira do outono de 1880, sob o teto de meus avós paternos, em São Francisco. Enquanto no interior daquela casa labiríntica, feita de madeira, minha mãe arquejava montanha acima com o coração valente e os ossos desesperados, a fim de me abrir uma saída, na rua agitava-se a vida selvagem do bairro chinês, com seu indelével aroma de cozinha exótica, sua estrepitosa torrente de dialetos vociferados, sua inesgotável multidão de abelhas humanas indo e vindo apressadas. Nasci de madrugada, mas em Chinatown os relógios desconhecem regras e aquela é a hora de começarem o mercado, o tráfego de carroças e os tristes latidos dos cães que em suas jaulas esperam a faca do cozinheiro. Só bem tarde na vida vim a conhecer os detalhes do meu nascimento, mas pior seria não tê-los descoberto nunca; poderiam ter-se extraviado para sempre nos despenhadeiros do olvido. Há tantos segredos em minha família, que talvez eu não venha a ter tempo para desanuviar todos eles: a verdade é fugaz, lavada por torrentes de chuva. Meus avós maternos me receberam emocionados — embora, conforme vários testemunhos, eu fosse um bebê horroroso — e me puseram no peito de minha mãe, onde permaneci encolhida por alguns minutos, os únicos que consegui estar com ela. Depois meu tio Lucky soltou seu hálito sobre a minha cara, a fim de me transmitir sua boa sorte. A intenção foi generosa e o método infalível, pois, pelo menos durante esses primeiros trinta anos de minha existência, as coisas andaram bem. Mas, cuidado, não devo me antecipar. Esta história é longa e começa muito antes do meu nascimento; é preciso ter paciência para contá-la e mais paciência ainda para escutá-la. Se pelo caminho perdermos o fio, isso não será razão para desespero, porque com toda a certeza ele será recuperado algumas páginas adiante. Como é imperioso ter alguma data para começar, façamo-lo em 1862 e digamos, por acaso, que a história começa com um móvel de proporções inverossímeis.

A cama de Paulina del Valle foi encomendada em Florença, um ano depois da coroação de Victor Emanuel, quando o novo reino da Itália ainda vibrava com o eco das balas de Garibaldi; cruzou o mar desarmada em um transatlântico genovês, desembarcou em Nova York por ocasião de uma sangrenta greve e foi transferida para um dos vapores da companhia de navegação de meus avós paternos, os Rodríguez de Santa Cruz, chilenos residentes nos Estados Unidos. Ao capitão John Sommers coube receber os caixotes marcados em italiano com uma só palavra: *náyades*. Aquele robusto marinheiro inglês, de quem restam apenas um retrato desbotado e um baú de couro muito gasto pela infinidade de travessias marítimas e repleto de curiosos manuscritos, era meu bisavô, como há pouco descobri, quando meu passado começou por fim a ser esclarecido, depois de muitos anos de mistério. Não conheci o capitão John Sommers, pai de Eliza Sommers, minha avó materna, mas dele herdei uma certa vocação para a vagabundagem. Sobre aquele homem do mar, puro horizonte e puro sal, recaiu a tarefa de levar a cama florentina no porão de seu navio até o outro lado do continente americano. Teve de fugir do bloqueio ianque e dos ataques dos confederados, alcançar os limites austrais do Atlântico, passar pelas águas traiçoeiras do estreito de Magalhães, entrar no oceano Pacífico e, depois de deter-se brevemente em alguns portos sul-americanos, aproar para o norte da Califórnia, a antiga terra do ouro. Tinha ordens precisas para abrir as caixas no cais de São Francisco, supervisionar o carpinteiro de bordo enquanto ele juntava as partes, como as de um quebra-cabeça, tomando cuidado para não rebentar os entalhes, pôr em cima o colchão e o cobertor de brocado cor de rubi, acomodar tudo aquilo em uma carreta e conduzir a cama a passo lento para o centro da cidade. O cocheiro devia dar duas voltas pela Praça da União e outras duas tocando uma sineta diante do balcão da concubina de meu avô, antes de levar a carga ao seu destino final, a casa de Paulina del Valle. Esse era um feito que devia ser realizado em plena Guerra Civil, quando os exércitos ianques e os confederados se massacravam no sul do país, e ninguém estava com disposição para brincadeiras nem para sinetas. John Sommers distribuiu as instruções amaldiçoando, porque durante os meses de navegação aquela cama chegara a simbolizar aquilo que ele mais detestava em seu trabalho: os caprichos da patroa, Paulina del Valle. Ao ver a cama em cima da carreta soltou um suspiro e decidiu que aquela era a última coisa que havia feito por ela; fazia doze anos que estava sob suas ordens e tinha alcançado os limites de sua paciência. O móvel ainda existe, intacto, como um pesado dinossauro de madeira policromada; Netuno impera na cabeceira, rodeado de ondas espumantes e criaturas submarinas em baixo-relevo, enquanto do lado dos pés brincam sereias e golfinhos. Em poucas horas, metade de São Francisco pôde admirar aquele olímpico leito; mas a amante de meu avô, a quem o espetáculo era dedicado, permanecia escondida enquanto a carreta passava e voltava a passar com seus toques de sineta.

— Meu triunfo não durou muito — Paulina confessou-me muitos anos mais tarde, quando eu insistia em fotografar a cama e conhecer os detalhes. — A gozação virou-se contra mim. Pensei que iam zombar de Feliciano, mas foi de mim que zombaram. Julguei erradamente aquelas pessoas. Quem podia esperar tamanha hipocrisia? Naqueles tempos, São Francisco era um vespeiro de políticos corruptos, bandidos e mulheres da vida.

— Não gostaram do desafio — sugeri.

— De fato. Sempre se espera que a mulher cuide da reputação do marido, por mais vil que ele seja.

— Seu marido não era vil — retruquei.

— Não, mas fazia muitas bobagens. Mas, seja como for, não me arrependo de ter dormido quarenta anos naquela famosa cama.

— Que fez seu marido quando as coisas foram descobertas?

— Disse que enquanto o país se esvaía em sangue na Guerra Civil eu comprava móveis de Calígula. E negou tudo, é claro. Ninguém com dois dedos de juízo admite haver cometido uma infidelidade, mesmo que o surpreendam embaixo dos lençóis.

— Está falando por experiência própria?

— Quem me dera que fosse assim, Aurora! — respondeu Paulina del Valle sem vacilar.

Na primeira fotografia que fiz dela, quando eu tinha treze anos, Paulina aparece em sua cama mitológica, apoiada em almofadas de cetim bordado, com uma camisa rendada e meio quilo de joias em cima. Assim a vi muitas vezes e assim gostaria de tê-la velado quando morreu, mas Paulina queria ir para a tumba com o hábito triste das carmelitas, e que durante vários anos lhe oferecessem missas cantadas pelo repouso de sua alma. "Já fiz muito escândalo, está na hora de baixar o facho," foi sua explicação quando mergulhou na hibernal melancolia de seus últimos tempos. Ao ver-se próxima do fim, atemorizou-se. Mandou desterrar a cama no sótão, pondo em seu lugar um catre de madeira com colchão de crina de cavalo, a fim de morrer sem luxos, depois de tanta dissipação, para ver, como chegou a dizer, se São Pedro zerava a antiga e abria para ela uma nova conta no livro dos pecados. Mas o susto não foi suficiente para levá-la a desprender-se de outros bens materiais, e até o último suspiro manteve nas mãos as rédeas de seu império financeiro, já então bastante reduzido. Da bravura de sua juventude pouco restava no final, até a ironia foi acabando, mas minha avó tinha criado sua própria lenda, e nenhum colchão de crina ou hábito de carmelita seria capaz de perturbá-la. A cama florentina, que com o maior prazer havia mandado passear pelas ruas principais a fim de fustigar o marido, foi um dos seus momentos mais gloriosos. Naquela época, a família vivia em São Francisco com o sobrenome mudado — Cross —, porque nenhum norte-americano seria capaz de pronunciar o sonoro Rodríguez de Santa Cruz y del Valle, o que era uma pena, pois o sobrenome autêntico traz antigas ressonâncias da Inquisição. Acabavam de mudar-se para o bairro de Nob Hill, onde haviam construído uma desmesurada mansão, uma das mais opulentas da cidade, fruto do delírio de vários arquitetos rivais e despedidos a três por dois. Ao contrário do que dizia Feliciano, a família não havia feito sua fortuna por obra da febre do ouro de 1849, mas graças ao magnífico instinto empresarial de sua mulher, que teve a ideia de levar produtos frescos do Chile para a Califórnia, arrumados em cima de um leito de gelo antártico. Naquela época tumultuosa, um pêssego valia uma onça de ouro e ela soube aproveitar-se das circunstâncias. A iniciativa foi bem-sucedida, e a família chegou a ter uma pequena frota de embarcações que navegavam entre Valparaíso e São Francisco, que no primeiro ano voltaram vazias, mas que logo passaram a fazê-lo carregadas com farinha de trigo californiana; com isso arruinaram alguns agricultores chilenos, entre os quais o pai de Paulina, o temido Agustín del Valle, cujo trigo bichou nos armazéns, por não poder competir com a alvíssima farinha dos ianques. De raiva, seu fígado também saiu bichado. Terminada a febre do ouro, milhares e milhares de aventureiros voltaram aos seus lugares de origem, mais pobres do que haviam saído, depois de terem perdido a saúde e a alma na perseguição daquele sonho; mas Paulina e Feliciano haviam feito fortuna. Alcançaram o topo da sociedade de São Francisco, apesar do obstáculo quase insanável de seu sotaque hispânico. "Na Califórnia todos são novos-ricos e malnascidos; já a nossa árvore genealógica começa no tempo das Cruzadas", Paulina costumava então resmungar, antes de dar-se por vencida e regressar ao Chile. Contudo, não foram títulos de nobreza nem contas bancárias as chaves com as quais abriram portas para eles, mas a simpatia de Feliciano, que fez amigos entre os homens mais poderosos da cidade. Em compensação, era bastante difícil fazer com que engolissem sua mulher, ostentosa, mal-afamada, irreverente e implacável. Digamos com todas as letras: no início, Paulina inspirava aquela mistura de fascínio e pavor que se sente diante de um iguana; era preciso conhecê-la melhor para descobrir seu veio sentimental. Em 1862, ela empurrou o marido para uma empresa de comércio ligada à ferrovia transcontinental, o que os tornou definitivamente ricos. Aquela senhora nunca me explicou de onde tirou seu faro para os negócios. Vinha de uma família de fazendeiros chilenos, estreitos de mentalidade e pobres de espírito; tinha se criado entre as quatro paredes da casa paterna, em Valparaíso, rezando o rosário e bordando, porque seu pai achava que a ignorância garantia a submissão das mulheres e dos pobres. Dominava apenas alguns rudimentos da escrita e da aritmética, não leu um livro sequer em sua vida e usava os dedos para as contas de somar — nas quais nunca havia resto —, mas tudo que era tocado por suas mãos se convertia em ouro. Não fossem os filhos e os parentes desmiolados, teria morrido com o esplendor de uma imperatriz. Naqueles anos estavam construindo a ferrovia destinada a unir o leste e o oeste dos Estados Unidos. Enquanto o restante das pessoas investiam em ações das companhias e apostavam naquela que assentaria os trilhos com maior rapidez, ela, indiferente a essa correria sem sentido, abriu um mapa sobre a mesa da sala de jantar e estudou com paciência de topógrafo o futuro trajeto do trem e os lugares onde havia água em abundância. Muito antes que os humildes peões chineses batessem o último cravo, unindo os trilhos dos trens em Promotory, Estado de Utah, e que a primeira locomotiva cruzasse o continente com seu estrépito de ferragens, sua fumarada vulcânica e seu bramido de naufrágio, ela convenceu o marido a comprar terras nos lugares marcados em seu mapa com cruzes de tinta vermelha.

— Nesses lugares vão surgir povoados, porque neles existe água, e em cada um deles nós teremos um armazém — ela explicou.

— É muito dinheiro! — Feliciano exclamou, com espanto.

— Faça uns empréstimos, é para isso que os bancos existem. Por que arriscar nosso próprio dinheiro, se podemos dispor do alheio? — Paulina respondeu, com o argumento que sempre usava em tais casos.

Estavam nesse ponto, negociando com os bancos e comprando terrenos na metade do país, quando estourou a história da concubina. Tratava-se de uma atriz chamada Amanda Lowell, uma escocesa bem apetitosa, de carnes leitosas, olhos de espinafre e gosto de pêssego, segundo aqueles que a haviam provado. Cantava e dançava mal, porém com garbo, atuava em comédias de pouca importância e animava festas de ricaços. Possuía uma cobra de origem panamenha, comprida, gorda e mansa, mas de aspecto ameaçador, que ela enroscava no corpo em seus números de danças exóticas e que jamais dera sinais de mau caráter, até a mal-aventurada noite em que ela se apresentou com um adorno de penas no penteado, e o animal, confundindo aquilo com um papagaio distraído, esteve a ponto de estrangular sua senhora no empenho de devorar o ornato. A bela Lowell estava longe de ser apenas mais uma entre as milhares de "pombinhas desgarradas" que pululavam na vida galante da Califórnia; tratava-se de uma cortesã altiva, cujos favores não podiam ser obtidos apenas com dinheiro, pois ela exigia também delicadeza e atração natural. Graças à generosidade de seus protetores conseguia viver bem, e sobravam-lhe meios para ajudar uma caterva de artistas sem talento; estava condenada a morrer pobre, pois gastava como um país e dava de presente aquilo que lhe restava. Na flor da juventude, perturbava o trânsito das ruas com a graça de seu porte e sua ruiva cabeleira de leão, mas o gosto pelo escândalo ia-lhe malbaratando a boa sorte: bastava um dos seus arrebatamentos para arrasar um bom nome ou destruir uma família. Para Feliciano o risco tinha parecido um incentivo a mais; possuía alma de corsário, e a ideia de brincar com fogo seduzira--o tanto quanto as soberbas nádegas da Lowell. Instalou-a num apartamento em pleno centro da cidade, mas nunca se apresentava em público na sua companhia, pois conhecia de sobra o caráter da esposa, que, durante um ataque de ciúme, havia passado a tesoura nas pernas e mangas de todos os seus ternos, para em seguida atirá-los na porta de seu escritório. Para um homem tão elegante como ele, que encomendava suas roupas ao alfaiate do príncipe Alberto, em Londres, aquilo fora um golpe mortal.

Em São Francisco, cidade masculina, a esposa era sempre a última a saber de uma infidelidade conjugal, mas, naquele caso, foi a própria Lowell que se encarregou de fazer a divulgação. Mal seu protetor lhe dava as costas, ela marcava com riscas os pilares de sua cama, uma para cada amante atendido. Era uma colecionadora, e os homens não a interessavam pelos seus méritos pessoais, mas pelo número de riscas; pretendia superar o mito da fascinante Lola Montez, a cortesã irlandesa que havia passado por São Francisco, como uma emanação, nos tempos da febre do ouro. O murmúrio sobre as riscas da Lowell corria de boca em boca e os cavalheiros brigavam para visitá-la, tanto por causa dos encantos da bela, a quem muitos deles já conheciam em sentido bíblico, quanto pela graça de deitar-se com a manteúda de um dos próceres da cidade. A notícia alcançou Paulina del Valle no momento em que terminava de dar uma volta completa pela Califórnia.

— O mais humilhante é que essa vira-lata te põe chifres e todo mundo anda comentando que sou casada com um capão! — Paulina acusava o marido usando aquela linguagem de mercado que costumava empregar em tais ocasiões.

Feliciano Rodríguez de Santa Cruz nada sabia daquelas atividades da colecionadora, e o desgosto quase o matou. Jamais havia imaginado que amigos, conhecidos e outros que lhe deviam imensos favores fossem capazes de zombar dele. Mas, em compensação, de nada culpou a amante, já que era de aceitar resignado as veleidades do sexo oposto, criaturas deliciosas mas sem estrutura moral, sempre prontas para ceder à tentação. Enquanto elas pertenciam à terra, ao humo, ao sangue e às funções orgânicas, eles estavam destinados ao heroísmo, às grandes ideias e, ainda que não fosse esse o seu caso, à santidade. Confrontado pela esposa, defendeu-se como pôde, e aproveitou uma trégua para reclamar do ferrolho de segurança com o qual ela fechava a porta de seu quarto. Achava que um homem como ele podia viver na abstinência? A culpa era toda dela, por tê-lo repelido, alegou. No caso do ferrolho, ele tinha razão, Paulina havia renunciado aos desvarios da carne, não por falta de desejo, como me confessou quatro anos mais tarde, mas por pudor. Sentia repugnância ao olhar-se no espelho e deduziu que qualquer homem sentiria o mesmo ao vê-la sem roupa. Lembrava-se com exatidão do momento em que havia tomado consciência de que seu corpo estava se transformando em seu inimigo. Alguns anos antes, ao regressar de uma viagem de negócios ao Chile, Feliciano abraçara-lhe pela cintura e, com o mesmo rotundo bom humor de sempre, quis levantá-la do chão a fim de levá-la para a cama, mas não pôde movê-la de onde estava.

— Puxa, Paulina! Você está com os calções cheios de pedras? —disse, rindo.

— É gordura. — Ela suspirou com tristeza.

— Quero vê-la!

— De maneira nenhuma. De hoje em diante você só poderá vir ao meu quarto à noite e com a lâmpada apagada.

Durante algum tempo, aqueles dois, que haviam se amado sem pudicícia, fizeram amor às escuras. Paulina manteve-se impermeável às súplicas e aos acessos de raiva do marido, que não se conformava com o fato de encontrá-la embaixo de um monte de panos na negrura do quarto, nem com o de ter de abraçá-la com uma pressa de missionário, enquanto ela lhe imobilizava as mãos para que não lhe apalpasse as carnes. Os lances dessa luta deixavam os dois extenuados e com os nervos à flor da pele. Por fim, pretextando sua mudança para a nova mansão de Nob Hill, Paulina instalou o marido na outra extremidade da casa e pôs tranca na porta de seu quarto. O desgosto em relação ao próprio corpo superava o desejo que sentia pelo marido. Seu pescoço havia desaparecido atrás da dupla papada, os seios e a barriga avançavam como um promontório, seus pés não suportavam mais o seu peso, e ela não podia mais vestir-se nem amarrar os sapatos sem ser ajudada; mas com seus vestidos de seda e suas esplêndidas joias, como continuava a apresentar-se, era sempre um espetáculo prodigioso. Sua maior preocupação era o suor entre as coxas, e costumava me perguntar, sussurrando, se cheirava mal, porém jamais percebi nela outro cheiro que não fosse o de talco ou de água de gardênia. Contrária à crença, então largamente difundida, segundo a qual água e sabão podem arruinar os brônquios, ela passava horas flutuando em sua banheira de ferro esmaltado, onde voltava a sentir-se leve como na juventude. Havia se apaixonado por Feliciano quando este era um jovem valente e ambicioso, dono de minas de prata no norte do Chile. Em defesa de seu amor havia desafiado a ira do pai, Agustín del Valle, que aparece na história do Chile como o fundador de um minúsculo e mesquinho partido político ultraconservador, desaparecido há mais de duas décadas, mas que a cada duas décadas volta a ressuscitar como uma fênix patética e depenada. O mesmo amor por aquele homem manteve-a inflexível quando tomou a decisão de proibir-lhe a entrada em sua alcova, embora estivesse em uma idade na qual a natureza clamava mais do que nunca por um abraço. Ao contrário dela, Feliciano amadurecia elegante. O cabelo havia se tornado grisalho, mas ele continuava a ser o mesmo homenzarrão alegre, apaixonado e extravagante. Paulina gostava de seu veio vulgar, da ideia de que aquele cavalheiro de sobrenomes sonoros descendia de judeus sefardins e de que por baixo de suas camisas de seda com iniciais bordadas brilhava uma tatuagem de perdulário, adquirida no porto uma vez quando estava de porre. Ansiava por ouvir novamente as obscenidades que ele lhe sussurrava nos tempos em que chapinhavam na cama com as luzes acesas, e teria dado qualquer coisa para dormir uma vez mais com a cabeça apoiada no dragão azul gravado com tinta indelével no ombro de seu marido. Jamais acreditou que ele desejasse o mesmo. Para Feliciano, ela sempre fora a namorada corajosa com quem havia fugido na juventude, a única mulher que admirava e temia. Penso que aquele casal jamais deixou de amar-se, apesar de suas ciclópicas pelejas, que deixavam todos da casa tremendo. Os abraços que antes os faziam sentir-se tão felizes haviam sido trocados por combates que culminavam em tréguas a longo prazo e em vinganças memoráveis, como no caso da cama florentina, mas ofensa nenhuma foi capaz de destruir a relação dos dois, e, até o fim, quando ele caiu fulminado por uma apoplexia, mantiveram-se unidos por invejável cumplicidade de saltimbancos.

Uma vez certificado de que o mítico móvel estava em cima da carreta e que o cocheiro havia entendido suas instruções, o capitão John Sommers partiu a pé na direção de Chinatown, como fazia em cada uma de suas visitas a São Francisco. Dessa vez, no entanto, os brios o abandonaram e ele teve de chamar um coche de aluguel. Subiu com esforço, disse o endereço ao cocheiro e recostou-se no assento, arquejante. Fazia um ano que os sintomas tinham começado a se manifestar, mas nas últimas semanas haviam se tornado agudos; as pernas mal o sustentavam, e a cabeça andava cheia de brumas, tinha de lutar incansavelmente contra a tentação de abandonar-se à confortável indiferença que aos poucos lhe invadia a alma. Sua irmã Rose tinha sido a primeira a perceber que algo estava errado, embora naquela ocasião ele ainda não sentisse dores. Pensava nela com um sorriso: era a pessoa mais próxima e querida, o norte de sua existência de ave migratória, mais verdadeira no afeto do que a filha Eliza ou qualquer outra das mulheres que havia abraçado em sua longa peregrinação desse para aquele porto.

Rose Sommers havia passado a juventude no Chile, ao lado de seu irmão mais velho, Jeremy; mas, com a morte deste, tinha regressado à Inglaterra a fim de envelhecer em sua própria terra. Residia em Londres, ocupando uma casinha a poucas quadras dos teatros e da ópera, num bairro meio fora de moda, no qual podia viver à sua maneira. Já não era a fiel e dedicada governanta do irmão Jeremy, agora podia dar vazas ao seu veio excêntrico. Costumava vestir-se como uma atriz desempregada para tomar o chá no Savoy, ou de condessa russa para passear com seu cão, era amiga de mendigos e músicos ambulantes, gastava seu dinheiro comprando quinquilharias e fazendo caridade. "Nada nos liberta tanto quanto a idade," dizia feliz enquanto contava as próprias rugas. "Não se trata da idade, irmã, mas da situação econômica que você plantou e colheu com sua pena", respondia John Sommers. Aquela venerável solteirona de cabelos brancos havia feito uma pequena fortuna escrevendo livros pornográficos. O mais irônico, pensava o capitão, era que justamente agora, quando Rose não tinha mais necessidade de ocultar-se, como na época em que vivia à sombra do irmão Jeremy, tinha deixado de escrever contos eróticos e se dedicava à produção de histórias românticas, em um ritmo angustiante e com um êxito inusitado. Não havia mulher cuja língua mãe fosse o inglês, sem excluir a Rainha Victoria, que não tivesse lido pelo menos um dos romances de *Dame* Rose Sommers. O título de distinção apenas legalizava uma situação que anos atrás Rose havia tomado de assalto. Se a rainha Victoria houvesse suspeitado que a sua autora preferida, a quem pessoalmente havia outorgado a condição de Dama, era responsável por uma vasta coleção de literatura indecente assinada por *Uma Dama Anônima*, teria sofrido um desmaio. O capitão opinava que a pornografia era deliciosa, enquanto os romances de amor eram lixo puro. Durante anos havia se encarregado de publicar e distribuir os contos proibidos que Rose produzia nas barbas do irmão mais velho, que morreu convencido de que ela era uma virtuosa senhorita, cuja única missão era tornar-lhe a vida agradável. "Cuide-se, John, você não pode me deixar sozinha neste mundo. Você está emagrecendo e anda com uma cor esquisita", Rose repetia todos os dias ao capitão, quando este fora visitá-la em Londres. A partir de então, uma implacável metamorfose começou a transformá-lo em lagarto.

Tao Chi'en acabava de retirar suas agulhas de acupuntura das orelhas e braços de um paciente, quando o ajudante o avisou que seu sogro acabava de chegar. O *zhong-yi* pôs cuidadosamente as agulhas de ouro em álcool puro, lavou as mãos em uma bacia, vestiu a jaqueta e saiu a fim de receber o visitante, estranhando que Eliza não lhe tivesse avisado que seu pai chegava naquele dia. Cada visita do capitão Sommers provocava uma comoção. A família o esperava ansiosa, principalmente os meninos, que não se cansavam de admirar os presentes exóticos e de ouvir histórias de monstros marinhos e piratas malaios contadas por aquele avô colossal. Alto, maciço, de pele curtida pelo sal de todos os mares, barba rebelde, voz de trovão e inocentes olhos azuis de bebê, o capitão era uma figura imponente em seu uniforme azul, mas o homem que Tao Chi'en viu sentado em uma poltrona de sua clínica estava tão abatido, que ele teve dificuldade para reconhecê-lo. Saudou-o com respeito, não tinha conseguido perder o hábito de inclinar-se diante dele à maneira chinesa. Havia conhecido o capitão Sommers na juventude, quando trabalhara como cozinheiro em seu navio. "Me trate sempre de senhor, entendeu, chinês?", o capitão tinha ordenado logo da primeira vez em que Tao lhe dirigira a palavra. Naquela época ambos tínhamos os cabelos pretos, pensou Tao Chi'en com uma pontada de angústia ante o anúncio da morte. O inglês levantou-se com dificuldade, deu-lhe a mão e em seguida o estreitou em um rápido abraço. O *zhong-yi* comprovou que agora ele era o mais alto e mais pesado dos dois.

— Eliza sabia que o senhor vinha hoje? — perguntou.

— Não. Você e eu precisamos ter uma conversa a sós, Tao. Estou morrendo.

O *zhong-yi* tinha percebido isso assim que pusera os olhos nele. Sem dizer palavra, guiou-o até o consultório, onde o ajudou a tirar a roupa e a deitar-se na estreita cama em que os pacientes eram examinados. Nu, seu sogro tinha um aspecto patético: a pele grossa, seca, de uma cor acobreada, as unhas amarelas, os olhos injetados de sangue, o ventre inchado. Começou a auscultá-lo, mediu-lhe as pulsações junto às mãos, no pescoço e nos tornozelos, a fim de confirmar aquilo que já sabia.

— Seu fígado está destruído, senhor. Continua bebendo?

— Não pode me pedir que abandone o hábito de toda uma vida, Tao. Acha que alguém pode aguentar o trabalho de marinheiro sem tomar um trago de vez em quando?

Tao Chi'en sorriu. O inglês bebia meia garrafa de genebra nos dias normais e uma inteira se houvesse algo para lamentar ou celebrar, sem que isso parecesse afetar-lhe o mínimo do mínimo; nem sequer cheirava a bebida, porque o tabaco de má qualidade impregnava sua roupa e seu hálito.

— Além do mais, agora é tarde para arrependimento, não é verdade? — John Sommers acrescentou.

— Poderá viver um pouco mais e em melhores condições se deixar de beber. Por que não tira um descanso? Venha viver um tempo conosco, Eliza e eu cuidaremos do senhor até que se recupere — o *zhong-yi* propôs sem olhar para ele, a fim de que o outro não notasse a sua emoção. Como tantas vezes lhe ocorria no ofício de médico, devia lutar contra a terrível sensação de impotência que costumava oprimi-lo ao confirmar quão escassos eram os recursos de sua ciência e quão imenso o sofrimento dos outros.

— Como pode pensar que eu me entregue voluntariamente às mãos de Eliza, para que ela me condene à abstinência? Quanto tempo me resta, Tao? — perguntou John Sommers.

— Não posso lhe dizer com certeza. Deveria ouvir uma outra opinião.

— A sua é a única que merece o meu respeito. Desde que você me extraiu um molar, sem dor, na metade do caminho entre a Indonésia e a costa da África, nenhum outro médico pôs as malditas mãos sobre mim. Há quanto tempo foi aquilo?

— Uns quinze anos atrás. Agradeço sua confiança, senhor.

— Só quinze anos? Pois me parece que nos conhecemos há uma vida inteira; por quê?

— Talvez nos tenhamos conhecido em outra existência.

— A reencarnação me dá horror, Tao. Imagine se em minha próxima vida eu tiver de ser um muçulmano. Sabia que essa pobre gente não pode beber álcool?

— Com certeza é esse o seu carma. Em cada geração devemos resolver aquilo que não concluímos na anterior — Tao disse em tom de brincadeira.

— Prefiro o inferno cristão, é menos cruel. Bem, não falaremos de nada disso a Eliza — concluiu John Sommers, enquanto se vestia, lutando com os botões que escapavam dos seus dedos trêmulos. — Como esta pode ser a minha última visita, é justo que ela e meus netos se lembrem de mim sadio e alegre. Posso ir tranquilo, Tao, pois ninguém cuidaria melhor de minha filha Eliza do que você.

— Ninguém poderia amá-la mais do que eu, senhor.

— Quando eu não estiver mais aqui, alguém deverá ocupar-se de minha irmã. Você sabe que Rose foi uma verdadeira mãe para Eliza...

— Não se preocupe, Eliza e eu estaremos sempre ao lado dela— garantiu-lhe o genro.

— A morte... quero dizer... será rápida, com dignidade? Como vou saber que o fim estará chegando?

— Quando vomitar sangue, senhor — Tao Chi'en respondeu com tristeza.

Aconteceu três semanas mais tarde, no meio do Pacífico, na privacidade do seu camarote. Levantando-se com dificuldade, o velho navegante limpou os restos do vômito, enxaguou a boca, trocou a camisa ensanguentada, acendeu o cachimbo e foi para a proa do navio, onde se instalou a fim de olhar pela última vez as estrelas piscando em um céu de veludo negro. Vários marinheiros o viram, e esperaram, afastados, com os gorros na mão. Quando o tabaco acabou, o capitão John Sommers passou as pernas por cima da amurada e se deixou cair silenciosamente no mar.

SEVERO DEL VALLE conheceu Lynn Sommers durante uma viagem que fez com o pai, do Chile para a Califórnia, em 1872, a fim de visitar seus tios Paulina e Feliciano, que protagonizavam os melhores mexericos da família. Severo tinha visto sua tia Paulina apenas duas vezes, por ocasião de suas esporádicas aparições em Valparaíso, mas só depois de conhecê-la em seu ambiente norte--americano pôde compreender os suspiros de intolerância cristã dos membros de sua família. Longe do meio religioso e conservador do Chile, do avô Agustín cravado em sua poltrona de paralítico, da avó Emilia com suas roupas lúgubres e seus clisteres de linhaça, do resto de seus parentes invejosos e atemorizados, Paulina alcançava suas verdadeiras proporções de amazona. Na primeira viagem,

Severo del Valle era demasiado jovem para medir o poder ou a fortuna daquele casal de tios célebres, mas não lhe escaparam as diferenças entre eles e o resto da tribo Del Valle. Só ao regressar, anos mais tarde, pôde compreender que eles contavam entre as famílias mais ricas de São Francisco, ao lado dos magnatas da prata, das ferrovias, dos bancos e do transporte. Foi naquela primeira viagem, aos quinze anos de idade, sentado aos pés da cama policrômica de sua tia Paulina, enquanto ela planejava a estratégia de suas guerras mercantis, que Severo decidiu seu próprio futuro.

— Você deveria tornar-se advogado, para me ajudar a demolir meus inimigos com todos os recursos da lei. — Paulina o aconselhou certo dia, entre duas mordidas em um pastel de massa folhada com recheio de doce de leite.

— Sim, tia. O avô Agustín costuma dizer que toda família respeitável necessita de um advogado, um médico e um bispo — replicou o sobrinho.

— Também necessita de um cérebro para os negócios.

— O avô entende que o comércio não é profissão para fidalgos.

— Diga-lhe que a fidalguia não serve para comer e que ele pode enfiar a dele no cu.

O jovem só tinha ouvido essa palavra da boca do cocheiro de sua casa, um madrileno fugitivo de uma prisão de Tenerife, que por motivos incompreensíveis também dizia cagar em Deus e no leite.

— Deixe de melindres, garoto; não se esqueça de que cu todos nós temos um! — exclamou Paulina, morrendo de rir ao ver a expressão do sobrinho.

Naquela mesma tarde ela o levou à pastelaria de Eliza Sommers. São Francisco havia deslumbrado Severo desde o momento em que a tinha avistado do navio: uma cidade luminosa, instalada em uma paisagem de verdes colinas cobertas de árvores que desciam ondulantes até a borda da baía de águas calmas. De longe parecia severa, com seu traçado espanhol de ruas paralelas e transversais, mas de perto tinha o encanto daquilo que não se espera. Acostumado ao aspecto sonolento do porto de Valparaíso, onde fora criado, o garoto ficara aturdido ante aquela loucura de casas e edifícios de variados estilos, luxo e pobreza, desordem geral, como se tudo tivesse sido levantado às pressas. Viu um cavalo morto e coberto de moscas diante da porta de uma elegante loja em que se ofereciam violinos e pianos de cauda. Em meio ao trânsito ruidoso de animais e carruagens, ia e vinha aquela multidão cosmopolita: americanos, hispanos, franceses, irlandeses, italianos, alemães, alguns índios e antigos escravos negros, agora livres, mas sempre rejeitados e pobres. Deram uma volta por Chinatown e, num piscar de olhos, viram-se em um país povoado de *celestiais*, como eram chamados os chineses, que o cocheiro afastava estalando o chicote enquanto conduzia o fiacre para a Praça da União. Parou diante de uma casa de estilo vitoriano, simples em comparação com os desvarios de molduras, relevos e rosáceas que habitualmente eram vistos daquele lado da cidade.

— Este é o salão de chá da senhora Sommers, o único que existe por estas bandas — Paulina esclareceu. — Você pode tomar café onde quiser, mas para uma xícara de chá o melhor é vir aqui. Os ianques abominam essa nobre bebida desde a Guerra da Independência, que começou quando os rebeldes queimaram o chá dos ingleses em Boston.

— Mas já faz um século, não?

— Para você ver, Severo, como o patriotismo pode ser uma idiotice.

Não era o chá que motivava as frequentes visitas de Paulina àquele salão, mas a famosa pastelaria de Eliza Sommers, que impregnava o ambiente com um delicioso aroma de açúcar e baunilha. A casa, uma das muitas importadas da Inglaterra nos primeiros tempos de São Francisco, com o manual de instruções para armá-la como um brinquedo, tinha dois andares coroados por uma torre, o que lhe dava um ar de igreja campestre. No primeiro andar tinham juntado dois quartos a fim de ampliar o refeitório, havia algumas poltronas de pés torcidos e cinco mesinhas redondas guarnecidas com toalhas brancas. No segundo andar vendiam-se caixas de bombons feitos manualmente com o melhor chocolate belga, maçapão de amêndoas e vários tipos de doces típicos do Chile, os favoritos de Paulina del Valle. Os clientes eram servidos por duas empregadas mexicanas de longas tranças, aventais muito brancos e coifas engomadas, dirigidas telepaticamente pela pequena senhora Sommers, que dava a impressão de existir apenas em contraste com a impetuosa presença de Paulina. A moda cintada, com suas saias espumosas e largas, favorecia a primeira, multiplicando, em troca, o volume da segunda; além do mais, Paulina del Valle não economizava em tecidos, franjas, pompons e plissados. Naquele dia estava enfeitada de abelha-mestra, com amarelo e negro da cabeça aos pés, um chapéu terminado em plumas e um corpete listrado. Muito listrado. Invadia o salão, devorava todo o ar, e a cada um dos seus movimentos as xícaras tilintavam e as frágeis paredes de madeira gemiam. Ao vê-la entrar as criadas saíram correndo a fim de trocar uma das delicadas cadeiras de junco por outra mais sólida, na qual a dama acomodou-se com gestos graciosos. Movia-se com cuidado, pois considerava que nada podia enfear tanto quanto a pressa; também evitava os ruídos de velha: jamais em público deixava escapar ofegos, tosses, estalos ou suspiros de cansaço, mesmo que os pés a estivessem matando. "Não quero ter voz de gorda," dizia, e todos os dias gargarejava suco de limão com mel para manter a voz sempre afinada. Eliza Sommers, miúda e reta como um sabre, vestida com uma saia azul-escura e uma blusa cor de melão, abotoada nos punhos e no pescoço, usando como único adorno um discreto colar de pérolas, parecia extraordinariamente jovem. Falava um espanhol enferrujado por falta de uso e um inglês com sotaque britânico, saltando de uma língua para outra no decorrer da mesma frase, como, aliás, também fazia Paulina. A fortuna e o sangue aristocrático da senhora Del Valle situavam-na em um nível social muito mais elevado que o da outra. Mulher que trabalhasse por gosto só podia ser machona. Mas Paulina sabia que Eliza já não pertencia ao meio em que fora criada no Chile, e não trabalhava por gosto, mas por necessidade. Também ouvira falar que ela vivia com um chinês, mas sua demolidora indiscrição nunca fora suficiente para levá-la a fazer diretamente essa pergunta.

— A senhora Eliza Sommers e eu nos conhecemos no Chile em 1840. Nessa época, ela estava com oito anos e eu com dezesseis, mas agora temos a mesma idade — Paulina explicou ao seu sobrinho.

Enquanto as empregadas serviam o chá, Eliza Sommers divertia-se ouvindo o incessante falatório de Paulina, interrompido apenas para enfiar na boca um novo pedaço de iguaria. Severo esqueceu-se de ambas ao descobrir em outra mesa uma linda menina que colava estampas em um álbum à luz das lanternas a gás e da suave claridade dos vitrais das janelas, que a iluminavam com fulgores dourados. Era Lynn Sommers, filha de Eliza, criatura de beleza tão marcante, que já àquela altura, aos doze anos de idade, tinha sido usada como modelo por vários fotógrafos da cidade; seu rosto ilustrava cartões-postais, cartazes, calendários de anjos tangendo liras e ninfas fazendo travessuras em bosques de cartolina. Severo estava naquela idade em que as meninas são um mistério em geral repelente para os meninos, mas isso não impediu que ele se rendesse ao fascínio da garota; de pé, ao lado dela, não podia compreender por que o peito lhe doía e tinha vontade de chorar. Eliza Sommers tirou-o do transe ao chamá-los para tomar chocolate. A garotinha fechou o álbum sem prestar-lhe atenção, como se não o tivesse visto, e levantou-se leve, flutuante. Instalou-se diante de sua xícara de chocolate sem dizer palavra nem levantar a vista, resignada aos olhares impertinentes do garoto, tendo plena consciência de que seu aspecto separava-a do resto dos mortais. Carregava sua beleza como uma deformidade, com a secreta esperança de que com o tempo ela passaria.

Algumas semanas mais tarde, Severo embarcou de volta ao Chile em companhia do pai, levando na memória a vastidão da Califórnia e a visão de Lynn Sommers firmemente plantada em seu coração.

Severo del Valle só voltou a ver Lynn vários anos mais tarde. Regressou à Califórnia em fins de 1876 a fim de viver com sua tia Paulina, mas a sua relação com Lynn só teve início em uma certa quarta-feira do inverno de 1879, mas então já era demasiado tarde para os dois. Em sua segunda visita a São Francisco, o jovem havia alcançado sua estatura definitiva, porém continuava ossudo, pálido, desajeitado, sentindo-se incômodo dentro de sua pele, como se lhe sobrassem apenas joelhos e cotovelos. Três anos depois, quando ficou paralisado e mudo diante de Lynn, já era homem feito e bem-feito, com as nobres feições de seus antepassados espanhóis, a flexível compleição de um toureiro andaluz e o ar cético de um seminarista. Muita coisa mudara em sua vida desde a primeira vez que se encontrara com Lynn. A imagem daquela menina silenciosa, com a languidez de um gato em repouso, acompanhou-o durante os anos difíceis da adolescência e os tempos de luto. Seu pai, a quem havia adorado, morreu prematuramente no Chile, e sua mãe, desorientada com aquele filho ainda imberbe, mas excessivamente lúcido e irreverente, mandou-o terminar seus estudos em um colégio católico de Santiago. Logo, porém, o colégio mandou-o de volta para casa, com uma carta na qual dizia, com secura, que basta uma maçã podre para corromper todas as outras do barril ou algo parecido. Diante desse fato, a abnegada mãe peregrinou de joelhos a uma gruta milagrosa, onde a Virgem, sempre sábia, soprou-lhe a solução: mandá-lo para o serviço militar e encarregar um sargento de resolver o problema. Durante um ano Severo fez ordem-unida com a tropa, suportou o rigor e a estupidez do regimento e saiu como oficial da reserva, decidido a nunca mais em sua vida passar por perto de um quartel. Mal pôs o pé na rua voltou às antigas amizades e às suas abruptas variações de humor. Dessa vez seus tios resolveram cuidar dele. Reuniram-se em conselho no austero refeitório da casa do avô Agustín, na ausência do jovem e de sua mãe, ambos sem direito a voto na mesa patriarcal. Naquela mesma sala, trinta e cinco anos atrás, Paulina del Valle, com um penteado vistoso e uma tiara de diamantes, havia desafiado os homens de sua família quando decidira casar-se com Feliciano Rodríguez de Santa Cruz, o homem por ela escolhido. Ali, agora, eram levadas ao avô as acusações contra Severo: ele se recusava a confessar-se e a comungar, saía com boêmios e em seu poder haviam descoberto livros constantes da lista negra; em poucas palavras, suspeitavam de que ele podia ter sido recrutado pelos maçons ou, pior ainda, pelos liberais. O Chile atravessava um período de lutas ideológicas inconciliáveis, e, à medida que os liberais ganhavam postos no governo, crescia a ira dos ultraconservadores imbuídos de fervor messiânico, como os Del Valle, que pretendiam implantar suas ideias à força de anátemas e balas, esmagar anticlericais e maçons, e acabar de uma vez por todas com os liberais. Os Del Valle não estavam dispostos a tolerar um dissidente de seu próprio sangue no seio da família. A ideia de enviá-lo para os Estados Unidos foi do avô Agustín: "Os ianques irão curá-lo dessa mania de andar fazendo confusão", prognosticou. Embarcaram-no com destino à Califórnia, sem pedir sua opinião, vestido de luto, com o relógio de ouro do falecido pai no bolso do casaco, uma pequena bagagem, da qual fazia parte um Cristo coroado de espinhos, e uma carta lacrada para seus tios Feliciano e Paulina.

Os protestos de Severo foram meramente formais, pois aquela viagem coincidia com os seus próprios planos. Sentia pena somente por separar-se de Nívea, a moça com quem todo mundo esperava que um dia se casasse, conforme o velho costume da oligarquia chilena de promover casamentos entre primos. No Chile se sentia sufocado. Crescera preso a uma teia de dogmas e preconceitos, mas o contato com outros estudantes no colégio de Santiago tinha-lhe aberto a imaginação e acendido nele um fulgor patriótico. Até então acreditava que existiam apenas duas classes sociais, a sua e a dos pobres, separadas por uma imprecisa zona cinzenta de funcionários e outros "chileninhos da escória", como os chamava seu avô Agustín. No quartel havia percebido que os de sua classe, com pele branca e poder econômico, eram apenas um punhado; a vasta maioria era de mestiços e pobres; mas em Santiago iria descobrir que também existia uma pujante classe média, numerosa, educada e possuída por ambições políticas, que era na verdade a coluna vertebral do país, e da qual faziam parte imigrantes que vinham fugindo de guerras ou misérias, cientistas, educadores, filósofos, livreiros, gente de ideias avançadas. Ficou pasmo com a oratória de seus novos amigos, sentindo-se como quem se enamora pela primeira vez. Desejou, então, mudar o Chile, virá-lo de pernas para o ar, purificá-lo. Convenceu-se de que os conservadores — salvo os da própria família, que no seu entender não agiam por maldade, mas por engano — pertenciam às hostes de Satanás, na hipótese de Satanás ser algo mais do que uma pitoresca invenção, e então se dispôs a participar da política, assim que ganhasse sua própria independência. Compreendia que para tanto ainda faltavam alguns anos, e por isso considerou a viagem aos Estados Unidos como um sopro de ar fresco; poderia observar a invejável democracia dos norte-americanos e aprender com ela, ler o que lhe desse na telha sem preocupar-se com a censura católica e ficar em dia com os avanços da modernidade. Enquanto no resto do mundo monarquias eram destronadas, nasciam novos Estados, colonizavam-se novos continentes e inventavam-se maravilhas, no Chile o parlamento discutia sobre o direito dos adúlteros a um enterro em terreno sagrado. Diante do avô não ousava mencionar a teoria de Darwin, que estava revolucionando o conhecimento humano, mas em compensação podia perder uma tarde discutindo improváveis milagres de santos e mártires. O outro incentivo para a viagem era a lembrança da pequena Lynn Sommers, que perturbava, com aflitiva perseverança, seu afeto por Nívea, embora no mais profundo de sua alma ele achasse que não era assim.

Severo del Valle não soube quando nem como havia surgido a ideia de que ele devia casar-se com Nívea, talvez a decisão não houvesse partido deles, e sim da família, mas nenhum dos dois rebelou-se contra esse destino, porque se conheciam e se amavam desde a infância. Nívea pertencia a um ramo da família que tivera dinheiro quando o pai era vivo, mas com sua morte a viúva empobrecera. Um tio rico, destinado a converter-se em figura proeminente nos tempos da guerra, dom Francisco José Vergara, ajudou a educar aqueles sobrinhos. "Não há pobreza pior do que a das pessoas que desceram de posição, pois sentem necessidade de mostrar o que não têm", Nívea tinha confessado ao seu primo Severo em um daqueles momentos de súbita lucidez que a caracterizavam. Quatro anos mais jovem do que ele, era porém muito mais madura; foi ela quem marcou o tom daquela afeição adolescente, conduzindo-a com mão firme para a relação romântica que já compartiam quando Severo partiu para os Estados Unidos. Nos enormes casarões onde suas vidas transcorriam sobravam os recantos perfeitos para quem quisesse se amar. Tateando nas sombras, os primos descobriram, com a lentidão de filhotes, os segredos de seus corpos. Acariciavam-se com curiosidade, averiguando a diferenças, sem saber por que ele tinha isso e ela aquilo, aturdidos pelo pudor e pela culpa, sempre calados, pois o que não formulavam em palavras era como se não houvesse acontecido e fosse menos pecado. Exploravam-se depressa e assustados, conscientes de que nem mesmo no confessionário poderiam admitir a prática daqueles jogos de primos, ainda que isso os condenasse ao inferno. Havia mil olhos espiando-os. As velhas criadas que os tinham visto nascer protegiam aqueles amores inocentes, mas as tias solteiras velavam-nos como corvos; nada escapava àqueles olhos secos cuja única função era registrar cada instante da vida familiar, àquelas línguas crepusculares que divulgavam os segredos e aguçavam as querelas, embora tudo fosse feito no seio do clã. Nada atravessava as paredes daquelas casas. O primeiro dever de todos era preservar a honra e o bom nome da família. Nívea se desenvolvera tardiamente, de modo que aos quinze anos ainda tinha corpo de menina, um rosto inocente, e nada em seu aspecto denunciava a força de seu caráter; de pequena estatura, gorducha, tendo como único traço notável os grandes olhos escuros, ela parecia insignificante até o momento em que abria a boca. Enquanto suas irmãs ganhavam o céu lendo livros piedosos, ela lia às escondidas os artigos e livros que seu primo Severo lhe passava por baixo da mesa, e os clássicos que lhe eram emprestados pelo tio José Francisco Vergara. Quando quase ninguém falava do assunto em seu meio social, ela tirou da manga a ideia do voto feminino. A primeira vez que o mencionou, durante um almoço em família, ocorreu uma explosão de espanto. "Quando irão votar as mulheres e os pobres deste país?", Nívea perguntou de supetão, sem lembrar-se de que meninos não abriam a boca na presença de adultos. O velho patriarca Del Valle deu um murro na mesa, os copos voaram, e ele ordenou à garota que fosse imediatamente confessar-se. Nívea cumpriu silenciosamente a penitência imposta pelo padre e anotou em seu diário, com a paixão habitual, que não pensava em descansar enquanto não conseguisse que os direitos elementares fossem concedidos às mulheres, mesmo que a expulsassem da família. Para sorte sua, havia estudado com uma professora de caráter excepcional, a irmã María Escapulario, freira com coração de leoa escondido embaixo do hábito, que havia percebido a inteligência de Nívea. Diante daquela menina que tudo absorvia com avidez, que questionava coisas que ela própria jamais havia se perguntado, que a desafiava com uma rapidez de raciocínio inesperada para a sua idade e que parecia a ponto de explodir de vitalidade e saúde dentro de seu horroroso uniforme, a monja se sentia inteiramente recompensada como mestra. Nívea, por si só, valia o esforço de ela ter passado anos e anos ensinando a uma verdadeira multidão de meninas ricas mas de mentes pobres. Por amor a Nívea, a irmã María Escapulario violava sistematicamente o regulamento do colégio, criado com o exclusivo propósito de transformar suas alunas em criaturas dóceis. Com ela mantinha conversas que teriam espantado a madre superiora e o diretor espiritual do colégio.

— Quando eu tinha a sua idade havia apenas duas opções: casar-se ou entrar para um convento — disse irmã María Escapulario.

— Por que escolheu a segunda, madre?

— Porque me dava mais liberdade. Cristo é um esposo tolerante...

— Nós, mulheres, estamos fritas, madre. Ter filhos, obedecer, e nada mais — Nívea suspirou.

— Não tem por que ser assim. Você pode mudar as coisas — a freira respondeu.

— Eu só?

— Só, não; há outras moças como você, com mais de dois gramas de juízo. Acabo de ler em um jornal que agora já há mulheres médicas, imagine.

— Onde?

— Na Inglaterra.

— É um lugar muito longe daqui.

— Certamente; mas, se lá elas já podem ser médicas algum dia, também poderão aqui no Chile. Não desanime, Nívea.

— Meu confessor diz que penso muito e rezo pouco, madre.

— Se Deus lhe deu um cérebro, foi para você usá-lo; mas advirto que o caminho da rebelião está semeado de perigos e dores, é preciso ter muita coragem para percorrê-lo. Não faz mal nenhum você pedir um pouco de ajuda à Divina Providência... — aconselhou irmã María Escapulario.

A determinação de Nívea tornou-se tão firme, que ela escreveu em seu diário que renunciaria ao matrimônio para dedicar-se por inteiro à luta pelo voto feminino. Ignorava que tal sacrifício não seria necessário, pois se casaria por amor com um homem que a secundaria em seus propósitos políticos.

Severo subiu ao navio com ar de sofrimento, para que seus parentes não suspeitassem do quanto estava alegre por deixar o Chile — não fossem eles agora mudar de ideia —, e se dispôs a tirar o maior proveito possível da aventura. Despediu-se da prima Nívea com um beijo roubado, depois de jurar que lhe mandaria livros interessantes, por intermédio de um amigo, de modo a evitar a censura da família, e que lhe escreveria uma vez por semana. Ela havia se resignado à separação por um ano, sem desconfiar de que ele havia feito planos para ficar nos Estados Unidos o máximo de tempo possível. Severo não quis anunciar tais propósitos a fim de não tornar a despedida ainda mais amarga, decidindo que se explicaria a Nívea por carta. De qualquer maneira, ambos ainda eram muito jovens para casar--se. Viu-a de pé no cais de Valparaíso, cercada pelo resto da família, com seu vestido e seu gorro cor de azeitona, dando-lhe adeus com a mão e sorrindo a duras penas. "Não chora e não se queixa; por isso a amo e sempre a amarei, Severo disse em voz alta, falando contra o vento, disposto a vencer, a golpes de tenacidade, as fraquezas de seu coração e as tentações do mundo. "Virgem Santíssima, traga-o são e salvo de volta para mim, Nívea suplicou, mordendo os lábios, vencida pelo amor, completamente esquecida de que havia jurado permanecer solteira até cumprir seu dever de sufragista.

DESDE A PARTIDA de Valparaíso até a chegada ao Panamá, o jovem Del Valle teve muitas vezes nas mãos carta de seu avô Agustín, ansioso por abri-la, mas sem coragem para fazê-lo, pois lhe haviam ensinado, a ferro e fogo, que um cavalheiro não mete o olho em carta nem a mão em prata. Finalmente a curiosidade pôde mais do que o decoro — era de seu destino que se tratava, pensou — e com a navalha de barbear-se quebrou cuidadosamente o selo de lacre, expôs em seguida a parte colada do envelope ao vapor de uma chaleira e o abriu com mil precauções. Descobriu, assim, que fazia parte dos planos do avô de mandá-lo para uma escola militar norte-americana. Era uma lástima, acrescentava o avô, que o Chile não estivesse em guerra com algum país vizinho, para que seu neto se tornasse homem empunhando armas, como devia ser. Severo atirou a carta no mar e escreveu outra conforme os seus interesses, introduziu-a no mesmo envelope e derramou um pouco de lacre derretido sobre o selo violado. Em São Francisco sua tia Paulina o esperava no cais, acompanhada por dois criados e também por Williams, seu pomposo mordomo. Usava um chapéu absurdo e uma profusão de véus que voavam ao sopro do vento, e, se não fosse tão pesada, ela também acabaria por elevar-se nos ares. Pôs-se a rir aos gritos quando viu o sobrinho descendo a prancha com o Cristo nos braços e logo em seguida o estreitou contra seu peito de soprano, afogando-o na montanha de seios e nas ondas do perfume de gardênia.

— Antes de tudo, vamos nos desfazer dessa monstruosidade — disse, apontando para o Cristo. — Também terá de comprar umas roupas, ninguém por estes lados veste coisas assim tão ridículas — acrescentou.

— Este traje era de meu pai — Severo explicou, humilhado.

— Nota-se. Você está parecendo um coveiro — Paulina comentou, e só depois de dizer tal coisa lembrou-se de que o rapaz tinha perdido o pai havia pouco tempo. — Me perdoe, Severo, não quis ofendê-lo. Seu pai era meu irmão preferido, o único da família com quem eu podia falar.

— Mandaram remontar alguns dos seus ternos, para não perdê-los — Severo explicou com voz sumida.

— Começamos mal. Pode me perdoar?

— Está bem, tia.

Na primeira oportunidade que se apresentou, o rapaz entregou-lhe a falsa carta do avô Agustín. Ela o olhou de modo aparentemente distraído.

— O que dizia a outra? — perguntou.

Com as orelhas coradas, Severo tentou negar o que havia feito, mas a tia não lhe deu tempo de enredar-se em mentiras.

— Eu teria feito o mesmo, sobrinho. Quero saber o que dizia acarta de meu pai, para respondê-la, não para levá-la a sério.

— Que me mandasse para uma escola militar ou para a guerra, se é que está havendo alguma por aqui.

— Chegou tarde, já houve. Mas, caso seja do seu interesse, estão agora massacrando os índios. Os índios até que se defendem bem; imagine só, eles acabam de matar o general Custer e mais de duzentos soldados do Sétimo de Cavalaria em Wyoming. Não se fala de outra coisa. Dizem que um índio chamado *Chuva na Cara*, olha só que nome tão poético, tinha jurado vingar-se do irmão do general Custer e que, na batalha, arrancou-lhe o coração e o devorou. E você, tem vontade de ser soldado? — Paulina del Valle riu entre dentes.

— Não pensei nunca em ser militar, isso é ideia do avô Agustín.

— Na carta que falsificou você diz que quer ser advogado; vejo que meu conselho de anos atrás não caiu no vazio. Assim é que eu gosto, menino. As leis americanas não são como as chilenas, mas isso é o de menos. Você será advogado. Será admitido como aprendiz no melhor escritório da Califórnia, para alguma coisa hão de servir as minhas influências.

— Estarei em dívida com a senhora pelo resto da vida, tia — Severo disse, impressionado.

— Certo. Espero que não esqueça, mas lembre-se que a vida é longa e nenhum de nós pode saber quando terei necessidade de pedir um favor a você.

— Conte comigo, tia.

No dia seguinte, Paulina del Valle levou Severo ao escritório de seus advogados, os mesmos que a vinham servindo ao longo dos últimos vinte e cinco anos, dela recebendo enormes remunerações, e anunciou-lhes, sem preâmbulos, que esperava ver seu sobrinho trabalhando com eles a partir da segunda-feira seguinte, a fim de aprender a profissão. Não puderam negar-se. A tia instalou o rapaz em sua casa, destinando-lhe um ensolarado quarto no segundo andar; comprou-lhe um bom cavalo, prometeu-lhe uma boa mesada, contratou-lhe um professor de inglês e tratou de apresentá-lo à sociedade, porque, segundo ela, não havia capital melhor do que as relações.

— Duas coisas espero de você: fidelidade e bom humor.

— Também não espera que eu estude?

— Isso é problema seu, garoto. Não tenho nada a ver com o que fizer de sua vida.

Contudo, nos meses seguintes Severo iria comprovar que Paulina acompanhava de perto seus progressos na firma de advogados, contabilizava seus gastos e sabia dos seus passos, antes mesmo que ele os desse. O que fazia para saber tanto era um mistério, a não ser que Williams, o impenetrável mordomo, tivesse organizado uma rede de vigilância. O homem dirigia um exército de criados, que exerciam suas tarefas como sombras silenciosas, viviam em um prédio separado, no fundo do parque da casa, e estavam proibidos de dirigir a palavra aos senhores da família, salvo quando fossem chamados. Também não podiam falar com o mordomo sem antes passarem pela mulher que cuidava das chaves. Severo custou a entender aquela hierarquia, até porque no Chile as coisas eram muito mais simples. Os patrões, mesmo os mais despóticos, como o seu avô, tratavam os empregados com dureza, mas estavam atentos às suas necessidades e os consideravam como parte da família. Jamais vira uma criada ser despedida; aquelas mulheres entravam para o serviço da casa na puberdade e lá ficavam até morrer. O palacete em Nob Hill era muito diferente dos casarões conventuais entre cujas paredes havia transcorrido sua infância, com grossos muros de adobe e lúgubres portas aferrolhadas, e uns poucos móveis apoiados em paredes nuas. Já na casa da tia Paulina teria sido uma tarefa impossível realizar um inventário de seu conteúdo, das aldrabas e chaves de banheiro feitas de prata maciça às coleções de figurinhas de porcelana, caixas russas laqueadas, marfins chineses e tudo quanto fosse objeto de arte ou de desejo que estivesse na moda. Feliciano Rodríguez de Santa Cruz comprava a fim de impressionar as visitas, mas não era um bárbaro, como outros magnatas seus amigos, que compravam livros a peso e quadros cuja cor combinasse com a das poltronas. Por seu lado, Paulina não sentia apego nenhum por aqueles tesouros; em toda a sua vida, o único móvel que havia adquirido por encomenda era a sua cama, que comprara por motivos que nada tinham a ver com a estética ou a pompa. O que lhe interessava era pura e simplesmente o dinheiro; seu desafio consistia em ganhá-lo com astúcia, acumulá-lo com tenacidade e investi-lo com sabedoria. Não se fixava nas coisas que seu marido adquiria, nem onde as deixava, e assim o resultado era uma casa ostentosa, na qual os próprios moradores se sentiam estrangeiros. As pinturas eram enormes, as molduras maciças, os temas forçados — *Alexandre Magno na conquista da Pérsia* —, mas também havia centenas de quadros menores organizados tematicamente, cuja função era dar nome às peças do casarão: o salão da caça, o das marinhas, o das aquarelas. As cortinas eram de veludo pesado, com franjas aflitivas, e os espelhos venezianos refletindo até o infinito as colunas de mármore, os altos jarros de Sèvres, as estátuas de bronze, os grandes vasos transbordantes de flores e frutos. Havia dois salões de música com finos instrumentos italianos, embora na família ninguém soubesse usá-los e a música provocasse dor de cabeça em Paulina, além de uma biblioteca instalada em dois planos. Em cada canto havia escarradeiras de prata com iniciais de ouro, pois naquela cidade fronteiriça era perfeitamente aceitável lançar cusparadas em público. As peças nas quais vivia Feliciano estavam na ala oriental da mansão, e as de sua mulher no extremo oposto do mesmo andar. Entre ambas, unidas por um largo corredor, alinhavam-se os aposentos dos filhos e dos hóspedes, todos vazios, menos o de Severo e o que era ocupado por Matías, o filho mais velho e o único que ainda vivia na casa. Acostumado ao incômodo e ao frio, que no Chile são considerados bons para a saúde, Severo del Valle demorou várias semanas para habituar-se ao abraço opressor do colchão e das almofadas de penas, ao verão eterno das estufas e à surpresa cotidiana de abrir o chuveiro e receber em cheio um jorro de água quente. Na casa de seu avô as privadas eram casinhas fedorentas no fundo do pátio e, nas madrugadas de inverno, a água para lavar-se amanhecia gelada nas bacias.

A HORA DA sesta costumava surpreender o jovem sobrinho e sua incomparável tia na cama mitológica: ela entre os lençóis, com seus livros de contabilidade de um lado e, do outro, seus pastéis, e ele, sentado do lado dos pés, entre a ninfa e o golfinho, comentando assuntos familiares e negócios. Somente a Severo ela permitia tal grau de intimidade, pouquíssimos tinham acesso aos seus aposentos privados, mas com ele se sentia completamente à vontade em sua camisola de dormir. Aquele sobrinho lhe proporcionava alegrias que os filhos nunca lhe haviam dado. Os dois mais novos levavam vida de herdeiros, ocupando cargos simbólicos em diretorias de empresas do clã, um em Londres, o outro em Boston. Matías, o primogênito, estava destinado a encabeçar a estirpe dos Rodríguez de Santa Cruz y del Valle, mas não tinha a menor vocação para isso; longe de seguir os passos de seus esforçados pais, de interessar-se por suas empresas e trazer filhos varões ao mundo a fim de preservar o nome da família, havia feito do hedonismo e do celibato uma forma de arte. "Não passa de um tolo bem-vestido", assim Paulina o definiu certa vez diante de Severo, mas, ao notar o quanto o filho e o sobrinho se davam bem, passou a esforçar-se para estreitar mais ainda aquela amizade nascente. "Minha mãe não dá murro em ponta de faca, deve estar planejando um meio de você me salvar da dissipação", Matías zombava. Severo não pretendia assumir a tarefa de mudar o primo, ao contrário, gostaria de parecer-se com ele; em comparação com o outro, sentia-se rígido e fúnebre. Tudo em Matías o assombrava, seu estilo impecável, sua ironia glacial, a leviandade com que gastava irreparavelmente seu dinheiro.

— Quero que você se familiarize com os meus negócios. Vivemos em uma sociedade materialista e vulgar, com muito pouco respeito pelas mulheres. Aqui só valem a fortuna e as relações, por isso necessito de você: será meus olhos e meus ouvidos — Paulina anunciou ao sobrinho, poucos meses depois de sua chegada.

— Não entendo nada de negócios.

— Mas eu, sim. Não quero que pense, isso é comigo. Você cala, observa, escuta e me conta. Em seguida faz as coisas que eu disser, sem me fazer muitas perguntas, estamos entendidos?

— Não me peça para fazer armadilhas, tia — Severo replicou com dignidade.

— Vejo que deve ter ouvido algum mexerico a meu respeito... Escute, filho, as leis foram inventadas pelos fortes a fim de dominar os fracos, que são em número muito maior. Não tenho obrigação de respeitá-las. Necessito de um advogado de total confiança para fazer o que me der na telha, mas sem me meter em encrencas.

— De maneira honrada, espero... — advertiu Severo.

— Ora, menino! Assim não chegaremos a lugar nenhum. Sua honra estará a salvo, sempre que não exagerar — Paulina replicou.

Desse modo, selaram um pacto tão forte quanto os laços de sangue que os uniam. Paulina, que o havia acolhido sem grandes expectativas, convencida de que era um vadio, única razão de o terem mandado embora do Chile, teve uma favorável surpresa com aquele sobrinho diligente e movido por nobres sentimentos. Em poucos anos, Severo aprendeu a falar inglês com uma facilidade que ninguém mais havia demonstrado em sua família, chegou a conhecer detalhe por detalhe as empresas de sua tia, cruzou duas vezes os Estados Unidos de trem — uma delas amenizada por um ataque de bandoleiros mexicanos — e achou tempo para se transformar em advogado. Mantinha uma correspondência semanal com sua prima Nívea, que com os anos foi se definindo mais como intelectual do que como romântica. Ela contava histórias da família e da política chilena; ele comprava livros para ela e recortava artigos sobre os avanços das sufragistas na Europa e nos Estados Unidos. A notícia de que no Congresso norte-americano fora apresentada uma emenda para autorizar o voto feminino foi celebrada por ambos a distância, embora estivessem de acordo que imaginar algo semelhante no Chile equivalia à loucura. "O que ganho com tanto estudo e tanta leitura, primo, se não há lugar para a ação na vida de uma mulher? Minha mãe diz que será impossível casar-me, porque afugento os homens, e que devo me embelezar e fechar a boca caso queira arranjar um marido. Minha família aplaude a menor mostra de conhecimento dada por meus irmãos — e digo menor porque você já sabe os brutos que eles são —, mas o mesmo, no meu caso, é considerado jactância. O único que me tolera é meu tio José Francisco, porque lhe dou oportunidade de falar-me de ciência, astronomia e política, temas sobre os quais gosta de perorar, embora não dê a mínima importância às minhas opiniões. Não pode imaginar o quanto invejo os homens como você, que têm o mundo por palco", a jovem escrevia. O amor não ocupava mais que um par de linhas nas cartas de Nívea e um par de palavras nas de Severo, como se houvesse entre eles o tácito acordo de esquecer as intensas e apressadas carícias feitas nos recantos da casa. Duas vezes por ano Nívea mandava-lhe uma fotografia sua, para que ele visse como ia se convertendo em mulher, ele prometia fazer o mesmo e sempre se esquecia, do mesmo modo que se esquecia de dizer que também não voltaria para casa naquele Natal. Outra, mais ansiosa por casar-se do que Nívea, teria afinado as antenas a fim de descobrir um namorado menos escorregadio, mas Nívea jamais duvidou de que Severo del Valle seria seu marido. Era tal sua certeza, que aquela separação esticada pelos anos não chegava tanto a preocupá-la; estava disposta a esperar por ele até o fim dos tempos. Quanto a Severo, este guardava a lembrança da prima como um símbolo de tudo aquilo que representava o bom, o nobre e o puro.

O ASPECTO DE Matías podia até justificar a opinião de sua mãe, para quem ele era apenas um tolo bem-vestido, mas tolo ele não era nem um pouco. Tinha visitado todos os museus importantes da Europa, entendia de arte, podia recitar quantos poetas clássicos houvesse, e era o único que usava a biblioteca da casa. Cultivava seu próprio estilo, no qual se mesclavam o boêmio e o dândi; do primeiro tinha o hábito da vida noturna, e do segundo a mania dos detalhes no vestir. Era considerado o melhor partido de São Francisco, porém se declarava resolutamente solteiro; preferia uma conversa trivial com o pior de seus inimigos a um encontro com a mais atraente de suas namoradas. Com as mulheres tinha em comum apenas a procriação, um propósito em si absurdo, ele costumava dizer. Diante das pressões da natureza preferia uma profissional, uma das muitas que existiam ao alcance da mão. Era inconcebível uma noitada entre cavalheiros que não terminasse com um *brandy* em um bar e uma visita a um bordel; havia mais de um quarto de milhão de prostitutas no país e uma boa percentagem delas ganhava a vida em São Francisco, desde as míseras *sing-song girls* de Chinatown até as finas senhoritas dos estados do sul, atiradas àquela vida pela Guerra Civil. O jovem herdeiro, tão pouco tolerante com as fraquezas femininas, demonstrava a maior paciência ante a grosseria de seus amigos boêmios; essa era outra de suas singularidades, como a preferência pelos finos e negros cigarros que importava do Egito, e o interesse pelos crimes literários ou reais. Vivia no palacete paterno de Nob Hill e dispunha de um luxuoso apartamento em pleno centro — coroado por uma espaçosa água-furtada, que chamava de *garçonnière* —, onde pintava de vez em quando e dava festas com frequência. Misturava-se com o baixo mundo dos boêmios, uns pobres-diabos que sobreviviam às agruras de uma escassez estoica e irremediável, poetas, jornalistas, fotógrafos, aspirantes a escritores e artistas, homens sem família que passavam a existência meio adoentados, tossindo e conversando, que viviam a crédito e não usavam relógio, porque o tempo não fora inventado para eles. Quando o aristocrata chileno dava as costas zombavam de suas roupas e de seus modos, mas o toleravam, porque sempre podiam conseguir com ele algum dinheiro, uma dose de uísque ou um lugar na água-furtada para passar uma noite de neblina.

— Já notou que Matías tem jeito de maricas? — Paulina comentou com o marido.

— Como se atreve a dizer tamanha barbaridade sobre o próprio filho? Jamais houve um tipo desses na minha família e nem na sua! — Feliciano replicou.

— Conhece algum homem normal que combine a cor do cachecol com a do papel de parede? — resmungou Paulina.

— Ora, porra! Você é a mãe dele e é sua a obrigação arranjar-lhe uma noiva! Esse rapaz já fez trinta anos e continua solteiro. É melhor que você arranje uma sem demora, antes que ele se torne alcoólatra, fique tuberculoso ou qualquer coisa pior — advertiu Feliciano, sem saber que já era tarde para tíbias medidas de salvação.

Em uma daquelas noites de nevasca e vento gelado, típicas do verão de São Francisco, Williams, o mordomo, vestindo fraque, bateu na porta do aposento de Severo del Valle.

— Desculpe perturbá-lo, senhor — murmurou com um discreto pigarreio, e entrou com um candelabro de três velas na mão enluvada.

— O que está havendo, Williams? — perguntou Severo, alarmado, pois era a primeira vez que alguém interrompia seu sono naquela casa.

— Temo estar havendo um pequeno inconveniente. Trata-se de dom Matías — disse Williams com aquela pomposa deferência britânica, que era desconhecida na Califórnia e sempre soava mais irônica do que respeitosa.

Explicou que havia chegado à casa, àquela hora tardia, uma mensagem enviada por uma dama de duvidosa reputação, uma tal de Amanda Lowell, a quem dom Matías costumava frequentar, criatura de "outro ambiente," como disse o mordomo. Severo leu a nota à luz das velas: eram apenas três linhas pedindo ajuda imediata para Matías.

— Devemos pôr meus tios a par deste aviso; Matías pode ter sofrido um acidente. — Severo estava alarmado.

— Preste atenção no endereço, senhor; é em plena Chinatown. Parece-me preferível que os senhores não tomem conhecimento disso — opinou o mordomo.

— Puxa! Eu pensava que você não tinha segredos com minha tia Paulina.

— Tento não incomodá-la, senhor.

— Sugere que façamos o quê?

— Se não for pedir muito, peço que se vista, apanhe suas armas e me acompanhe.

Williams havia despertado um servente para que preparasse um dos coches, mas desejava que tudo fosse feito o mais silenciosamente possível, de modo que ele mesmo tomou as rédeas e se dirigiu, sem vacilar, pelas ruas escuras e vazias, para o bairro chinês, guiado pelo instinto dos cavalos, pois a cada instante o vento apagava os faróis do veículo. Severo teve a impressão de que não era a primeira vez que o mordomo andava por aquelas ruelas escuras. Logo desceram do coche e seguiram a pé por uma passagem que ia dar em um pátio sombrio, onde imperava um odor estranho, adocicado, como o de nozes assadas. Não se via ninguém, o único som era o do vento e a única luz era a que se filtrava por entre as frinchas de dois postigos situados ao nível da rua. Williams acendeu uma vela, leu novamente o endereço que havia no papel e em seguida empurrou, sem cerimônia, uma das portas que dava para o pátio. Severo foi atrás dele, com a mão na arma. Entraram em uma pequena sala, sem ventilação, mas limpa e arrumada, onde o aroma denso do ópio quase impedia que se respirasse. Em torno de uma mesa no centro da sala havia compartimentos de madeira, alinhados junto às paredes, um em cima do outro como os beliches de uma embarcação, guarnecidos por pequenas esteiras e pedaços de madeira oca à guisa de travesseiro. Estavam ocupados por chineses, às vezes dois em um cubículo, inclinados diante de pequenas bandejas contendo, cada uma delas, uma caixinha com pasta negra e uma lamparina acesa. A noite já ia muito alta e a droga já exercia seu efeito sobre a maioria; os homens jaziam letárgicos, deambulando em seus sonhos, e apenas dois ou três ainda tinham forças para untar uma vareta metálica no ópio, aquecê-la na chama da lamparina, carregar o minúsculo fornilho do cachimbo e aspirar através de um tubo de bambu.

— Meu Deus! — murmurou Severo, que já ouvira falar daquilo, mas nunca tinha visto.

— É melhor do que o álcool, se me permite dizê-lo — replicou Williams. — Não induz à violência e não causa mal aos outros, só mesmo a quem fuma. Veja como isto aqui é muito mais tranquilo e mais limpo do que qualquer bar.

Um velho chinês, vestindo túnica e largas calças de algodão, veio ao encontro deles, coxeando. Os minúsculos olhos avermelhados mal assomavam por entre as grandes rugas do rosto; o bigode era ralo e cinzento, e também a trança que pendia em suas costas; as unhas, exceto as do polegar e do indicador, eram tão longas que se enrolavam sobre si mesmas, como caudas de algum antigo molusco; a boca parecia uma cova escura, e os poucos dentes restantes estavam estragados pelo tabaco e pelo ópio. O pequenino bisavô de pés tortos cumprimentou os recém-chegados em chinês, e, para surpresa de Severo, o mordomo inglês respondeu-lhe com dois ladridos na mesma língua. Houve uma longuíssima pausa, durante a qual ninguém se moveu. O chinês sustentou o olhar de Williams, como se o avaliasse, e finalmente estendeu a mão, na qual o mordomo depositou vários dólares, que o velho guardou no peito, embaixo da túnica; em seguida apanhou uma vela e fez sinal para que o seguissem. Passaram para outra sala, e depois a uma terceira e uma quarta, todas semelhantes à primeira, percorreram um longo e retorcido corredor, desceram uma pequena escada e chegaram a outro corredor. O velho fez sinais para que esperassem, e desapareceu por alguns minutos que pareceram intermináveis. Suando, Severo mantinha o dedo no gatilho da arma, pronta para disparar, alerta e sem atrever-se a dizer nem meia palavra. Finalmente o bisavô retornou e os conduziu por um labirinto, até que se viram diante de uma porta fechada, para a qual o velho ficou olhando com absurda atenção, como estivesse decifrando um mapa, até que Williams passou-lhe outros dois dólares, e então ele tratou de abri-la. Entraram em uma sala ainda menor que as anteriores, mais escura, mais enfumaçada e mais opressiva, pois situava-se abaixo do nível da rua e necessitava de ventilação, mas afora isso era idêntica àquelas pelas quais haviam passado. Nos beliches de madeira havia cinco americanos brancos — quatro homens e uma mulher já madura, mas ainda esplendorosa, com uma cascata de cabelos ruivos caídos ao redor do corpo como se fossem um manto escandaloso. A julgar pelas roupas caras, todos ali tinham condições de pagar suas dívidas. Todos se achavam em estado de feliz estupor, menos um, que jazia de costas, mal conseguindo respirar, a camisa solta, os braços abertos em cruz, a pele cor de giz e os olhos voltados para cima. Era Matías Rodríguez de Santa Cruz.

— Vamos, senhor, ajude-me — ordenou Williams a Severo del Valle.

Os dois levantaram-no com esforço, cada um passando pelo pescoço um braço do homem inconsciente, e assim o levaram, como um crucificado, a cabeça pendente, o corpo lasso, os pés se arrastando pelo piso de terra batida. Percorreram de volta o longo caminho, venceram os estreitos corredores e atravessaram, uma a uma, as salas sufocantes, até alcançarem inesperadamente o ar livre, onde puderam respirar fundo, ansiosos e aturdidos. Acomodaram Matías no coche, o melhor que podiam, e Williams os levou à *garçonnière*, cuja existência Severo imaginava que o mordomo de sua tia ignorava. Maior foi a surpresa quando Williams tirou uma chave do bolso, abriu a porta principal do edifício, e em seguida mais uma, agora para abrir a porta da cobertura.

— Não é essa a primeira vez que você resgata meu primo, é, Williams?

— Digamos que não será a última — respondeu o mordomo.

Puseram Matías em uma cama que se ocultava atrás de um biombo japonês, e Severo se pôs a cobri-lo com panos molhados e a sacudi-lo para que voltasse do céu onde se havia instalado, enquanto Williams partia em busca do médico da família, depois de advertir que não seria conveniente informar aos tios sobre o acontecido.

— Meu primo pode morrer! — exclamou Severo, atemorizado.

— Nesse caso terá de contar aos senhores — Williams admitiu com a devida cortesia.

Durante cinco dias o rapaz debateu-se em espasmos de agonia, envenenado até a medula dos ossos. Williams levou um enfermeiro ao apartamento para que cuidasse de Matías, e ajeitou as coisas de modo que sua ausência em casa não fosse motivo de escândalo. O incidente criou um estranho vínculo entre Severo e Williams, uma tácita cumplicidade que jamais se traduzia em gestos ou palavras. Com outro indivíduo menos hermético do que o mordomo, Severo teria pensado que compartiam certa amizade ou pelo menos alguma simpatia, mas ao redor do inglês erguia-se uma impenetrável muralha de reserva. Começou a observá-lo. Tratava os empregados sob suas ordens com a mesma impecável cortesia e frieza com que se dirigia aos patrões, e era assim que conseguia atemorizá-los. Nada escapava ao seu olhar vigilante, nem o brilho dos talheres de prata lavrada, nem os segredos de cada habitante daquela imensa casa. Era impossível calcular sua idade ou descobrir suas origens, parecia ter parado para sempre na casa dos quarenta e, com exceção do sotaque britânico, não havia nenhuma pista sobre sua vida pregressa. Trocava as luvas brancas trinta vezes por dia, sua roupa de tecido preto, recém passada a ferro, estava sempre luzindo, sua camisa branca, do melhor linho holandês, era tão engomada que parecia feita de cartolina, e os sapatos reluziam como espelhos. Chupava pastilhas de hortelã para perfumar o hálito e usava água-de-colônia, mas fazia as duas coisas com tanta discrição, que só uma vez Severo sentiu o cheiro da menta e da lavanda, e isso foi justamente quando se roçaram na hora de levantar o inconsciente Matías do lugar onde havia se intoxicado com o ópio. Naquela ocasião também notou que embaixo da jaqueta seus músculos eram duros como se fossem de madeira, que seus tendões eram tensos, que era forte e flexível, que nada naquele homem combinava com a sua atitude de lorde inglês.

Os primos Severo e Matías tinham em comum apenas os antepassados patrícios e o gosto pelo esporte e a literatura, no mais não pareciam ser do mesmo sangue; tão fidalgo, arrojado e ingênuo era o primeiro, quanto cínico, indolente e libertino era o segundo, mas, apesar de seus temperamentos opostos e dos anos que os separavam, os dois tornaram-se amigos. Matías esmerou-se no ensino da esgrima a Severo, a quem faltavam a elegância e a velocidade indispensáveis a essa arte, e em iniciá-lo nos prazeres de São Francisco, mas o jovem mostrou-se inadequado como companheiro de pândega, pois sempre adormecia em pé; passava quatorze horas por dia trabalhando no escritório de advocacia, e, no que lhe restava de tempo, lia e estudava. Costumavam nadar nus na piscina da casa e desafiar-se em torneios de luta corporal. Dançavam um em torno do outro, atentos, preparando-se para o salto, e por fim se atracavam, brincando enlaçados e rolando, até que um dominasse o outro e o amassasse contra o solo. Ficavam molhados de suor, excitados. Severo afastava-se empurrando o primo, perturbado, como se o pugilato se houvesse confundido com um inadmissível abraço. Falavam de livros e comentavam os clássicos. Matías amava a poesia, e, quando estavam sós, os dois recitavam de cor, e de tanto que se comoviam com a beleza dos versos as lágrimas desciam-lhes pelas faces. Também nessas ocasiões Severo ficava meio perturbado, pois a intensa emoção do outro parecia-lhe uma forma de intimidade proibida entre homens. Acompanhava com atenção os avanços das ciências e as viagens dos exploradores, que comentava com Matías, na vã tentativa de interessá-lo, pois as únicas notícias que conseguiam romper a armadura de indiferença do primo eram os crimes locais. Matías havia estabelecido uma curiosa amizade, sustentada por litros de uísque, com Jacob Freemont, um velho e inescrupuloso jornalista, sempre curto de dinheiro, e ambos dividiam por igual a mórbida fascinação pelo delito. Freemont ainda conseguia publicar reportagens sobre crimes nos jornais da cidade, mas havia perdido em definitivo sua reputação, muitos anos antes, ao inventar a história de Joaquín Murieta, um suposto bandido mexicano dos tempos da febre do ouro. Com seus artigos ele havia criado um personagem mítico, que excitou o ódio da população branca contra os hispanos. A fim de aplacar os ânimos, as autoridades ofereceram a um certo capitão Harry Love uma boa soma para que saísse à caça de Murieta. Depois de três meses percorrendo a Califórnia à procura do bandido, o capitão optou por uma solução fora do roteiro: matou sete mexicanos em uma emboscada e voltou com a cabeça e uma das mãos de um morto. Ninguém pôde identificar os despojos, mas o feito de Love tranquilizou os brancos. Os macabros troféus ainda estavam expostos em um museu, embora a opinião consensual fosse a de que Murieta não passara de uma criação monstruosa da imprensa em geral e de Jacob Freemont em particular. Esse e outros episódios em que a pena falaz de Freemont havia torcido a realidade acabaram por dar-lhe uma bem-merecida fama de embusteiro e a fechar-lhe todas as portas. E agora, graças à sua estranha ligação com Freemont, repórter criminal, Matías tinha possibilidade de ver as vítimas de assassinatos antes que elas fossem levadas dos lugares onde haviam tombado, e de presenciar as autópsias no necrotério, espetáculos que o repugnavam, mas que excitavam-lhe a sensibilidade. Dessas aventuras pelo submundo do crime saía bêbado de horror, ia diretamente para o banho turco, onde passava horas suando com o cheiro de morte grudado em sua pele, e depois se fechava na *garçonnière*, a fim de pintar as desastrosas cenas de pessoas despedaçadas a golpes de faca.

— Que significa tudo isso? — perguntou Severo, ao ver pela primeira vez os dantescos quadros.

— A ideia da morte não fascina você? O homicídio é uma tremenda aventura, e o suicídio uma solução prática. Jogo com a ideia de ambos. Há certas pessoas que merecem ser assassinadas, não lhe parece? Quanto a mim, primo, não penso em morrer decrépito, claro, mas prefiro pôr fim aos meus dias com o mesmo cuidado que tenho ao escolher minhas roupas, e é por isso que estudo os crimes, para treinar.

— Você está louco, e além disso lhe falta talento — disse-lhe Severo.

— Não é preciso ter talento para ser um artista, basta a audácia. Já ouviu falar dos impressionistas?

— Não, mas, se é isso o que pintam esses pobres-diabos, não irão longe. Você não poderia procurar um tema mais agradável? Uma garota bonita, por exemplo?

Matías se pôs a rir e anunciou que na quarta-feira seguinte haveria uma garota verdadeiramente bonita na *garçonnière*, a mais bela de São Francisco, assim designada por aclamação popular, acrescentou. Como modelo, seus amigos lutavam entre si para imortalizá-la em argila, telas e placas fotográficas, adicionando--se a isso a esperança de fazer amor com ela. Apostas eram feitas para ver quem seria o primeiro, mas até aquele momento ninguém conseguira tocar-lhe um dedo.

— Ela sofre de um mal detestável: a virtude. É a única virgem que resta na Califórnia, embora seja fácil curar tal doença. Você gostaria de conhecê-la?

Foi assim que Severo del Valle voltou a encontrar-se com Lynn Sommers. Até aquele dia havia se limitado a comprar em segredo, nas lojas para turistas, cartões-postais com a imagem dela, que escondia entre as páginas dos seus livros de direito, como tesouros vergonhosos. Várias vezes havia rondado a rua do salão de chá, na Praça da União, a fim de vê-la de longe, e havia feito discretas indagações ao cocheiro, que todos os dias ia comprar doces para sua tia Paulina, mas nunca se atrevera a apresentar-se formalmente a Eliza Sommers e pedir-lhe permissão para visitar sua filha. Qualquer atitude direta parecia-lhe uma irreparável traição a Nívea, sua doce namorada de toda a vida; mas chegou à conclusão de que seria apenas um encontro casual com Lynn, uma coincidência de momento, e ninguém poderia criticá-lo por isso. Não lhe passara pela mente que pudesse vê-la no estúdio de seu primo Matías, em tão estranhas circunstâncias.

Lynn Sommers era o feliz produto de uma certa mistura de raças. Deveria chamar-se Lin Chi'en, mas seus pais decidiram anglicanizar os prenomes dos filhos e dar-lhes o nome de família da mãe, Sommers, para facilitar a existência deles nos Estados Unidos, onde os chineses eram tratados como cães. Ao primogênito chamaram Ebanizer, em homenagem a um velho amigo do pai, porém tratavam-no por Lucky — afortunado —, porque era o menino de mais sorte que jamais se tinha visto em Chinatown. À filha mais nova, nascida seis anos depois, chamaram Lin, em homenagem à primeira mulher de seu pai, sepultada em Hong Kong muitos anos antes, porém a registraram com a ortografia inglesa: Lynn. A primeira esposa de Tao Chi'en, que legou seu nome à menina, tinha sido uma frágil criatura de pés minúsculos, adorada pelo marido, mas muito cedo vencida pelo enfraquecimento do organismo. Eliza Sommers aprendeu a conviver com a pertinaz lembrança de Lin e acabou por considerá-la um membro da família, uma espécie de protetora invisível, que velava pelo bem-estar de sua casa. Vinte anos antes, quando havia descoberto que estava novamente grávida, pedira a Lin que a ajudasse a levar a gravidez a bom termo, pois já havia sofrido vários abortos e não tinha muitas esperanças de que seu corpo esgotado sustentasse aquele bebê. O esgotamento era a explicação de Tao Chi'en, que em cada gravidez de Eliza tinha se valido de todos os seus conhecimentos de *zhong-yi*, além de recorrer aos melhores especialistas em medicina ocidental da Califórnia.

— Desta vez nascerá uma menina saudável — Eliza garantiu-lhe.

— Como sabe? — perguntou o marido.

— Porque pedi a Lin.

Eliza sempre acreditou que a primeira esposa de Tao sustentou--a durante a gravidez, proporcionou-lhe forças para dar à luz sua filha, e que após o nascimento havia se inclinado sobre o berço para dar à criança o dom da formosura. "Vai se chamar Lin", a esgotada mãe anunciou quando, afinal, recebeu a filha em seus braços; mas Tao Chi'en assustou-se: não era boa ideia dar à menina o nome da mulher que havia morrido tão jovem. Por fim resolveram mudar a ortografia, de modo a não provocar a má sorte. "Pronuncia-se do mesmo jeito, e é só isso que importa", Eliza concluiu.

Pelo lado da mãe Lynn Sommers tinha sangue inglês e chileno, pelo do pai levava genes dos chineses altos, nascidos no norte de seu país. O avô de Tao Chi'en, um humilde curandeiro, tinha legado aos descendentes do sexo masculino seus conhecimentos de plantas medicinais e invocações mágicas contra diversas doenças do corpo e da mente. Tao Chi'en, o último daquela estirpe, enriqueceu a herança paterna ao ser treinado para *zhong-yi* por um sábio de Cantão, e isso mediante uma vida de estudo, não só da medicina chinesa tradicional, mas também de tudo que caísse em suas mãos acerca da ciência médica do Ocidente. Havia adquirido um sólido prestígio em São Francisco, era consultado por médicos americanos e tinha uma clientela de várias raças, mas não lhe permitiam trabalhar nos hospitais e sua prática estava limitada ao bairro chinês, onde havia comprado uma grande casa, que abrigava sua clínica no primeiro andar e lhe servia de residência no segundo. Sua reputação o protegia: ninguém interferia em sua ação junto às *sing-song girls*, como eram chamadas em Chinatown as patéticas escravas do tráfico sexual, todas meninas, pré-adolescentes. Tao Chi'en havia atribuído a si mesmo a missão de resgatar dos bordéis quantas daquelas meninas lhe fosse possível. Os *tongs* — bandos que controlavam, vigiavam e vendiam proteção na comunidade chinesa — sabiam que ele comprava as pequenas prostitutas para dar-lhes uma nova oportunidade longe da Califórnia. Duas vezes o tinham ameaçado, porém não chegaram a tomar medidas mais drásticas, porque mais dia menos dia qualquer um deles poderia necessitar dos serviços do célebre *zhong-yi*. Enquanto Tao Chi'en não procurasse as autoridades americanas, agisse em silêncio e salvasse as meninas uma a uma, em seu paciente trabalho de formiga, poderia ser tolerado, pois em nada afetaria os imensos lucros do negócio. A única pessoa a ver em Tao Chi'en um inimigo público era Ah Toy, a mais bem-sucedida exploradora da prostituição em São Francisco, dona de várias casas especializadas em adolescentes asiáticas. Só ela importava centenas de garotas por ano, ante os olhos impassíveis dos funcionários ianques devidamente subornados. Ah Toy odiava Tao Chi'en e, como havia dito muitas vezes, preferia a morte a ter de consultá-lo. Tinha ido ao consultório dele apenas uma vez, vencida pela tosse, mas naquela oportunidade os dois compreenderam, sem necessidade de dizê-lo com palavras, que seriam inimigos mortais para sempre. Cada *sing-song girl* resgatada por Tao Chi'en era um espinho cravado embaixo de uma unha de Ah Toy, mesmo que a garota não lhe pertencesse. Para ela, como para ele, aquela era uma questão de princípios.

TAO CHI'EN LEVANTAVA-SE antes do amanhecer e saía para o jardim, onde realizava seus exercícios marciais destinados a manter o corpo em forma e a mente aberta. Em seguida meditava durante meia hora e depois acendia o fogo embaixo da chaleira. Despertava Eliza com um beijo e uma xícara de chá verde, que ela sorvia lentamente na cama. Aquele era um momento sagrado para os dois: a xícara de chá que bebiam juntos fechava a noite compartida em estreito abraço. O que acontecia entre eles, atrás da porta fechada de seu quarto, compensava todos os esforços do dia. O amor de ambos havia começado como uma suave amizade, tecida sutilmente em meio a uma teia de obstáculos, da necessidade de se entenderem em inglês e de saltar por cima dos preconceitos de cultura e raça até os anos de diferença em idade. Viveram e trabalharam juntos sob o mesmo teto durante mais de três anos, antes de ultrapassarem a fronteira invisível que os separava. Foi necessário que Eliza andasse em círculos, milhares e milhares de milhas, realizando uma viagem interminável em busca de um amante hipotético, que lhe escapava por entre os dedos como uma sombra, que pelo caminho fosse deixando pedaços de seu passado, retalhos de sua inocência, e que enfrentasse suas obsessões diante da cabeça decapitada e macerada em genebra, do legendário bandido Joaquín Murieta, para compreender que seu destino estava ao lado de Tao Chi'en. Em troca, o *zhong-yi*, que soubera disso muito antes dela, foi capaz de esperá-la com a silenciosa tenacidade de um amor maduro.

Na noite em que Eliza havia ousado, finalmente, percorrer os oito metros de corredor que separavam o seu quarto do de Tao Chi'en, suas vidas haviam mudado completamente, como se a golpes de machado tivessem cortado a própria raiz do passado. A partir daquela noite ardente não houve a menor possibilidade de recuo, tudo que havia era o desafio de abrir espaço em um mundo que não tolerava a mistura de raças. Eliza chegou descalça, vestindo sua camisola de dormir, tateando nas sombras; empurrou a porta de Tao Chi'en, certa de que a encontraria destrancada, pois tinha adivinhado que ele a desejava tanto quanto ela a ele, mas, apesar dessa certeza, sentia-se assustada ante a irreparável finalidade de sua decisão. Havia vacilado muito antes de dar aquele passo, porque o *zhong-yi* era seu protetor, seu pai, seu irmão, seu melhor amigo, sua única família naquela terra estranha. Temia perder tudo ao transformar-se em sua amante; mas já estava no umbral, e a ânsia de tocá-lo pôde mais do que as sutilezas da razão. Entrou no quarto e, à luz de uma vela que queimava sobre a mesa, viu-o sentado na cama, com as pernas cruzadas, vestindo túnica e calças brancas de algodão, esperando-a. Eliza não chegou a se perguntar quantas noites ele teria atravessado daquela maneira, atento ao ruído de seus passos no corredor, pois estava aturdida pela própria audácia, trêmula de timidez e antecipação. Tao Chi'en não lhe deu tempo de retroceder. Foi ao seu encontro, abriu os braços, e ela avançou cega até estilhaçar-se no choque contra seu peito, no qual afundou o rosto, aspirando o cheiro tão conhecido daquele homem, um aroma salino de água do mar, agarrando-se, com as duas mãos, à túnica de Tao, porque seus joelhos fraquejavam, enquanto um rio de explicações brotava-lhe irrepresável dos lábios e se misturava com as palavras de amor que ele murmurava em chinês. Sentia os braços que a levantavam do chão e a depunham suavemente na cama, sentiu o hálito tíbio em seu pescoço e as mãos que a dominavam; então uma irreprimível angústia a possuiu, e ela começou a tremer, arrependida e assustada.

Desde que sua esposa morrera em Hong Kong, Tao Chi'en tinha buscado consolo, de vez em quando, nos esperados abraços de mulheres pagas. Havia mais de seis anos que não fazia amor amando, mas não permitiu que a pressa o precipitasse. Tantas vezes seu pensamento havia percorrido o corpo de Eliza, tão bem a conhecia, que agora era como andar munido de um mapa pela sucessão de seus vales suaves e suas pequenas colinas. Ela acreditava ter conhecido o amor nos braços de seu primeiro amante, mas a intimidade com Tao Chi'en tornou evidente o tamanho de sua ignorância. A paixão que a transtornara aos dezesseis anos, e pela qual havia atravessado metade do mundo e arriscado a vida várias vezes, não tinha passado de miragem, de algo que agora lhe parecia absurdo; naquela ocasião havia se enamorado do amor, conformando-se com as migalhas que lhe eram oferecidas por um homem mais interessado em ir do que ficar com ela. Procurou-o durante quatro anos, convencida de que o jovem idealista que conhecera no Chile havia se transformado, na Califórnia, em um bandido fantástico, sob o nome de Joaquín Murieta. Durante todo aquele tempo Tao Chi'en havia esperado por ela com sua calma proverbial, convencido de que cedo ou tarde ela cruzaria o umbral que os separava. Coube a ele acompanhá-la quando exibiram a cabeça de Joaquín Murieta, para diversão de americanos e escárnio de latinos. Pensou que Eliza não resistiria à visão daquele repulsivo troféu, porém ela se plantou diante do frasco em que descansava o suposto criminoso e o olhou impassível, como se aquilo não passasse de um repolho em conserva, até adquirir a certeza de que não era aquele o homem a quem havia procurado durante anos. De fato, pouco lhe importava agora sua identidade, pois, no decorrer da longa viagem em que havia seguido a pista de um romance impossível, Eliza tinha adquirido algo tão precioso quanto o amor: a liberdade. "Agora estou livre", foi tudo que disse diante daquela cabeça. Tao Chi'en compreendeu que finalmente ela havia rompido as amarras com o antigo amante, que pouco lhe importava saber se ainda vivia ou se morrera procurando ouro nas encostas da Serra Nevada; em qualquer dos casos deixaria de procurá-lo, e, se algum dia ele aparecesse, então ela já seria capaz de vê-lo em sua verdadeira dimensão. Tao Chi'en tomou-a pela mão e se afastaram daquela sinistra exposição. Lá fora respiraram ar fresco e se puseram a caminhar em paz, dispostos a começar uma nova etapa em suas vidas.

Na noite em que Eliza entrou no quarto de Tao Chi'en, tudo foi muito diferente dos abraços clandestinos e apressados que havia trocado com seu primeiro amante no Chile. Naquela noite descobriu algumas das múltiplas possibilidades do prazer e se iniciou na profundidade de um amor que seria o único para o resto de sua vida. Com toda a calma, Tao Chi'en foi aos poucos libertando-a das lembranças inúteis e das camadas de terror acumuladas, foi acariciando-a com infatigável perseverança, até que ela deixou de tremer e abriu os olhos, até que se sentiu relaxada pelo toque dos seus dedos sábios, até que ele a sentiu ondular, abrir-se, iluminar-se; ouviu-a gemer, chamá-lo, suplicar-lhe; viu-a rendida e úmida, disposta a entregar-se e recebê-lo em plenitude; até que nenhum dos dois soube mais onde estavam, quem eram, onde terminava ele e começava ela. Tao Chi'en levou-a para além do orgasmo, para uma dimensão misteriosa onde o amor e a morte se assemelhavam. Sentiram que seus espíritos se expandiam, que os desejos e a memória haviam desaparecido, que se abandonavam em uma só e imensa claridade. Abraçaram-se nesse extraordinário espaço, reconhecendo-se, porque talvez houvessem estado juntos em vidas anteriores e voltariam a estar muitas vezes em vidas futuras, como sugeriu Tao Chi'en. Eram amantes eternos, buscar-se e encontrar-se uma vez e outra vez era seu carma, disse ele emocionado; mas Eliza replicou, rindo, que não devia se tratar de nada tão solene como o carma, mas do simples desejo de fornicar, coisa que, para dizer a verdade, já havia alguns anos morria de vontade de fazer com ele, esperando que, depois daquele momento, Tao não perdesse o entusiasmo, pois aquela seria a prioridade de sua vida. Brincaram alegremente durante aquela noite e boa parte do dia seguinte, até que a fome e a sede os obrigaram a sair do quarto, ébrios e felizes, sem separar as mãos, com medo de despertarem repentinamente e descobrirem que tinham andado perdidos no meio de uma alucinação.

A paixão que os unia a partir daquela noite, e que alimentavam com extraordinário cuidado, seria seu sustentáculo e sua proteção nos inevitáveis momentos de adversidade. Com o tempo, aquela paixão foi se acomodando na ternura e no riso, e deixaram de explorar as duzentas e vinte e duas maneiras de fazer amor, pois com três ou quatro tinham o suficiente e já não era necessário que mutuamente se surpreendessem. Quanto mais se conheciam, maior era a simpatia a dividir. A partir daquela primeira noite de amor dormiram sempre enovelados, respirando o mesmo ar e sonhando os mesmos sonhos; mas suas vidas não eram fáceis, tinham permanecido juntos durante quase trinta anos em um mundo no qual não havia lugar para uma parceria como a que formavam. Com o correr dos anos, aquele chinês alto e aquela pequenina mulher branca tornaram-se uma visão familiar em Chinatown, mas nunca foram totalmente aceitos. Aprenderam a não tocar-se em público, a sentar-se separados no teatro e a caminhar na rua com vários passos de distância entre os dois. Em certos restaurantes e hotéis não podiam entrar juntos, e, quando foram à Inglaterra, ela com a finalidade de visitar sua mãe adotiva, Rose Sommers, e ele para pronunciar conferências sobre acupuntura na Clínica Hobbs, não puderam viajar na primeira classe do navio nem dividir o camarote, embora à noite ela escapulisse em silêncio para dormir com ele. Casaram-se discretamente conforme o rito budista, mas aquela era uma união sem valor legal. Lucky e Lynn apareciam em seus registros como filhos ilegítimos, reconhecidos pelo pai. Tao Chi'en tinha conseguido o seu título de cidadão, depois de infinitos trâmites e subornos, e era um dos poucos que haviam contornado o Ato de Exclusão dos Chineses, outra das leis discriminatórias da Califórnia. Sua admiração e lealdade pela pátria adotiva eram incondicionais, como demonstrou por ocasião da Guerra Civil, quando cruzou o continente para apresentar-se como voluntário na linha de frente e trabalhar como ajudante dos médicos ianques durante o conflito, porém se sentia profundamente estrangeiro e desejava que, embora tivesse passado a maior parte da vida na América, seu corpo fosse enterrado em Hong Kong.

A FAMÍLIA DE Eliza Sommers e Tao Chi'en residia em uma casa espaçosa e confortável, mais sólida e mais bem construída do que qualquer outra de Chinatown. Ao redor deles, o dialeto cantonês era falado por quase todos, e da comida aos jornais tudo ali era chinês. A algumas quadras de onde moravam situava-se La Misión, o bairro hispano no qual Eliza Sommers costumava passear, de vez em quando, pelo prazer de falar castelhano, mas o seu dia costumava transcorrer entre americanos, nas imediações da Praça da União, onde funcionava seu elegante salão de chá. Com seus pastéis ela havia contribuído desde o início para manter a família, porque boa parte dos ganhos de Tao Chi'en terminava em mãos alheias: o que não se transformava em auxílio aos peões chineses, quando adoeciam ou eram vítimas de alguma desgraça, ele gastava nos leilões clandestinos de garotas escravas. Salvar aquelas criaturas de uma vida de ignomínia se convertera na sagrada missão de Tao Chi'en, e que Eliza Sommers compreendera desde o início e aceitara como outra particularidade de seu marido, outra das muitas razões pelas quais o amava. Montou seu negócio de pastéis para não ter de atormentá-lo com pedidos de dinheiro; necessitava de independência para dar aos filhos a melhor educação americana, pois desejava que se integrassem por completo nos Estados Unidos e vivessem sem as limitações impostas aos chineses e aos hispanos. Com Lynn alcançou seu objetivo, mas no caso de Lucky seus planos fracassaram, porque o garoto se orgulhava de sua origem e não pretendia sair de Chinatown.

Lynn adorava o pai — impossível não amar aquele homem suave e generoso —, mas se envergonhava de sua raça. Percebeu muito cedo que o único lugar para os chineses era o seu próprio bairro, pois no resto da cidade eles eram detestados. O esporte favorito dos garotos brancos era apedrejar *celestiais* ou então cortar suas tranças depois de moê-los a pauladas. Como sua mãe, Lynn vivia com um pé na China e outro nos Estados Unidos, as duas só se entendiam em inglês, penteavam-se e vestiam-se à moda americana, embora dentro de casa costumassem usar túnica e calças de seda. Lynn tinha bem pouco do pai, a não ser os ossos longos e os olhos orientais, e menos ainda da mãe; ninguém sabia de onde provinha sua rara beleza. Nunca lhe permitiram brincar na rua, como fazia seu irmão Lucky, porque em Chinatown as mulheres e meninas de famílias pudicas viviam totalmente reclusas. Nas pouquíssimas ocasiões em que andava pelo bairro era levada pela mão do pai e sempre com os olhos cravados no chão, para não provocar a multidão, quase inteiramente masculina. Ambos chamavam a atenção, ela por sua beleza e ele por se vestir como um ianque. Tao Chi'en havia renunciado, fazia anos, à típica trança de sua gente e escolhera o cabelo curto, molhado e penteado para trás, vestia um impecável terno preto, usava camisa de colarinho duro e chapéu de copa alta. Mas, uma vez fora dos limites de Chinatown, Lynn circulava com plena liberdade, como qualquer menina branca. Educou-se em uma escola presbiteriana, na qual aprendeu rudimentos do cristianismo, os quais, somados às práticas budistas do pai, acabaram por convencê-la de que Cristo era a reencarnação de Buda. Ia sozinha às compras e às suas aulas de piano, e também sozinha saía para visitar as amigas do colégio; à tarde instalava-se no salão de chá da mãe, onde fazia os deveres escolares e gastava o restante do tempo relendo histórias românticas que comprava a dez centavos o exemplar ou as que Rose, sua tia-avó, lhe enviava de Londres. Foram inúteis os esforços de Eliza Sommers para despertar seu interesse pela cozinha ou por qualquer outra atividade doméstica: sua filha não parecia feita para as tarefas do cotidiano.

Deixando a infância para trás, Lynn manteve o rosto de anjo forasteiro e por todo o corpo surgiram-lhe curvas perturbadoras. Durante anos, suas fotos tinham circulado sem maiores consequências, mas tudo mudou quando, ao alcançar os quinze, ganhou formas definitivas e adquiriu consciência da atração devastadora que exercia sobre os homens. Aterrada com as possíveis consequências desse tremendo poder, sua mãe tentou dominar o impulso de sedução da filha, repetindo-lhe, todo dia, as normas da modéstia, ensinando-a a caminhar como um soldado, sem balançar os ombros nem as cadeiras, mas tudo foi inútil: os varões de qualquer idade, raça e condição voltavam-se para admirá-la. Ao perceber as vantagens de sua beleza, Lynn deixou de maldizê-la, como havia feito quando pequena, e decidiu que seria uma modelo artística por um curto período, até um príncipe aparecer com seu cavalo alado e levá-la para o paraíso matrimonial. Durante sua infância, os pais haviam tolerado como um capricho inocente que ela fizesse aquelas fotos em que aparecia vestida de fada ou se balançava entre colunas, mas agora consideravam imensamente perigoso que aparecesse diante das câmaras com seu novo porte de mulher. "Essa história de posar não é uma profissão decente, mas pura perdição", disse Eliza Sommers com tristeza, pois estava percebendo que não conseguiria dissuadir a filha de suas fantasias nem protegê-la das armadilhas da beleza. Transmitiu suas inquietações a Tao Chi'en, em um daqueles momentos perfeitos de repouso que sobrevinha depois de terem feito amor, e então ele explicou que cada um tem seu carma, que não se pode dirigir as vidas alheias, e que às vezes podemos apenas corrigir o rumo das nossas; mas Eliza não estava disposta a permitir que a desgraça a apanhasse desprevenida. Sempre havia acompanhado Lynn quando ela posava para fotógrafos, tomando cuidados com a decência — nada de pernas de fora para atender pretextos artísticos —, e agora que a filha tinha feito dezenove anos estava resolvida a duplicar seu zelo.

— Há um pintor andando atrás de Lynn. Quer que ela pose para um quadro de Salomé — anunciou certo dia ao marido.

— De quem? — perguntou Tao Chi'en, mal levantando os olhos da Enciclopédia de Medicina.

— Salomé, a dos sete véus, Tao. Leia a Bíblia.

— Se é da Bíblia deve estar tudo bem, imagino — ele murmurou, distraído.

— Sabe como era a moda no tempo de São João Batista? Se eu me descuidar, pintam sua filha com os seios no ar!

— Pois sendo assim não se descuide. — Tao sorriu, abraçando a mulher pela cintura, sentando-a sobre o livro aberto em seus joelhos e advertindo-a de que não se deixasse amedrontar pelos truques da imaginação.

— Ah, Tao! Que vamos fazer com Lynn?

— Nada, Eliza, logo ela se casará e nos dará netos.

— Mas ainda é uma garota!

— Na China já teria passado da idade de conseguir um noivo.

— Mas estamos na América, e ela não se casará com um chinês — Eliza respondeu, decidida.

— Por quê? Não gosta dos chineses? — brincou o *zhong-yi*.

— Não há outro homem como você neste mundo, Tao, mas acho que Lynn se casará com um branco.

— Segundo ouvi dizer, os americanos não sabem fazer amor.

— Talvez você possa ensiná-los — disse Eliza sorrindo, com o nariz no pescoço do marido.

Lynn posou para o quadro de Salomé com uma peça de malha de seda cor de carne embaixo dos véus, vigiada pelo olhar incansável da mãe, que não pôde permanecer ao seu lado, com a mesma firmeza, quando ofereceram à filha a imensa honra de servir de modelo para a estátua da República, que seria erguida no centro da Praça da União. A campanha para levantar fundos havia durado meses, as pessoas contribuíam com o que lhes era possível, os estudantes com alguns centavos, as viúvas com alguns dólares, e os magnatas, como Feliciano Rodríguez de Santa Cruz, com cheques suculentos. Os jornais traziam todas as manhãs a soma alcançada no dia anterior, até que se reuniu o suficiente para encomendar o monumento a um famoso escultor trazido especialmente da Filadélfia para realizar aquele ambicioso projeto. As famílias mais distintas da cidade competiam na promoção de festas e bailes para dar ao artista ocasião de escolher suas filhas; já se sabia que a modelo da República seria o símbolo de São Francisco, e todas as jovens sonhavam com aquela distinção. Homem moderno e de ideias atrevidas, o escultor procurou durante semanas a jovem ideal, mas nenhuma o satisfazia. Para representar a pujante nação norte-americana, formada de valorosos imigrantes procedentes dos quatro pontos cardeais, anunciou que desejava encontrar uma em que tivesse ocorrido o entrelaçamento de raças. Os financiadores do projeto e as autoridades municipais se espantaram; os brancos não podiam imaginar que pessoas de outra cor fossem completamente humanas, e ninguém queria ouvir falar de uma jovem mestiça presidindo a cidade do alto do obelisco da Praça da União, como pretendia aquele homem. A Califórnia estava na vanguarda em matéria de arte, os jornais opinavam, mas essa história de modelo mestiça era pedir demais. O escultor estava a ponto de render-se à pressão e optar por uma descendente de dinamarqueses, quando entrou por acaso na pastelaria de Eliza Sommers, a fim de esquecer tudo aquilo com um *éclair* de chocolate, e então viu Lynn. Era a mulher que tanto havia procurado para a sua estátua: alta, bem-modelada, de ossos perfeitos, não apenas tinha a dignidade de uma imperatriz e um rosto de feições clássicas, como trazia, ainda, o selo exótico por ele desejado. Havia nela mais do que harmonia, algo singular, uma certa mistura de Oriente e Ocidente, de sensualidade e inocência, de força e delicadeza, e essa mistura o seduziu por inteiro. Quando informou a Eliza que havia escolhido sua filha para modelo, convencido de que prestava uma tremenda homenagem àquela modesta família de pasteleiros, deparou com uma firme resistência. Eliza Sommers estava farta de perder seu tempo vigiando Lynn nos estúdios dos fotógrafos, cuja única tarefa consistia em apertar um botão com o dedo. A ideia de exercer sua vigilância diante daquele homenzinho que planejava uma estátua de bronze de vários metros de altura deixava-a angustiada; mas, como a filha estava tão orgulhosa ante a perspectiva de ser a República, Eliza não teve coragem de continuar negando.

O escultor viu-se em palpos de aranha para convencer a mãe de que uma pequena túnica era a vestimenta apropriada para aquele caso, pois Eliza não via relação entre a república norte-americana e aquela antiga roupa grega; finalmente concordaram que Lynn posaria com pernas e braços nus, porém os seios estariam cobertos.

LYNN MANTINHA-SE ALHEIA às preocupações da mãe no tocante à sua virtude, e vivia perdida em um mundo de fantasias românticas. Exceto pelo seu inquietante aspecto físico, ela em nada se distinguia; era uma jovem comum, semelhante às demais, uma jovem que copiava poesias em cadernos de papel cor-de-rosa e colecionava miniaturas de porcelana. Sua languidez não era elegância, mas pureza, e sua melancolia não era mistério, mas vazio. "Deixem-na em paz, enquanto eu viver nada faltará a Lynn", Lucky havia muitas vezes prometido, pois foi o único a perceber o quanto sua irmã era tola.

Com vários anos mais do que Lynn, Lucky era um puro chinês. Salvo nas raras oportunidades em que devia cuidar de algum trâmite legal ou deixar-se fotografar, vestia blusão, calças largas, uma faixa na cintura e sapatos com solado de madeira, mas o chapéu era sempre aquele de vaqueiro. Não tinha nem um pouco do porte distinto do pai, da delicadeza da mãe ou da beleza da irmã; era baixo, tinha pés pequenos, cabeça quadrada e pele meio verde, mas, apesar de tudo, acabava por tornar-se atraente graças ao seu irresistível sorriso e seu otimismo contagioso, que vinha certamente da certeza de estar marcado pela boa sorte. Nada de mau podia ocorrer-lhe, pensava; tinha a felicidade e a fortuna garantidas pelo nascimento. Havia descoberto esse dom aos nove anos de idade, quando jogava *fan-tan* com outros meninos na rua; naquele dia chegou em casa anunciando que a partir de então seu nome seria Lucky — em vez de Ebanizer — e nunca mais respondeu a quem o chamasse de maneira diferente. A boa sorte o acompanhava por todas as partes, ganhava em todos os jogos de azar que existiam, e, embora fosse atrevido e dado a rebelar-se, jamais teve problemas com os *tongs* ou com as autoridades dos brancos. Até os policiais irlandeses rendiam-se à sua simpatia, e, enquanto seus colegas eram espancados, ele saía de suas encrencas com um dito engraçado ou um truque de magia, um entre os muitos que podia realizar com suas prodigiosas mãos de malabarista. Tao Chi'en não se conformava com a falta de juízo de seu único filho e maldizia aquela boa estrela que lhe permitia ignorar os esforços a que estão sujeitos os mortais. Não era felicidade o que desejava para ele, e sim transcendência. Era com angústia que o via passar por este mundo como um passarinho contente, pois com essa atitude iria desencaminhar seu carma. Segundo a crença de Tao, a alma avança para o céu mediante a compaixão e o sofrimento, vencendo com nobreza e generosidade os obstáculos, mas como poderia Lucky superar a si mesmo se no seu caminho tudo era fácil? Temia que no futuro ele reencarnasse como uma criatura desprezível. Tao Chi'en desejava que o primogênito viesse a ajudá-lo na velhice, honrasse-lhe a memória depois de sua morte, continuasse a nobre tradição familiar da arte da cura, e chegava mesmo a sonhar com ele na condição de primeiro médico sino-americano a conseguir um diploma; mas Lucky sentia horror pelas poções malcheirosas e as agulhas de acupuntura, nada lhe repugnava tanto quanto as enfermidades alheias, e não conseguia entender a calma do pai diante de uma bexiga inflamada ou de uma cara salpicada de pústulas. Até o dia em que completou dezesseis anos e lançou-se à rua, Lucky era assistente de Tao Chi'en no consultório, onde o pai repetia-lhe os nomes dos remédios e lembrava-lhe quais as suas aplicações, ensinava-lhe a indefinível arte de tomar os diversos pulsos, balancear a energia e identificar humores, sutilezas que entravam pelo ouvido direito do jovem e saíam pelo esquerdo, mas que pelo menos não chegavam a traumatizá-lo, como os textos científicos da medicina ocidental que seu pai estudava com afinco. Horrorizavam-no as ilustrações de corpos sem pele, com músculos, veias e ossos soltos no ar, mas vestindo ceroulas, bem como as cirurgias descritas em seus detalhes mais cruéis. Não lhe faltavam pretextos para afastar-se do consultório, mas, em troca, estava sempre disponível quando se tratava de esconder alguma das míseras *sing-song girls* que seu pai costumava levar para casa. Aquela secreta e perigosa atividade estava na medida certa para ele. Ninguém melhor do que ele para transferir deste para aquele lugar, nas barbas dos *tongs*, as garotinhas desfalecidas, ninguém mais hábil para tirá-las do bairro assim que se recuperavam um pouco, ninguém mais engenhoso para fazê-las desaparecer para sempre, levadas pelos quatro ventos da liberdade. Não o fazia porque se sentisse derrotado pela compaixão, como Tao Chi'en, mas exaltado por aquele afã de tourear com o perigo e pôr à prova sua própria boa sorte.

Antes de alcançar os dezenove anos, Lynn Sommers já havia rejeitado vários pretendentes e estava habituada aos galanteios masculinos, que recebia com desdém de rainha, pois nenhum dos seus admiradores correspondia à imagem que ela fazia do príncipe romântico, nenhum era capaz de dizer as palavras que a tia-avó Rose Sommers escrevia em seus romances, considerava que todos eram vulgares e nenhum a merecia. Acreditou ter encontrado o sublime destino a que tinha direito quando conheceu o único homem que não a olhou duas vezes, Matías Rodríguez de Santa Cruz. Tinha-o visto de longe em algumas oportunidades, andando pela rua ou passeando de coche com Paulina del Valle, mas não haviam trocado uma palavra; ele era bem mais velho do que ela, vivia em círculos aos quais Lynn não tinha acesso, e se não fosse por causa da estátua da República talvez nunca tivessem se encontrado.

A pretexto de supervisionar o custoso projeto, políticos e ricaços que haviam ajudado a financiar a estátua marcavam encontros no estúdio do escultor. O artista amava a glória e a boa vida; enquanto trabalhava, aparentemente absorto no fundamento do molde que receberia o bronze, desfrutava daquela preciosa companhia masculina, das garrafas de champanha, das ostras frescas e dos bons charutos que as visitas traziam. Sobre um estrado, iluminada por uma claraboia no teto por onde se filtrava a luz natural, Lynn Sommers equilibrava-se na ponta dos pés, com os braços para o alto, uma postura que era impossível manter por mais de alguns minutos, com uma coroa de louros em uma das mãos e um pergaminho com a Constituição americana na outra, vestida com uma leve túnica plissada que descia de um ombro até os joelhos, revelando o corpo tanto quanto o cobria. São Francisco era um bom mercado para o nu feminino; todos os bares expunham quadros de odaliscas gorduchas, fotografias de cortesãs com o traseiro exposto e afrescos de gesso com ninfas perseguidas por sátiros incansáveis; uma modelo totalmente nua teria provocado menos curiosidade do que aquela garota que se recusava a tirar a roupa e não se separava do olho sempre espreitante da mãe. Com um vestido escuro, espigada em uma cadeira junto ao estrado sobre o qual posava a filha, Eliza vigiava, sem aceitar nem as ostras nem a champanha com as quais tentavam distraí-la. Era claro como água que aqueles velhotes vinham impelidos pela luxúria, e não pelo amor à arte. Não tinha poder para impedir a presença deles, mas pelo menos podia assegurar-se de que sua filha não aceitaria convites e, tanto quanto possível, não riria das brincadeiras deles nem responderia às suas perguntas absurdas. "Nada é grátis neste mundo. Pelo barato se paga um preço muito alto", advertia, quando a filha se aborrecia ao ver-se obrigada a rejeitar um presente. Assim, posar para a estátua tornou-se um processo sem fim, aborrecido, que deixava Lynn com cãibras nas pernas e o corpo intumescido de frio. Estavam nos primeiros dias de janeiro, e as estufas, nos cantos da sala, não bastavam para aquecer aquele recinto de teto alto, cruzado por correntes de ar. O escultor trabalhava abrigado e com desesperante lentidão, desfazendo hoje o que havia feito ontem, como se não tivesse uma ideia acabada, apesar das centenas de esboços da República que havia pregado nas paredes.

Foi numa aziaga terça-feira que lá apareceu Feliciano Rodríguez de Santa Cruz, acompanhado de seu filho Matías. Tivera notícia da exótica modelo e pensava em conhecê-la antes que o monumento fosse erigido na praça; o nome da garota havia saído em um jornal, e logo ela se tornaria uma presa inacessível, isso na hipótese de o monumento ser mesmo inaugurado. No passo em que as coisas iam, era possível que antes de fundi-lo em bronze os opositores do projeto ganhassem a batalha e tudo se dissolvesse em nada; havia muitos inconformados com a ideia de uma República não anglo-saxã. O cheiro de conquista voltara a agitar o velho coração trapaceiro de Feliciano, e por isso ele estava ali. Tinha mais de sessenta anos, mas o fato de a modelo ainda não haver completado os vinte não lhe parecia um obstáculo intransponível; estava convencido de que o dinheiro conseguia comprar quase tudo. Bastou-lhe um instante para avaliar a situação, ao ver Lynn sobre o estrado, tão jovem e tão vulnerável, tiritando embaixo de sua túnica indecente, o estúdio repleto de machos dispostos a devorá-la; mas não foi compaixão pela garota ou temor da competição entre antropófagos o que deteve seu impulso inicial de cortejá-la, e sim a presença de Eliza Sommers. Reconheceu-a imediatamente, apesar de tê-la visto apenas umas raras vezes. Não imaginava que a modelo, a propósito de quem se faziam tantos comentários, fosse filha de uma amiga de sua mulher.

Lynn Sommers só foi perceber a presença de Matías cerca de meia hora mais tarde, quando o escultor deu por terminada a sessão e ela pôde desfazer-se da coroa de louros e do pergaminho, descendo em seguida do estrado. A mãe lhe pôs a manta sobre os ombros e serviu-lhe uma xícara de chá, levando-a para trás do biombo onde deveria vestir-se. Matías estava junto à janela, observando a rua, ensimesmado; os olhos dele eram os únicos olhos que naquele momento não estavam cravados nela. Lynn notou imediatamente a beleza viril, a juventude e a boa linhagem daquele homem, sua roupa estranha, seu porte altivo, a mecha de cabelo castanho que caía em cuidadosa desordem sobre sua testa, as mãos perfeitas, um anel de ouro em cada dedo mínimo. Surpresa por ver-se assim ignorada, fingiu tropeçar, a fim de chamar a atenção. Várias mãos apressaram-se em ampará-la, excetuando-se as do dândi da janela, que apenas voltou os olhos em sua direção, tão indiferente como se ela não passasse de um móvel. Naquele momento, com a imaginação a galope, Lynn decidiu, sem ter nenhuma razão à qual aferrar-se, que aquele homem era o galã anunciado durante anos em seus romances de amor: havia, finalmente, encontrado o próprio destino. Enquanto se vestia, atrás do biombo, sentia os mamilos endurecidos como se fossem duas pequenas pedras.

A indiferença de Matías não era fingida; na verdade, ele não prestava atenção à jovem, estava ali por motivos muito distanciados da concupiscência: tinha de falar de dinheiro com o pai e não havia encontrado outra ocasião para fazê-lo. Estava com água pela altura do queixo e necessitava imediatamente de um cheque para cobrir suas dívidas de jogo em uma baiuca de Chinatown. O pai tinha avisado que não pensava em continuar financiando tais diversões, e, se não fosse aquele um caso de vida ou morte, como tinham deixado claro seus credores, teria preferido ir tirando o dinheiro aos poucos de sua mãe. Só que daquela vez os *celestiais* não estavam dispostos a esperar, e Matías supôs, acertadamente, que a visita ao criador da estátua deixaria o pai de bom humor e isso tornaria mais fácil arrancar dele aquilo que pretendia. Foi somente alguns dias mais tarde, em uma farra com seus amigos boêmios, que soube ter estado na presença de Lynn Sommers, a jovem mais cobiçada do momento. Teve de fazer um esforço para lembrá-la, e chegou a se perguntar se seria capaz de reconhecê-la caso a encontrasse na rua. Quando surgiram as apostas para ver quem seria o primeiro a seduzi-la, ele entrou no jogo por pura inércia, e em seguida, com a sua habitual insolência, declarou que a sedução se daria em três etapas. A primeira, disse, consistiria em levá-la à *garçonnière* a fim de ser apresentada aos seus companheiros; a segunda, em convencê-la a posar nua diante deles; e a terceira, em fazer amor com ela. Tudo isso no prazo de apenas um mês. Quando convidou seu primo Severo del Valle para conhecer a mulher mais bela de São Francisco, na tarde de quarta-feira, estava cumprindo a primeira parte da aposta. Tinha sido fácil chamar Lynn, usando uma senha secreta, pela janela do salão de chá de sua mãe, esperá-la na esquina quando ela saiu inventando algum pretexto, caminhar ao seu lado duas quadras pela rua, dizer-lhe uns quantos galanteios, que teriam provocado hilaridade em qualquer mulher com mais experiência, e recebê-la em seu estúdio, como se ela tivesse ido lá sem ser chamada. Chegou a sentir-se frustrado, pois havia imaginado que o desafio seria mais difícil de enfrentar. Antes daquela quarta-feira nem sequer tivera de esforçar-se para seduzi-la, tinham bastado uns olhares lânguidos, um roçar de lábios em sua face, um murmúrio e algumas frases bonitas em seu ouvido para desarmar a garota, que tremia diante dele, pronta para o amor. Aos olhos de Matías, era patético aquele desejo feminino de entregar-se e sofrer, aquilo era justamente o que mais detestava nas mulheres, e só por isso se entendia tão bem com Amanda Lowell, que perante os sentimentos tinha uma atitude de desfaçatez igual à dele, e uma de reverência diante do prazer. Hipnotizada como um rato frente aos olhos de uma cobra, Lynn tinha afinal um destinatário para a arte florida das cartas amorosas, para suas estampas de donzelas melancólicas e galãs gomalinados. Não suspeitava que Matías dividia com os amigos a leitura das cartas românticas que lhe endereçava. Quando Matías quis mostrá-las a Severo del Valle, este se recusou. Ainda ignorava que a remetente era Lynn Sommers, mas repugnava-o a ideia de zombar da paixão de uma jovem ingênua. "Pelo visto, primo, você continua a ser um cavalheiro. Mas não se preocupe, isso se cura tão facilmente quanto a virgindade", disse Matías.

SEVERO DEL VALLE aceitou o convite de seu primo para conhecer, naquela quarta-feira, a mulher mais bonita de São Francisco, e logo se deu conta de que não era o único convocado para a ocasião; havia pelo menos meia dúzia de boêmios bebendo e fumando na *garçonnière*, e aquela mesma mulher de cabelos ruivos que tinha visto por alguns segundos, dois anos atrás, quando fora, em companhia de Williams, resgatar Matías em uma casa de fumadores de ópio. Sabia de quem se tratava, porque seu primo lhe havia falado dela e porque seu nome circulava no mundo dos espetáculos frívolos e nos lugares onde transcorria a vida noturna. Era Amanda Lowell, grande amiga de Matías, com quem ela costumava recordar, em tom de zombaria, o escândalo que havia desencadeado nos tempos em que fora amante de Feliciano Rodríguez de Santa Cruz. Matías havia prometido que depois da morte de seus pais lhe daria de presente a cama de Netuno que, para escarmentá-la, Paulina del Valle tinha mandado fazer em Florença. Da vocação de cortesã pouco restava a Lowell, ao amadurecer ela havia descoberto o quanto os homens, em sua maioria, são petulantes e aborrecidos; com Matías, no entanto, tinha uma profunda afinidade, apesar das fundamentais diferenças que os separavam. Naquela quarta-feira ela se manteve à parte, recostada em um sofá, bebendo champanha, consciente de que, daquela vez, o centro das atenções não era ela. Fora convidada somente para que Lynn Sommers não se sentisse rodeada apenas de homens no primeiro encontro, pois isso poderia intimidá-la e fazê-la recuar.

Poucos minutos mais tarde bateram à porta e quem apareceu foi a famosa modelo da República, envolta em uma pesada capa de lã, com um capuz na cabeça. Quando tirou o manto, todos viram um rosto virginal, coroado por uma cabeleira negra, repartida ao meio, penteada para trás e presa da maneira mais simples. Severo del Valle sentiu o coração dar um pulo e todo o seu sangue subir à cabeça, retumbando na fronte como um tambor de batalhão. Jamais havia imaginado que a vítima da aposta de seu primo fosse Lynn Sommers. Não conseguiu dizer uma palavra, nem mesmo saudá-la como faziam os demais; recuou para um canto da sala e ali permaneceu durante a hora em que durou a visita da jovem, o olhar fixo nela, paralisado de angústia. Não tinha dúvida sobre o desenlace da aposta feita por aquele grupo. Via Lynn Sommers como um cordeiro na mesa do sacrifício, ignorando a própria sorte. Uma onda de ódio contra Matías e seus sequazes subiu-lhe dos pés, juntamente com uma raiva surda contra Lynn. Não podia compreender por que a garota se mostrava incapaz de perceber o que estava acontecendo, por que não notava a armadilha daquelas lisonjas de duplo sentido, da taça de champanha que de vez em quando alguém lhe renovava, da perfeita rosa vermelha que Matías lhe havia prendido no cabelo, tudo tão previsível e vulgar, que chegava a dar náuseas. "Deve ser uma tola sem remédio", pensou enojado tanto com ela quanto com os outros, mas vencido por um amor iniludível, que durante anos estivera esperando uma oportunidade para germinar, e que agora explodia, deixando-o aturdido.

— Está se sentindo mal, primo? — Matías perguntou em tom de zombaria, passando-lhe um copo.

Não pôde responder, e voltou o rosto para dissimular sua intenção assassina, mas o outro adivinhara seus sentimentos, dispondo-se, por isso, a levar mais longe a brincadeira. Quando Lynn Sommers anunciou que pretendia sair, depois de prometer que voltaria na semana seguinte a fim de posar diante das câmaras daqueles "artistas", Matías pediu ao primo que acompanhasse a jovem. E foi assim que Severo del Valle encontrou-se a sós com a mulher que havia conseguido sobrepujar o arraigado amor que sentia por Nívea. Andou ao lado de Lynn as poucas quadras que separavam o estúdio de Matías do salão de chá de Eliza Sommers, de tal modo transtornado, que não soube como iniciar nem mesmo uma conversa banal. Era tarde para torná-la conhecedora da aposta, sabia que Lynn estava apaixonada por Matías, tão ofuscada por seu primo quanto ele próprio estava se sentindo por ela.

Lynn não acreditaria nele, iria sentir-se insultada e, mesmo se explicasse que para Matías ela era apenas um joguete, isso não a impediria de ir direto para o matadouro, cega de amor. Foi ela quem rompeu o incômodo silêncio, a fim de perguntar se era ele o primo chileno que Matías havia mencionado. Severo compreendeu, assim, que a jovem não tinha a menor lembrança do primeiro encontro, anos atrás, quando colava estampas em um álbum à luz dos vitrais de uma janela, não suspeitava que desde então ele a amava com a tenacidade do primeiro amor; Lynn também não percebia que ele rondava a pastelaria e que com frequência os dois se cruzavam na rua. Seus olhos simplesmente não haviam registrado nada disso. Ao despedir-se, deixou-lhe seu cartão de visita, inclinou-se com o gesto de beijar-lhe a mão e balbuciou que, se em alguma ocasião necessitasse de sua ajuda, não vacilasse em chamá-lo. A partir daquele momento Severo afastou-se de Matías, mergulhando no estudo e no trabalho a fim de esquecer Lynn Sommers e aquela aposta humilhante. Quando, na quarta-feira seguinte, seu primo o convidou para a segunda etapa, na qual estava previsto que a garota ficaria nua, Severo o insultou. Durante várias semanas não conseguiu escrever nem mesmo uma linha para Nívea, do mesmo modo que não podia ler suas cartas, que guardava sem abrir, angustiado pela culpa. Sentia-se imundo, como se também participasse do plano destinado a desonrar Lynn Sommers.

Matías Rodríguez de Santa Cruz ganhou a aposta sem fazer grande esforço, mas aconteceu que no decorrer da viagem foi traído pelo cinismo e viu-se apanhado por aquilo que mais temia neste mundo: um caso sentimental. Não chegou a apaixonar-se pela bonita Lynn Sommers, mas o amor incondicional e a inocência com a qual ela entregou-se conseguiram comovê-lo. A jovem se pôs em suas mãos com total confiança, disposta a fazer o que ele pedisse, sem julgar seus propósitos nem calcular as consequências. Matías pôde medir o quanto era absoluto o domínio que exercia sobre ela quando a viu nua no sótão de sua casa, vermelha de vergonha, cobrindo com os braços os seios e o púbis, cercada pelos amigos dele, que fingiam fotografá-la, sem contudo dissimular a excitação de cães no cio que aquele jogo impiedoso produzia neles. O corpo de Lynn não tinha a forma de uma ampulheta, tão em moda naquela época, nada de cadeiras e seios opulentos separados por uma cintura impossível; era delgada e sinuosa, de pernas longas e peitos redondos de mamilos escuros, tinha uma pele de fruta estival e um manto de cabelo negro e liso que descia até o meio de suas costas. Matías admirou-a como se ela fosse mais um entre os muitos objetos de arte que colecionava, mas, depois de registrar o quanto ela parecia delicada e diferente, comprovou que Lynn não exercia nenhuma atração sobre ele. Sem pensar nela, mas apenas para se exibir aos amigos e exercitar sua crueldade, mandou que ela afastasse os braços. Lynn olhou-o por alguns segundos e obedeceu-lhe com movimentos lentos, enquanto lágrimas de vergonha corriam-lhe pela face. Diante daquele choro inesperado, baixou sobre a sala um gélido silêncio, os homens afastaram os olhos e esperaram com as câmaras na mão, sem noção do que fazer, por um tempo que pareceu muito longo. Então, sentindo-se perturbado pela primeira vez em sua vida, Matías apanhou um abrigo e cobriu Lynn, envolvendo-a em seus braços. "Saiam! Acabou-se", ordenou aos hóspedes, que, desconcertados, começaram a se retirar um a um.

Quando os dois se viram sozinhos, Matías sentou-a nos joelhos e começou a embalá-la, como se ela fosse uma criança, pedindo-lhe perdão com o pensamento, mas incapaz de formular as palavras, enquanto a jovem continuava a chorar em silêncio. Por fim, levou-a suavemente para trás do biombo, para a cama, deitou-se ao seu lado, abraçou-a como um irmão, acariciou-lhe a cabeça, beijou-lhe a testa, perturbado por um sentimento que não conhecia, que era onipotente, mas não sabia como chamar. Não a desejava, queria apenas protegê-la e devolver intacta a sua inocência, mas foi derrotado pela incrível suavidade da pele de Lynn, por aquele cabelo que o envolvia como um ser vivo, por aquela sua fragrância de maçã. A entrega, sem reservas, daquele corpo núbil que se abria ao contato de suas mãos conseguiu surpreendê-lo, e, sem saber como, descobriu-se explorando-a, beijando-a com uma ansiedade que mulher nenhuma lhe havia provocado antes, metendo a língua em sua boca, em suas orelhas, nas mais diversas partes de seu corpo, esmagando-a, penetrando-a, em uma voragem de paixão incontrolável, cavalgando-a sem misericórdia, cego, desbocado, até que dentro dela rebentou um orgasmo devastador. Durante um brevíssimo instante encontraram-se em outra dimensão, sem defesas, nus de corpo, nus de alma. Matías acabava de ter a revelação de uma intimidade que até então tinha evitado saber se ao menos existia, ultrapassara uma fronteira final e encontrara-se do outro lado, desprovido de vontade. Tivera mais amantes — mulheres e homens — do que convinha lembrar, mas nunca havia perdido de tal forma o controle, a ironia, a distância, a noção de sua própria e intocável individualidade, para simplesmente fundir-se com outro ser humano. De certa forma, com aquele abraço ele também tinha entregue a virgindade. A viagem durou apenas uma fração milésima de tempo, mas foi o suficiente para aterrorizá-lo; regressou ao seu corpo exausto, e imediatamente tratou de proteger-se com a habitual armadura do sarcasmo. Quando Lynn abriu os olhos ele não era mais o mesmo homem com quem havia feito amor, e sim o de antes; ela, porém, não tinha experiência para sabê-lo. Dolorida, ensanguentada e feliz, abandonou-se à ilusão de um amor irreal, enquanto Matías conservava-a entre os braços, embora seu espírito já voejasse para longe. Assim estiveram, até que a luz sumiu completamente da janela, e Lynn compreendeu que devia voltar para onde estava sua mãe. Matías ajudou-a a vestir-se e acompanhou-a até as imediações do salão de chá. "Espere-me, amanhã virei à mesma hora", ela sussurrou ao despedir-se.

SÓ TRÊS MESES mais tarde Severo del Valle veio a saber o que havia acontecido naquele dia, bem como dos fatos que ocorreram depois. Em abril de 1879, o Chile declarou guerra aos seus vizinhos, Peru e Bolívia, por causa de uma questão de terras, de salitre e de soberba. Começava, assim, a Guerra do Pacífico. Quando a notícia chegou a São Francisco, Severo apresentou-se aos tios com o anúncio de que ia partir a fim de lutar.

Não tínhamos acertado que você nunca mais voltaria a pisar em um quartel? — lembrou-lhe sua tia Paulina.

— Agora é diferente, minha pátria está em perigo.

— Você é um civil.

— Sou sargento da reserva — ele explicou.

— A guerra estará terminada antes que você consiga chegar ao Chile. Vejamos o que dizem os jornais e quais são as opiniões da família. Não se precipite — aconselhou a tia.

— É meu dever — Severo replicou, pensando no avô, o patriarca Agustín del Valle, que havia morrido pouco tempo antes, reduzido ao tamanho de um chimpanzé, mas com o mau caráter intacto.

— Seu dever é ficar aqui comigo. A guerra é boa para os negócios. Este é o momento de especular com açúcar — Paulina respondeu.

— Açúcar?

— Nenhum dos três países em guerra produz açúcar, e em tempos ruins as pessoas tendem a comer mais doces — assegurou Paulina.

— Como sabe, tia?

— Por experiência própria, garoto.

Severo afastou-se a fim de preparar suas maletas, mas não viajou no navio que zarpou para o sul dias mais tarde. Ao contrário do que havia planejado, adiou a partida para o final de outubro. Naquela noite sua tia anunciou que iriam receber uma estranha visita e esperava que ele estivesse presente, já que seu marido andava de viagem e o assunto em questão podia requerer os bons conselhos de um advogado. Às sete da noite, Williams, com o ar desdenhoso que mostrava quando se via obrigado a servir pessoas de condição social inferior, introduziu um chinês alto, de pele cinzenta, vestido inteiramente de preto, e uma pequena mulher de aspecto juvenil e anódino, mas tão altiva quanto o próprio Williams. Tao Chi'en e Eliza Sommers viram-se na sala das feras, como a chamavam, cercados de leões, elefantes e outros animais africanos que os observavam de suas molduras douradas nas paredes. Paulina via Eliza com frequência na pastelaria, mas nunca tinham se encontrado em outro lugar, pertenciam a mundos separados. Também não conhecia aquele *celestial*, que a julgar pelo modo como a tomava pelo braço devia ser seu marido ou amante. Sentiu-se ridícula em seu palacete de quarenta e cinco peças, vestida de cetim preto e coberta de diamantes, frente a frente com aquele casal modesto que a saudava com simplicidade, mantendo a distância. Percebeu que seu filho Matías recebia perturbado os visitantes, com uma inclinação de cabeça, mas sem estender-lhes a mão, e que se mantinha separado do grupo, atrás de uma escrivaninha de jacarandá, aparentemente absorvido na limpeza de seu cachimbo. Severo del Valle, no entanto, adivinhou, sem um pingo de dúvida, o motivo da presença dos pais de Lynn Sommers naquela casa e desejou estar a mil léguas de distância dali. Intrigada, e com as antenas receptivas, Paulina não perdeu tempo oferecendo algo para beber, fez um gesto a Williams para que se retirasse e fechasse as portas. "Que posso fazer por vocês?", perguntou. Então Tao Chi'en se pôs a explicar, sem alterar-se, que sua filha Lynn estava grávida, que o autor da ofensa era Matías e que esperava a única reparação possível. Pela primeira vez em sua vida a matriarca Del Valle perdeu a fala. Ficou sentada, resfolegando como uma baleia arpoada, e quando por fim recuperou a voz foi para emitir um grasnido.

— Mãe, não tenho nada a ver com essas pessoas. Não as conheço e não sei do que estão falando — disse Matías de trás da escrivaninha de jacarandá, empunhando o cachimbo talhado em marfim.

— Lynn nos contou tudo — Eliza o interrompeu, pondo-se de pé, com a voz quebrantada, mas sem lágrimas.

— Se é dinheiro o que querem... — Matías começou a dizer, mas sua mãe o interrompeu com um olhar feroz.

— Peço-lhes que me perdoem — disse Paulina, dirigindo-se a Tao Chi'en e Eliza Sommers. — Meu filho está tão surpreso quanto eu. Tenho certeza de que poderemos arranjar isso de modo decente, como deve...

— Lynn deseja casar-se, é claro. Ela afirma que os dois se amam — disse Tao Chi'en, também de pé, dirigindo-se a Matías, que respondeu com uma breve gargalhada, semelhante ao latido de um cão.

— Vocês parecem pessoas respeitáveis — disse Matías. — Mas a filha de vocês não é, como qualquer um dos meus amigos poderá testemunhar. Não sei qual deles é o responsável pela desgraça dela, mas eu não sou, com certeza.

Eliza Sommers havia perdido inteiramente a cor, estava com uma palidez de cal, e tremia, a ponto de perder o equilíbrio. Tao Chi'en tomou-a com firmeza pelo braço e, segurando-a como se fosse uma inválida, conduziu-a para a porta. Severo del Valle achou que ia morrer de angústia e vergonha, como se fosse o único culpado pelo que havia acontecido. Apressou-se em abrir-lhes a porta, onde os aguardava um coche de aluguel. Não encontrou uma palavra para dizer-lhes. Voltou ao salão de visitas a tempo de ouvir o final de uma discussão.

— Não pense que vou tolerar bastardos com meu sangue espalhados por aí! — Paulina gritava.

— Defina suas lealdades, mãe. Em quem vai acreditar, em seu próprio filho ou em uma pasteleira e um chinês? — Matías replicou, antes de sair batendo a porta.

Naquela noite Severo del Valle enfrentou Matías. Tinha informação bastante para deduzir os fatos, pretendia desarmar seu primo mediante um tenaz interrogatório, mas não foi necessário, porque Matías soltou tudo de imediato. Sentia-se preso em uma situação absurda, pela qual não era responsável, disse; Lynn Sommers o havia perseguido e tinha se entregue a ele de bandeja; nunca, realmente, tivera intenção de seduzi-la, a aposta fora apenas uma fanfarronada. Fazia dois meses que tentava desprender-se dela sem destruí-la, temia que ela fizesse uma bobagem, era uma dessas jovens histéricas capazes de atirar-se ao mar por amor, explicou. Admitiu que Lynn era apenas uma garota e tinha chegado virgem aos seus braços, com a cabeça cheia de poemas açucarados e completamente ignorante no que dizia respeito mesmo aos rudimentos do sexo, mas repetiu que não tinha obrigação nenhuma para com ela, que nunca lhe havia falado de amor e muito menos de casamento. Garotas como Lynn sempre traziam complicações, acrescentou, por isso evitava-as tanto quanto à peste. Jamais imaginara que o breve encontro com Lynn trouxesse tais consequências. Tinham estado juntos pouquíssimas vezes, disse, e lhe havia recomendado que sempre fizesse lavagens com vinagre e mostarda, não podia supor que fosse tão assombrosamente fértil. Em todo caso, estava disposto a assumir os gastos com a criança, o custo era o de menos, mas não pensava em dar-lhe seu nome de família, pois não havia prova nenhuma de que fosse realmente seu filho. "Não me casarei nem agora nem nunca, Severo. Conhece alguém com menos vocação burguesa do que eu?", perguntou, concluindo.

Uma semana mais tarde Severo del Valle apresentou-se na clínica de Tao Chi'en, depois de ter dado mil voltas na cabeça à escabrosa missão de que seu primo o encarregara. O *zhong-yi* acabava de despachar o último paciente do dia e o recebeu a sós na saleta de espera de seu consultório, no primeiro andar. Escutou impassível a oferta de Severo.

— Lynn não necessita de dinheiro, para isso tem os pais — o médico disse, sem aparentar nenhuma emoção. — De qualquer modo, agradeço sua preocupação, senhor Del Valle.

— Como está a senhorita Sommers? — Severo perguntou, humilhado pela dignidade do outro.

— Minha filha ainda pensa que está havendo um mal-entendido. Está certa de que em breve o senhor Rodríguez de Santa Cruz virá pedi-la em casamento, não por dever, mas por amor.

— Senhor Chi'en, não sei o que seria possível fazer para mudar as circunstâncias. Mas a verdade é que meu primo não tem boa saúde, não pode casar-se. Lamento-o infinitamente... — murmurou Severo del Valle.

— Nós o lamentamos mais. Para seu primo, Lynn é apenas uma diversão; para Lynn, ele é sua própria vida — Tao Chi'en disse com suavidade.

— Gostaria de explicar algo à sua filha, senhor Chi'en. Posso vê-la, por favor?

— Tenho de perguntar a ela. No momento Lynn não deseja ver ninguém, mas lhe informarei caso ela mude de opinião — replicou o *zhong-yi*, acompanhando-o à porta.

Severo del Valle aguardou durante três semanas, sem saber nada acerca de Lynn, até que, não contendo mais a impaciência, foi ao salão de chá implorar a Eliza Sommers que lhe permitisse falar com sua filha. Esperava encontrar uma impenetrável resistência, mas Eliza o recebeu envolvida em seu aroma de açúcar e baunilha, com uma serenidade igual à de Tao Chi'en ao atendê-lo no consultório. No princípio, Eliza havia se culpado pela ocorrência: tinha se descuidado, não fora capaz de proteger a filha, e agora a vida dela estava arruinada. Chorara nos braços do marido, até ele fazê-la lembrar-se de que aos dezesseis anos havia passado por uma experiência semelhante: o mesmo amor desmesurado, o abandono do amante, a gravidez e o terror; a diferença era que Lynn não estava só, não tinha que fugir de casa e percorrer meio mundo no porão de um navio à procura de um homem indigno, como Eliza havia feito. Lynn havia recorrido aos pais, e eles tinham a imensa sorte de poder ajudá-la, Tao Chi'en havia dito. Na China, ou no Chile, a filha deles estaria perdida, a sociedade não teria perdão para ela, mas na Califórnia, terra sem tradição, havia espaço para todos. O *zhong-yi* reuniu sua pequena família e explicou que o bebê era um presente do céu, e deviam esperá-lo com alegria, chorar não era bom para o carma, prejudicava a criança no ventre da mãe e indicava uma vida de incertezas. Aquele menino ou menina seria bem-vindo; o tio Lucky e ele mesmo, seu avô, seriam dignos substitutos do pai ausente. Quanto ao amor frustrado de Lynn, bem, mais tarde se pensaria no assunto, disse ele. Parecia tão entusiasmado ante a perspectiva de ser avô, que Eliza envergonhou-se de suas queixas ridículas, enxugou as lágrimas e não voltou a recriminar-se. Se para Tao Chi'en a compaixão pela filha valia mais do que a honra familiar, a ela competia adotar a mesma atitude, decidiu; seu dever era proteger Lynn e o resto não tinha importância nenhuma. Foi isso o que ela disse, amavelmente, a Severo del Valle, quando ele a procurou no salão de chá. Não entendia por quais motivos o chileno insistia em falar com sua filha, mas intercedeu em seu favor e finalmente a jovem concordou em vê-lo. Lynn mal se recordava de tê-lo visto e o recebeu com a esperança de que ele viesse como emissário de Matías.

Nos meses seguintes, as visitas de Severo del Valle ao lar dos Chi'en tornaram-se um hábito. Chegava ao anoitecer, quando terminava seu trabalho, deixava o cavalo amarrado diante da porta e se apresentava com o chapéu em uma das mãos e algum presente na outra, de modo que aos poucos foi enchendo o quarto de Lynn com brinquedos e roupas de bebê. Tao Chi'en ensinou-o a jogar *mahjong* e passavam horas, com Lynn e Eliza, movimentando as belas peças de marfim. Lucky não participava, pois lhe parecia uma perda de tempo jogar sem fazer apostas; Tao Chi'en, ao contrário, só jogava em casa, pois na juventude havia renunciado a fazê-lo por dinheiro, e estava certo de que se quebrasse a promessa alguma desgraça o alcançaria. Eliza Sommers aproveitava a presença de Severo para praticar o seu castelhano e lembrar-se do Chile, aquele distante país no qual não punha os pés fazia mais de trinta anos, mas que continuava a considerar sua pátria. Comentavam os pormenores da guerra e as mudanças políticas: depois de várias décadas de governos conservadores, os liberais haviam triunfado e a luta para enfraquecer o clero e abrir caminho para reformas vinha dividindo cada família chilena. A maioria dos homens, por mais católicos que fossem, ansiava pela modernização do país, mas as mulheres, muito mais religiosas, voltavam-se contra seus pais e maridos em defesa da Igreja. Conforme explicava Nívea em suas cartas, por muito liberal que fosse o governo, a sorte dos pobres continuava a mesma, e ela acrescentava que, como sempre, as mulheres da classe alta e o clero manipulavam os cordéis do poder. Separar a Igreja do Estado era sem dúvida um grande passo adiante — a garota escrevia às escondidas do clã Del Valle, que não tolerava esse tipo de ideia —, mas o controle da situação continuava a ser exercido pelas mesmas famílias de sempre. "Fundemos um novo partido, Severo, um que busque justiça e igualdade", Nívea propunha, animada pelas suas conversas clandestinas com a irmã María Escapulario.

No sul do continente a Guerra do Pacífico prosseguia, cada vez mais cruenta, e naquele momento os exércitos chilenos se preparavam para iniciar uma campanha nos desertos do norte, um território tão agreste e inóspito quanto o da Lua, onde abastecer as tropas seria uma tarefa de titãs. Somente pelo mar seria possível levar os soldados até os lugares onde as batalhas deveriam travar-se; mas a esquadra peruana não estava disposta a permitir que isso fosse feito. Severo del Valle achava que a guerra pouco a pouco se definia em favor do Chile, cuja organização e ferocidade pareciam imbatíveis. O desfecho do conflito, explicava Eliza Sommers, não dependia apenas do armamento e do caráter guerreiro, mas do exemplo de um punhado de homens heroicos que haviam incendiado a alma da nação.

— Acredito que a guerra foi decidida em maio, senhora, em um combate naval diante do porto de Iquique. Ali uma velha fragata chilena enfrentou uma força peruana muito superior. No comando estava Arturo Prat, um jovem capitão muito religioso e não menos tímido, que não participava das pândegas e das aventuras imprudentes do meio militar, não aparecia e nem se distinguia, razão pela qual os superiores não confiavam em seu valor. Naquele dia ele se converteu em um herói que galvanizou o espírito de todos os chilenos.

Eliza conhecia os detalhes da luta, tinha lido o relato em um exemplar atrasado do *Times* de Londres, no qual o episódio era descrito como "um dos mais gloriosos combates já travados; um velho navio de madeira, quase caindo aos pedaços, sustentou uma ação de três horas e meia contra uma bateria terrestre e um poderoso encouraçado, e terminou o combate sem arriar sua bandeira". O navio peruano, comandado pelo almirante Miguel Grau, também um herói de seu país, investiu a todo vapor contra a fragata chilena, atravessando-a com seu esporão de aço; essa oportunidade foi aproveitada pelo capitão Prat para abordar o navio adversário, seguido por um de seus homens. Ambos morreram minutos depois, baleados no convés inimigo. Com a segunda esporeada, vários outros chilenos imitaram seu comandante, e também morreram varados de balas; no final das contas, três quartos da tripulação sucumbiram antes que a fragata afundasse. Esse heroísmo tão absurdo transmitiu coragem aos seus compatriotas e impressionou muito os inimigos, de modo que o almirante Grau repetia, atônito: "Como lutam esses chilenos!"

— Grau é um cavalheiro. Recolheu pessoalmente a espada e os objetos pessoais de Prat e os mandou para a viúva dele — contou Severo, acrescentando que a partir daquela batalha a palavra de ordem sagrada no Chile era "lutar até vencer ou morrer", como tinham feito aqueles valentes.

— E você, Severo, não pensa em ir para a guerra? — Eliza perguntou-lhe.

— Sim, devo ir em breve — o jovem respondeu envergonhado, sem saber o que esperava para cumprir o seu dever. Enquanto isso, Lynn engordava sem perder nem um pouquinho de sua graça ou beleza. Deixou de usar os vestidos que não combinavam mais com seu estado e se acomodou nas alegres túnicas adquiridas ali mesmo em Chinatown. Saía poucas vezes, apesar da insistência de Tao Chi'en para que caminhasse. Às vezes Severo del Valle fazia-a subir em um coche e a levava a passear pelo Parque Presidio ou pela praia, onde ela estendia seu xale na areia e ali merendavam ou liam, ele os seus jornais e seus livros de direito, ela suas histórias românticas, em cujos argumentos já não acreditava, sem que eles deixassem de servir-lhe de refúgio. Severo gastava dias com aquelas visitas aos Chi'en, tendo como único objetivo ver Lynn. Não escrevia mais para Nívea. Muitas vezes tinha tomado da pena a fim de confessar-lhe que amava outra, mas destruía as cartas antes de remetê-las, porque não encontrava palavras para romper com a namorada sem feri-la de morte. Além disso, Lynn jamais lhe dera sinais que pudessem servir como ponto de partida para imaginar um futuro com ela. Não falavam de Matías, do mesmo modo que este jamais se referia a Lynn, mas a pergunta estava sempre suspensa no ar. Severo teve o cuidado de não mencionar na casa dos tios sua nova amizade com os Chi'en, e supôs que ninguém suspeitava dela, à exceção do orgulhoso mordomo Williams, a quem não sentiu necessidade de falar, já que, fosse como fosse, ele sabia de tudo que ocorresse naquele palacete. Fazia dois meses que Severo chegava tarde em casa e com um sorriso idiota pregado na cara, quando certa noite Williams levou-o ao sótão e, à luz de uma lanterna a álcool, mostrou-lhe um objeto envolvido em lençóis. Ao descobri-lo, verificou que se tratava de um berço resplandecente.

— É de prata lavrada, prata das minas dos senhores no Chile. Nele dormiram todas as crianças desta família. Se quiser, pode levá-lo. — Foi tudo que disse.

Envergonhada, Paulina del Valle não foi mais ao salão de chá, incapaz de juntar e colar os pedacinhos a que se reduzira sua longa amizade com Eliza Sommers. Teve, assim, de renunciar aos doces chilenos, que durante anos tinham sido o seu ponto fraco, e resignar-se à pastelaria francesa de seu cozinheiro. Sua força avassaladora, tão útil quando se tratava de varrer obstáculos e alcançar seus propósitos, agora se voltava contra ela própria; condenada à inação, sentia-se consumida pela impaciência, o coração lhe dava saltos no peito. "Os nervos estão me matando", queixava-se a Williams, sentindo-se transformada, pela primeira vez na vida, em uma pessoa cheia de achaques. Pensava que, com um marido infiel e três filhos doidivanas, o mais provável era que houvesse, espalhados pela cidade, um bom número de filhos ilegítimos com seu sangue nas veias, e, sendo assim, não havia por que atormentar-se tanto; os hipotéticos bastardos careciam de nome e de rosto, mas o de Matías estava bem ali, embaixo de seu nariz. Se ao menos não fosse de Lynn Sommers! Não podia esquecer a visita de Eliza e daquele chinês cujo nome não conseguira guardar; sentia-se atormentada pela visão daquele digno casal em sua sala. Matías havia seduzido a garota, nenhuma argúcia da lógica ou da conveniência era capaz de desfazer essa verdade que sua intuição aceitara desde o primeiro momento. As negativas de seu filho e os comentários sarcásticos sobre a escassa virtude de Lynn só haviam reforçado sua convicção. A criança que a jovem levava no ventre provocava nela um furacão de sentimentos ambivalentes; de um lado, uma ira surda contra Matías e, de outro, uma inevitável ternura por aquele primeiro neto ou neta. Assim que Feliciano voltou de viagem, contou-lhe o que estava se passando.

— Essas coisas acontecem o tempo todo, Paulina, não há razão para se fazer do caso uma tragédia. Cinquenta por cento das criancinhas da Califórnia são bastardas. O importante é evitar o escândalo e cerrar fileiras em torno de Matías. A família em primeiro lugar. — Foi a opinião de Feliciano.

— Esse menino é da nossa família — ela replicou.

— Ainda nem nasceu e você já o inclui na família! Conheço essa tal de Lynn Sommers. Eu a vi posando quase nua no estúdio de um escultor, exibindo-se no meio de uma roda de homens, qualquer um deles pode ser seu amante. Por que não vê como são as coisas?

— Você é que não vê, Feliciano.

— Isso pode se converter em uma daquelas chantagens que não acabam nunca. Você está proibida de ter o menor contato com essa gente, e, se começarem a rondar por aqui, eu me encarrego do assunto — disse Feliciano encerrando a conversa.

A partir daquele dia Paulina deixou de falar do assunto diante de seu marido, mas não pôde conter-se e terminou por abrir-se com o fiel Williams, que possuía a virtude de escutá-la até o fim sem dar sua opinião, a menos que esta fosse pedida. Se pudesse ajudar

Lynn Sommers iria sentir-se um pouco melhor, pensava, mas pelo menos dessa vez sua sorte de nada lhe serviu.

Aqueles meses foram desastrosos para Matías; o caso com Lynn deixava-lhe a bile destrambelhada, enquanto pioravam as dores que sentia nas articulações, de modo que não pôde mais praticar esgrima e teve também de renunciar a vários outros esportes. Era tão frequente despertar sentindo dores agudíssimas, que às vezes se perguntava se não era chegado o momento de pensar no suicídio, ideia que alimentava desde o dia em que soubera o nome de seu mal; mas quando saía da cama e começava a movimentar-se costumava sentir-se melhor, e então, renovado, seu gosto pela vida retornava. A inchação tomou conta de seus punhos e joelhos, as mãos começaram a tremer, e desse modo o ópio deixou de ser mera diversão, que ia buscar em Chinatown, para transformar-se em uma necessidade. Amanda Lowell, sua boa companheira de farras e sua confidente única, ensinou-lhe as vantagens da morfina injetada, era algo mais forte, mais limpo e mais elegante do que um cachimbo de ópio: uma dose mínima, e um instante depois a angústia desaparecia, dando lugar à paz. O escândalo do bastardo a caminho terminou por arruinar-lhe o ânimo, e pela metade do verão Matías anunciou repentinamente que dentro de alguns dias partiria para a Europa, na esperança de que a mudança de ares, as águas termais da Itália e os médicos da Inglaterra conseguissem aliviar seus sintomas. Não acrescentou que esperava encontrar-se com Amanda Lowell em Nova York, para continuarem a travessia juntos, porque o nome dela jamais era pronunciado na casa de sua família, onde a lembrança da escocesa de cabeleira ruiva provocava indigestão em Feliciano e uma raiva surda em Paulina. A viagem não era motivada apenas pelos seus achaques e pelo desejo de ir para longe de Lynn Sommers, mas também pelas novas dívidas de jogo, das quais se veio a saber pouco depois de sua partida, quando dois circunspectos chineses apresentaram-se no escritório de Feliciano a fim de adverti-lo, com a maior cortesia, que ou pagava a quantia devida pelo filho, com os juros cabíveis, ou algo francamente desagradável aconteceria a algum membro de sua honorável família. A única resposta do magnata consistiu em suspendê-los no ar e atirá-los à rua; em seguida mandou chamar Jacob Freemont, o jornalista que sabia tudo acerca dos círculos mais baixos da cidade. O homem escutou-o com simpatia, pois ele e Matías eram bons amigos, e depois levou Feliciano à presença do chefe de polícia, um australiano de fama pouco limpa, a quem pediu que resolvesse aquele caso à sua maneira. "Que eu saiba, o único meio de resolver é pagando", o funcionário respondeu, explicando em seguida que com os *tongs* ninguém podia brincar. Ele próprio já havia recolhido corpos abertos de cima a baixo, com as vísceras guardadas em uma caixa ao lado. Isso, quando se tratava de vingança entre os próprios *celestiais*, acrescentou; no caso dos brancos, faziam as coisas de modo que parecessem acidentes. Não havia prestado atenção na quantidade de pessoas que morriam queimadas em inexplicáveis incêndios, esmagadas por patas de cavalos em ruas de pouco movimento, afogadas nas águas tranquilas da baía ou feridas por tijolos que caíam do alto de edifícios em construção? Feliciano Rodríguez de Santa Cruz pagou.

Quando Severo del Valle anunciou a Lynn Sommers que Matías havia partido para a Europa sem planos de um breve regresso, ela se pôs a chorar, e assim continuou durante cinco dias, apesar dos tranquilizantes que Tao Chi'en lhe fez tomar, até que sua mãe deu--lhe duas taponas na cara, obrigando-a a enfrentar a realidade. Havia cometido um ato impensado, e agora tudo que tinha a fazer era pagar pelas consequências; não era mais uma garotinha, ia ser mãe e devia sentir-se grata por ter uma família disposta a ajudá-la, porque outras na sua situação acabavam jogadas na rua, ganhando a vida da pior maneira possível, enquanto seus bastardos iam parar no orfanato; tinha chegado a hora de aceitar que seu amante havia se transformado em fumaça, tinha de ser mãe e pai do filho por nascer, tinha de amadurecer de uma vez por todas, porque naquela casa todos já estavam fartos de suportar os seus caprichos; aos vinte anos, dependia inteiramente dos outros; não pensasse que ia passar a existência deitada em uma cama, queixando-se; limpasse o nariz e se vestisse, porque iam sair para caminhar, e daí por diante fariam isso duas vezes por dia, sem falhar, mesmo que chovesse e estourassem trovoadas, tinha escutado o que lhe acabara de dizer? Sim, Lynn tinha escutado até a última palavra, com os olhos arregalados pela surpresa e as faces ardendo pelos únicos tapas que tinha recebido em toda a sua vida. Vestiu-se e obedeceu, sem dar uma palavra. A partir daquele momento todo o peso do juízo caiu de uma só vez em sua cabeça, ela assumiu o próprio destino com pasmosa serenidade, não voltou a queixar-se, engoliu os remédios passados por Tao Chi'en, começou a fazer longas caminhadas em companhia da mãe e chegou mesmo a dar boas gargalhadas quando soube que o projeto da estátua da República tinha ido para o brejo, conforme lhe explicou o irmão Lucky, não por falta de modelos, mas porque o escultor tinha fugido com o dinheiro para o Brasil.

Nos últimos dias de agosto Severo del Valle tomou coragem, finalmente, para falar de seus sentimentos com Lynn Sommers. Àquela altura ela se sentia pesada como um elefante e não conseguia mais reconhecer sua cara no espelho; mas aos olhos de Severo estava mais bela do que nunca. Voltavam suando de um passeio, e ele tirou o lenço do bolso a fim de enxugar o rosto e o pescoço de Lynn, mas não conseguiu levar o gesto até o final. Sem saber como, deu-se conta de que estava inclinado, que segurava com firmeza os ombros de Lynn e que beijava sua boca em plena rua. Pediu-lhe que casasse com ele, e ela explicou, com toda a simplicidade, que nunca amaria outro homem cujo nome não fosse Matías Rodríguez de Santa Cruz.

— Não estou pedindo que me ame, Lynn, a ternura que sinto por você é suficiente para nós dois — replicou Severo, da maneira meio cerimoniosa como sempre a tratava. — O bebê necessita de um pai. Dê-me a oportunidade de proteger a vocês dois e eu prometo que com o tempo chegarei a ser digno de seu carinho.

— Diz meu pai que na China homens e mulheres se casam sem conhecer-se e aprendem a amar-se depois, mas estou certa de que este não seria o meu caso, Severo. Lamento muito... — ela respondeu.

— Não terá de viver comigo, Lynn. Assim que você der à luz irei para o Chile. Meu país está em guerra e já adiei demasiado o cumprimento do dever.

— E se não voltar da guerra?

— Pelo menos seu filho terá meu nome e a herança de meu pai, que ainda conservo. Não é muito grande, mas será suficiente para educá-lo. E você, querida Lynn, terá respeitabilidade...

Naquela mesma noite Severo del Valle escreveu a Nívea a carta que não pudera escrever antes. Deu-lhe a notícia em quatro frases, sem preâmbulos nem pedido de desculpas, pois sabia que ela não suportaria de outra maneira. Nem mesmo se atreveu a pedir perdão pelo desgaste em termos de amor e de tempo que aqueles quatro anos de noivado epistolar significavam para ela, pois esse tipo de contas mesquinhas seria indigno do coração generoso de sua prima. Chamou um criado para que levasse a carta ao correio no dia seguinte e então se jogou vestido na cama, extenuado. Dormiu sem sonhos, pela primeira vez em muito tempo. Um mês mais tarde Severo del Valle e Lynn Sommers casaram-se em uma breve cerimônia, na presença da família dela e de Williams, única pessoa de sua casa a quem Severo convidou. Sabia que o mordomo contaria o ocorrido à sua tia e decidiu esperar que ela desse o primeiro passo, que lhe fizesse as perguntas. Não anunciou o fato a ninguém, porque Lynn havia pedido a maior discrição, pelo menos até depois que a criança nascesse e ela houvesse recuperado seu aspecto normal; não se atreveria a apresentar-se com aquele ventre de abóbora e a cara salpicada de manchas, disse. Naquela noite Severo despediu-se de sua bela mulher com um simples beijo e, como sempre, foi dormir sozinho em seu quarto de solteiro.

Naquela mesma semana travou-se nas águas do Pacífico outra batalha naval, e nela a esquadra chilena pôs fora de combate os dois couraçados inimigos. O almirante peruano Miguel Grau, o mesmo cavalheiro que meses antes tinha devolvido a espada do capitão Prat à sua viúva, morreu tão heroicamente quanto seu jovem adversário chileno. Para o Peru aquilo foi um desastre, pois ao perder o controle marítimo suas comunicações viram-se cortadas, seus exércitos fragmentados e isolados. Os chilenos tornaram-se senhores do mar, puderam transportar suas tropas até os pontos nevrálgicos do norte e cumprir o plano de avançar pelo território inimigo até alcançar Lima. Severo del Valle acompanhava as notícias com a mesma paixão que se apoderava de todos os seus compatriotas nos Estados Unidos, mas o amor que sentia por Lynn superava com grande vantagem o seu patriotismo, e sendo assim adiou sua viagem ao Chile.

DUAS SEGUNDAS-FEIRAS MAIS tarde, em outubro, Lynn acordou, de manhã cedo, com a camisola molhada, e soltou um grito de horror, imaginando que havia urinado na cama. "Isso não é bom, a bolsa rompeu-se bem antes do tempo", disse Tao Chi'en à sua mulher, mas diante da filha apresentou-se sorridente e tranquilo. Dez horas depois, quando as contrações eram apenas perceptíveis e a família estava exausta de tanto jogar *mahjong* a fim de distrair-se, Tao Chi'en decidiu apelar para as suas ervas. A futura mamãe dizia brincadeiras, desafiante: eram aquelas as dores do parto, para as quais tanto lhe haviam chamado a atenção? Para ela, eram mais fáceis de suportar do que as pequenas dores de barriga produzidas pela comida chinesa. Estava mais aborrecida do que incomodada, e tinha fome, mas seu pai só lhe permitia beber água e as infusões de ervas medicinais, enquanto fazia aplicações de acupuntura a fim de acelerar o nascimento. A combinação de remédios e agulhas de ouro acabou por fazer efeito, e ao anoitecer, quando Severo del Valle chegou para a sua visita diária, encontrou Lucky à porta, emudecido, e a casa sacudida pelos gemidos de Lynn e pelo alvoroço de uma parteira que falava aos gritos e corria com toalhas e jarros de água. Tao Chi'en tolerava a parteira porque naquele campo ela era mais experiente do que ele, mas não permitiu que ela torturasse Lynn sentando-se em cima dela e dando socos em seu ventre, como pretendia fazer. Severo del Valle permaneceu na sala, esmagado contra a parede, tentando passar despercebido. Cada queixume de Lynn era um golpe em sua alma; desejava fugir para o mais longe possível, mas não podia mover-se de seu lugar nem articular uma palavra. Foi então que apareceu Tao Chi'en, impassível, vestido com seu esmero habitual.

— Posso esperar aqui? Não atrapalho? Posso ajudar de algum modo? — Severo balbuciou, enxugando com um lenço o suor que lhe descia pelo pescoço.

— Não atrapalha nem um pouquinho, meu jovem, mas não pode ajudar Lynn, ela tem de fazer sozinha o seu trabalho. Mas, se quiser, pode ajudar Eliza, que está um pouco alterada.

Eliza Sommers havia passado pela fadiga de dar à luz, e sabia, como toda mulher, que aquele era o umbral da morte. Conhecia aquela dura e misteriosa viagem, no decorrer da qual o corpo se abre a fim de dar passagem à vida; lembrava-se do momento em que se começa a rodar sem freios, descendo uma ladeira, pulsando e lutando sem controle contra os obstáculos, o terror, o sofrimento e o assombro inaudito quando por fim a criança se desprende e alcança a luz. Tao Chi'en, com toda a sua sabedoria de *zhong-yi*, levou mais tempo do que ela para perceber que algo não andava bem no caso de Lynn. Os recursos da medicina chinesa haviam provocado fortes contrações, mas a criança estava em má posição, bloqueada pelos ossos da mãe. Tratava-se de um parto seco e difícil, como explicou Tao Chi'en, mas sua filha era forte, e tudo dependeria da disposição de Lynn para manter a calma e não cansar-se mais que o necessário; aquilo era uma corrida de resistência, não de velocidade, ele acrescentou. No meio de uma pausa, Eliza Sommers, tão esgotada quanto a própria Lynn, saiu do quarto e encontrou Severo em um corredor. Fez-lhe um gesto, e ele a seguiu, espantado, até o pequenino quarto do altar, onde antes não havia estado. Sobre uma mesa baixa havia apenas uma simples cruz, uma pequena estátua de Kuan Yin, deusa chinesa da compaixão, e no centro um simples desenho, a nanquim, de uma mulher que vestia uma túnica verde e levava flores sobre as orelhas. Viu duas velas acesas e pequenos vasos com água, arroz e pétalas de flores. Eliza ajoelhou-se diante do altar, sobre uma almofada de seda alaranjada, e pediu a Cristo, a Buda e ao espírito de Lin, a primeira esposa de Tao Chi'en, que viessem ajudar sua filha no parto. Severo ficou de pé atrás dela, murmurando sem pensar as orações católicas aprendidas na infância. Assim permaneceram durante um bom tempo, unidos pelo medo e o amor a Lynn, até que Tao Chi'en chamou sua mulher para ajudá-lo, pois havia dispensado a parteira e se dispunha a mudar a posição do bebê e trazê-lo à mão. Severo foi para a porta da casa e lá ficou ao lado de Lucky, fumando, enquanto Chinatown aos poucos despertava.

A criança nasceu ao alvorecer da terça-feira. A mãe, inundada em suor, tremendo, lutava para dar à luz, mas já não gritava, limitava-se a arquejar, atenta às instruções de seu pai. Por fim apertou os dentes, agarrou-se às traves da cama, empenhou-se em um esforço brutal, e nesse momento assomou uma grande mecha de cabelos escuros. Tao Chi'en acolheu a cabeça, em seguida puxou-a com firmeza e suavidade, até que os ombros saíssem, girou o corpinho e o extraiu rapidamente com um só movimento, enquanto com a outra mão livrava o pescoço da criança do cordão umbilical. Eliza Sommers recebeu um pequeno corpo ensanguentado, uma menina minúscula, de cara achatada e pele meio azul. Enquanto Tao Chi'en cortava o cordão e cuidava da segunda etapa do parto, a avó limpava a neta com uma esponja e dava-lhe palmadas nas costas até que ela começasse a respirar. Quando ouviu o grito que anunciava o ingresso no mundo e comprovou que ela adquiria uma cor normal, botou-a sobre o ventre de Lynn. Exausta, a mãe ergueu-se em um cotovelo para recebê-la, enquanto seu corpo continuava a pulsar, e ergueu-a até o peito, beijando-a e dando-lhe as boas-vindas em uma pitoresca mistura de inglês, espanhol, chinês e palavras que ia inventando. Uma hora mais tarde Eliza chamou Severo e Lucky para conhecerem a menina. Encontraram-na dormindo placidamente no berço de prata lavrada que havia pertencido aos Rodríguez de Santa Cruz, vestida de seda amarela, com um gorro vermelho, o que lhe dava um aspecto de diminuto duende. Lynn cochilava, pálida e tranquila, entre lençóis limpos, e Tao Chi'en, sentado ao lado dela, vigiava seu pulso.

— Que nome vão dar a ela? — perguntou Severo del Valle, comovido.

— Lynn e você é que terão de decidir — Eliza replicou.

— Eu?

— Você não é o pai? — perguntou Tao Chi'en, piscando o olho com um ar brincalhão.

— Vai chamar-se Aurora, porque nasceu ao amanhecer — murmurou Lynn, sem abrir os olhos.

— Seu nome em chinês é Lai-Ming, significa amanhecer —disse Tao Chi'en.

— Bem-vinda ao mundo, Lai-Ming, Aurora del Valle... — Severo disse com um sorriso, beijando a testa da menininha, certo de que aquele era o dia mais feliz de sua vida e que aquela criatura enrugada, vestida de boneca chinesa, era tão sua filha como se em verdade levasse seu sangue. Lucky tomou a sobrinha nos braços e tratou de soprar-lhe no rosto seu hálito de tabaco e molho de soja.

— Que está fazendo? — gritou a avó, tratando de arrebatar acriança das mãos de Lucky.

— Soprei no rosto dela a fim de transmitir-lhe minha boa sorte. Tenho algum presente melhor do que esse para dar a Lai-Ming? — disse, rindo, o tio.

NA HORA DO jantar, quando Severo del Valle chegou à mansão de Nob Hill com a notícia de que havia se casado uma semana antes com Lynn Sommers e que sua filha acabava de nascer, os tios se mostraram tão espantados como se o sobrinho tivesse depositado um cachorro morto na mesa do refeitório.

— E todos pondo a culpa em Matías! Eu sempre soube que ele não era o pai, mas nunca imaginei que fosse você! — exclamou Feliciano, assim que se recuperou um pouco da surpresa.

— Não sou o pai biológico, mas sou o pai legal. A menina se chama Aurora del Valle — Severo esclareceu.

— Isso é um atrevimento imperdoável! Você traiu esta família, que o acolheu como um filho — rugiu o tio.

— Não traí ninguém. Casei-me por amor.

— Mas essa mulher não estava apaixonada por Matías?

— Essa mulher se chama Lynn, é minha esposa, e exijo que seja tratada com o devido respeito — Severo replicou, secamente, ao mesmo tempo em que se punha de pé.

— Você é um idiota, Severo, um completo idiota! — Feliciano o insultou, deixando em largos passos a sala de jantar.

O impenetrável Williams, que entrava naquele momento a fim de supervisionar o serviço de sobremesa, não pôde evitar um leve sorriso de cumplicidade antes de retirar-se discretamente. Paulina ouviu com incredulidade a informação de Severo de que dentro de poucos dias partiria para a guerra no Chile, que Lynn ficaria vivendo com os pais em Chinatown e que, se as coisas terminassem bem, voltaria a fim de assumir seu papel de marido e de pai.

— Sente-se aí, sobrinho, falemos como gente. Matías é o pai dessa menina, não é?

— Pergunte a ele, tia.

— Já entendi. Você se casou para salvar a cara de Matías. Meu filho é um cínico, e você é um romântico... Vejam só, arruinar a vida com uma quixotice! — Paulina exclamou.

— A senhora se engana, tia. Não arruinei minha vida; pelo contrário, acredito que esta seja a minha única oportunidade de ser feliz.

— Com uma mulher que ama outro homem? Com uma filha que não é sua?

— O tempo ajudará. Se eu voltar da guerra, Lynn aprenderá a me amar, e a menina acreditará que sou o pai dela.

— Matías pode voltar antes de você — ela advertiu.

— Isso nada mudaria.

— Bastaria uma palavra de Matías para que Lynn Sommers o seguisse até o fim do mundo.

— É um risco inevitável — Severo respondeu.

— Você perdeu a cabeça, sobrinho. Aquelas pessoas não pertencem ao nosso meio social — decretou Paulina del Valle.

— É a família mais decente que conheço, tia — garantiu Severo.

— Vejo que você não aprendeu nada comigo. Para vencer neste mundo é preciso fazer os cálculos antes de agir. Você é um advogado com futuro brilhante e leva um dos nomes de família mais antigos do Chile. Acha que a sociedade aceitará sua mulher? E sua prima Nívea, não está esperando por você? — Paulina perguntou.

— Aquilo terminou — disse Severo.

— Bom, vejo que entrou fundo nessa história, Severo. Suponho que seja tarde para o arrependimento. Vamos, então, tratar de compor as coisas na medida do possível. O dinheiro e a posição social contam muito, tanto aqui quanto no Chile. Vou lhe ajudar como puder, de algum modo sou avó dessa menina. Como é mesmo o nome dela?

— Aurora, mas seus avós dizem Lai-Ming.

— Leva o nome dos Del Valle, é meu dever ajudá-la, já que Matías lavou as mãos nesse caso lamentável.

— Não será necessário, tia. Dispus tudo para que Lynn receba o dinheiro de minha herança.

— Dinheiro nunca é demais. Pelo menos poderei ver minha neta, está bem?

— Perguntaremos isso a Lynn e a seus pais — prometeu Severo del Valle.

Ainda estavam na sala de jantar quando Williams entrou com uma mensagem urgente, anunciando que Lynn havia sofrido uma hemorragia e temiam pela sua vida, e que fosse sem perda de tempo. Severo saiu e tomou, disparado, o rumo de Chinatown. Ao chegar à casa dos Chi'en encontrou a pequena família reunida em torno da cama de Lynn, todos tão quietos, que pareciam estar posando para um quadro trágico. Por um instante Severo foi possuído por uma louca esperança, ao ver tudo limpo e ordenado, sem vestígios do parto, mas logo viu a expressão de dor nos rostos de Tao, Eliza e Lucky. No quarto o ar se tornara rarefeito; Severo aspirou-o com vigor, sentindo sua carência, como se estivesse no cume de uma montanha. Aproximou-se do leito, tremendo, e viu Lynn estendida com as mãos sobre o peito, as pálpebras cerradas e as faces transparentes: uma bela escultura em alabastro cinzento. Tomou-lhe uma das mãos, dura e fria como gelo, inclinou-se sobre ela e percebeu que sua respiração era apenas perceptível, tinha os lábios e os dedos azuis; beijou-lhe a palma da mão em um gesto interminável, molhando-a com suas lágrimas, derrotado pela tristeza. Ela conseguiu balbuciar o nome de Matías, suspirou duas vezes e se foi com a mesma leveza que a fizera passar flutuando pelo mundo. Um silêncio absoluto acolheu o mistério da morte, e por um tempo impossível de medir esperaram imóveis, enquanto o espírito de Lynn terminava de elevar-se. Severo sentiu-se alcançado por um comprido grito que lhe veio do fundo da terra, que o atravessou dos pés até a boca, mas não pôde passar por entre seus lábios. O grito invadiu-o por dentro, ocupou-o inteiramente e estalou no interior de sua cabeça em uma silenciosa explosão. Ficou ali, ajoelhado junto à cama, chamando Lynn em silêncio, incrédulo diante do destino que de supetão lhe arrebatara a mulher com a qual havia sonhado ao longo de vários anos, levando-a justamente quando acreditava tê-la conquistado. Uma eternidade depois sentiu que alguém tocava em seu ombro e encontrou-se com os olhos alterados de Tao Chi'en, "está bem, está bem", era o que ele parecia murmurar, e atrás dele viu Eliza Sommers e Lucky soluçando abraçados, e isso o fez compreender que era um intruso na dor daquela família. Lembrou-se então da menina. Com passos vacilantes de bêbado dirigiu-se ao berço de prata, tomou a pequena Aurora nos braços, levou-a até a cama e aproximou-a do rosto de Lynn, para que se despedisse da mãe. Depois, sentou-se com ela no colo, acalentando-a sem consolo.

AO SABER QUE Lynn Sommers havia morrido, Paulina del Valle sentiu-se varrida por uma onda de alegria e chegou a soltar um grito de triunfo, antes que a vergonha por tão feio sentimento trouxesse-a de volta ao chão. Sempre havia desejado uma filha. Desde sua primeira gravidez tinha sonhado com uma menina, que levaria seu nome, Paulina, e seria sua melhor amiga e companheira. Os três varões que tinha dado à luz deixavam-na sempre estafada, mas agora, na maturidade de sua existência, aquele presente lhe caía na saia: uma neta que poderia criar como filha, uma pessoa a quem oferecer todas as oportunidades que o carinho e o dinheiro podiam proporcionar, pensava, alguém que a acompanhasse em sua velhice. Com Lynn Sommers ausente do quadro, ela poderia obter a guarda da criança em nome de Matías. Estava celebrando aquele imprevisível golpe de sorte com uma taça de chocolate e três pastéis de creme, quando Williams lembrou-lhe que legalmente a menina era filha de Severo del Valle, única pessoa com direito de decidir seu futuro. Melhor ainda, ela concluiu, pois pelo menos seu sobrinho já estava ali mesmo, ao passo que trazer Matías da Europa e convencê-lo a reclamar a filha seria uma tarefa a longo prazo. Não foi capaz, um instante sequer, de antecipar a reação de Severo ao ouvir seus planos.

— Para efeitos legais você é o pai e, sendo assim, amanhã mesmo pode trazer a menina para esta casa — disse Paulina.

— Não vou fazer isso, tia. Os pais de Lynn ficarão com a neta enquanto eu estiver na guerra; querem criá-la, e eu estou de acordo com eles — replicou o sobrinho em um tom categórico, que os ouvidos de Paulina nunca tinham ouvido antes.

— Está louco? Não podemos deixar minha neta nas mãos de Eliza Sommers e daquele chinês! — Paulina exclamou.

— Não por quê? São avós dela.

— Quer que a criança seja criada em Chinatown? Nós podemos educá-la, dar-lhe oportunidades, luxo, um nome respeitável. Nada disso eles poderão dar.

— Darão amor — Severo replicou.

— Eu também posso dar. Lembre-se do muito que me deve, sobrinho. Esta é a sua oportunidade de me pagar e de fazer alguma coisa pela garotinha.

— Sinto muito, minha tia, as coisas já estão decididas. Aurora ficará com os avós maternos.

Paulina del Valle teve, naquele momento, um dos muitos chiliques de sua vida. Não podia acreditar que aquele sobrinho, que havia imaginado como um aliado incondicional, que havia se convertido em outro filho para ela, pudesse traí-la de maneira tão vil. Tanto gritou, insultou, argumentou em vão e terminou se sufocando, que Williams teve de chamar um médico, o qual lhe passou uma dose de tranquilizante apropriada ao seu tamanho, que lhe fez dormir por um bom tempo. Quando acordou, trinta horas mais tarde, seu sobrinho estava a bordo do vapor que o levaria ao Chile. Seu marido e o fiel Williams conseguiram convencê-la de que não tinha motivos para recorrer à violência, como pensava, porque, por mais corrupta que fosse a justiça de São Francisco, não havia base legal para arrancar o bebê das mãos dos avós maternos, já que o suposto pai havia determinado, por escrito, de quem seria a guarda. Os dois lhe sugeriram que também desistisse do velho recurso de oferecer dinheiro pela menina, pois isso poderia voltar-se contra ela e resultar em uma pedrada em seus dentes. O único caminho possível era o da diplomacia, até que Severo del Valle regressasse; então poderiam chegar a algum acordo, os dois aconselharam, mas Paulina não quis ouvir suas razões, e dois dias depois se apresentou no salão de chá de Eliza Sommers, levando uma proposta que, no seu entender, a outra avó não poderia rejeitar. Eliza a recebeu de luto pela filha, mas iluminada pelo consolo daquela neta, que dormia placidamente ao seu lado. Ao ver instalado junto à janela o berço de prata que fora de seus filhos, Paulina teve um sobressalto, mas em seguida lembrou-se de que tinha dado permissão a Williams para entregá-lo a Severo, e mordia os lábios, pois não estava ali para lutar por um berço, por valioso que fosse, mas para negociar sua neta. "Não ganha quem tem razão, mas quem regateia melhor", Paulina costumava dizer. E naquele caso não apenas lhe parecia evidente que a razão estava ao seu lado, mas também que ninguém a venceria na arte do regateio.

Eliza tirou o bebê do berço e o pôs nos braços da outra. Paulina susteve o pequenino fardo, tão leve que parecia apenas um envoltório de panos, e acreditou que seu coração estalava com um sentimento completamente novo. "Meu Deus, meu Deus", repetiu aterrada diante daquela vulnerabilidade desconhecida que lhe enfraquecia os joelhos e fazia com que um soluço atravessasse-lhe o peito. Sentou-se em uma poltrona com a neta meio perdida em seu enorme regaço, embalando-a, enquanto Eliza Sommers ordenava o chá e os doces que costumava servir nos tempos em que Paulina era a mais assídua cliente da pastelaria. No decorrer daqueles poucos minutos Paulina del Valle conseguiu recuperar-se da emoção e pôr sua artilharia em posição de ataque. Começou por dar os pêsames pela morte de Lynn e em seguida tratou de admitir que, fora de qualquer dúvida, seu filho Matías era o pai de Aurora, para saber disso bastava olhar o rosto da criança: era igual ao de todos os Rodríguez de Santa Cruz y del Valle. Lamentava muito, disse, que Matías estivesse na Europa por motivos de saúde e assim não pudesse reclamar a menina. Em seguida manifestou seu desejo de ficar com a neta, já que Eliza trabalhava tanto, dispunha de pouco tempo e menos ainda de recursos, sem dúvida não lhe seria possível dar a Aurora o mesmo nível de vida que ela poderia ter em sua casa de Nob Hill. Disse tudo isso no tom de quem concede um favor, dissimulando o tremor das mãos e a ansiedade que lhe obstruía a garganta. Eliza Sommers replicou que agradecia tão generosa proposta, mas estava certa de que ela e Tao Chi'en podiam encarregar-se de Lai-Ming, tal como Lynn lhes havia pedido antes de morrer. Claro, Paulina seria sempre bem-vinda quando se tratasse da vida da menina.

— Não devemos criar confusão no tocante à paternidade de Lai-Ming — acrescentou Eliza Sommers. — Como você mesma e seu filho nos garantiram há alguns meses, ele não teve nada com Lynn. Deve estar lembrada de ouvir seu filho dizer que o pai da criança podia ser qualquer um de seus amigos.

— São coisas que as pessoas dizem no calor da discórdia, Eliza. Matías disse aquilo sem pensar... — Paulina balbuciou.

— O fato de Lynn ter-se casado com o senhor Severo del Valle prova que seu filho dizia a verdade, Paulina. Minha neta não tem laços de sangue com você, mas repito que poderá vê-la sempre que desejar. Quanto mais pessoas lhe tenham afeto, melhor para ela.

Na meia hora seguinte as duas mulheres se enfrentaram como gladiadoras, cada uma com seu estilo. Paulina del Valle passou dos salamaleques ao ataque, do rogo ao desesperado recurso do suborno, e, quando tudo falhou, à ameaça, sem que a outra avó se afastasse meio centímetro do local onde estava, exceto para tomar suavemente a garota e devolvê-la ao berço. Paulina não soube em que momento a raiva lhe subiu à cabeça, perdeu por inteiro o controle da situação e acabou dizendo em um atropelo de palavras que Eliza Sommers ia ver quem eram os Rodríguez de Santa Cruz, quanto poder tinham eles naquela cidade e como poderiam arruiná-la, arruinar seu maldito negócio de pastéis, bem como o do seu chinês, iria saber que não era bom para ninguém tornar-se inimigo de Paulina del Valle e que mais cedo ou mais tarde lhe tiraria a menina, que tivesse disso a mais absoluta certeza, porque ainda não havia nascido quem fosse capaz de barrar-lhe o caminho. Com uma única braçada varreu as finas chávenas de porcelana e os doces chilenos que compunham a mesa, os quais aterrissaram em meio a uma impalpável nuvem de açúcar, e saiu bufando como um touro de arena. Uma vez no coche, com o sangue latejando na fronte e o coração escarvando sob as camadas de gordura aprisionadas pelo corpete, deitou a chorar, em grandes e ruidosos soluços, como não chorava desde que havia posto um ferrolho na porta do quarto de dormir e ficara sozinha em seu leito mitológico. Como naquela ocasião, sua melhor ferramenta acabava de falhar: a habilidade para regatear como um mercador árabe, que tanto êxito lhe havia garantido em outros aspectos da vida. Por ambicionar demais, havia perdido tudo.

Segunda Parte

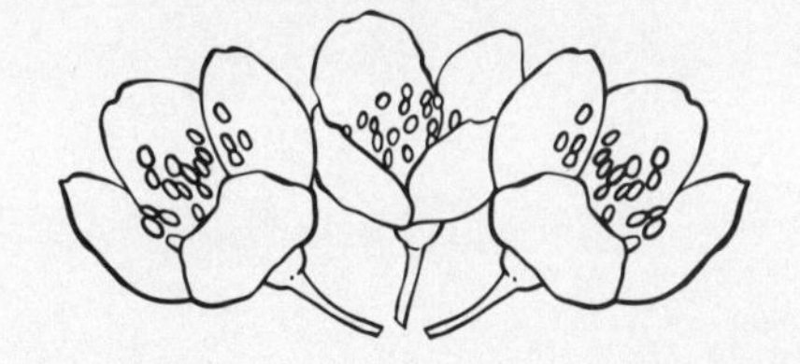

1880-1896

Há um retrato em que me vejo aos três ou quatro anos de idade, o único, daquela época, que sobreviveu aos avatares do destino e à decisão de Paulina del Valle de passar a borracha sobre as minhas origens. Está montado em um cartão gasto, dentro de uma moldura de viagem, um daqueles antigos estojos de veludo e metal, tão em moda no século XIX, mas hoje não mais usados por ninguém. Na foto aparece uma criança ainda muito pequena, ataviada ao estilo das noivas chilenas, com uma túnica larga de cetim bordado e por baixo uma calça de outro tom; a criança calça delicadas sapatilhas montadas sobre feltro branco, protegidas por uma delgada lâmina de madeira; o cabelo escuro parece inflar-se em um coque demasiado alto para o tamanho da menina, sustentado por duas grossas agulhas, talvez de ouro, talvez de prata, unidas por uma pequena guirlanda de flores. A garotinha tem um leque aberto na mão e poderia estar rindo, mas já não se distinguem muito bem as feições, seu rosto é apenas uma lua clara e os olhos duas pequeninas manchas negras. Atrás da menina vislumbram-se a grande cabeça de um dragão de papel e reluzentes estrelas de fogos de artifício. A fotografia foi feita durante a celebração do ano-novo chinês em São Francisco. Não me lembro desse momento e não reconheço a menina desse único retrato.

Em compensação, minha mãe, Lynn Sommers, aparece em várias fotografias que, com tenacidade e bons contatos, consegui resgatar do olvido. Anos atrás fui a São Francisco a fim de conhecer meu tio Lucky e me dediquei a percorrer velhas livrarias e estúdios fotográficos, procurando postais e calendários para os quais ela havia posado; e às vezes recebo alguns, quando meu tio Lucky os encontra. Minha mãe era muito bonita, isso é tudo que posso dizer dela, pois também não a reconheço nesses retratos. Não me lembro dela, é óbvio, já que morreu no mesmo dia em que nasci, mas a mulher dos calendários é uma estranha, não tenho semelhança nenhuma com ela, não consigo visualizá-la como minha mãe, mas apenas como um jogo de luz e sombra em um pedaço de papel. Também não parece irmã de meu tio Lucky, um chinês de pés pequenos e cabeça grande, de aspecto vulgar, mas muito bom como pessoa. Pareço mais com meu pai, tenho seu tipo espanhol; infelizmente pareço ter muito pouco da raça de meu extraordinário avô Tao Chi'en. Se não fosse pelo fato de esse avô ser a memória mais nítida e perseverante de minha vida, o amor mais antigo contra o qual se desfazem todos os homens que conheci, pois nenhum consegue igualá-lo, não acreditaria que levo sangue chinês em minhas veias. Tao Chi'en vive sempre comigo. Posso vê-lo espigado, elegante, sempre vestido com impecável correção, os cabelos grisalhos, óculos redondos e um olhar de inarredável bondade em seus olhos amendoados. Em minhas evocações ele está sempre sorrindo, e às vezes o ouço cantando em chinês para mim. Ronda-me, segue-me, guia-me, exatamente como disse à minha avó Eliza que o faria depois de morrer. Há um daguerreótipo desses dois avós quando eram jovens, antes de casar-se: ela sentada em uma cadeira de espaldar alto e ele de pé, atrás, ambos vestidos à maneira americana da época, olhando a câmara de frente, com uma vaga expressão de pavor. Esse retrato, que acabei por resgatar, está hoje na minha mesa de cabeceira, e todas as noites é a última coisa que vejo antes de apagar a lâmpada, mas gostaria de tê-lo tido comigo na infância, quando tanto necessitava da presença daqueles avós.

Desde quando posso lembrar, sou atormentada pelo mesmo pesadelo. As imagens desse sonho pertinaz ficam comigo durante horas, estragando-me o dia e a alma. A sequência é sempre a mesma: caminho pelas ruas vazias de uma cidade desconhecida e exótica, vou de mão dada com alguém cujo rosto não consigo vislumbrar, vejo apenas suas pernas e os bicos de uns sapatos reluzentes. De repente nos vemos cercados por meninos que vestem pijamas negros e dançam uma ronda feroz. Uma mancha escura, talvez de sangue, espalha-se pelos paralelepípedos da rua, enquanto o círculo de meninos se estreita inexorável, cada vez mais ameaçador, em torno da pessoa que me leva pela mão. Somos encurralados, empurrados, puxados, separados; procuro a mão amiga e só encontro o vazio. Grito sem voz, caio sem ruído e então desperto com o coração na boca. Às vezes passo dias inteiros calada, arrasada pela lembrança do sonho, tentando penetrar nas camadas do mistério que o envolvem, procurando descobrir algum detalhe, ainda não percebido, que me dê a chave de seu significado. Nesses dias padeço de uma espécie de febre fria, na qual meu corpo se encerra, enquanto minha mente permanece isolada em um território de gelo. Foi nesse estado de paralisia que vivi as primeiras semanas na casa de Paulina del Valle. Tinha cinco anos quando me levaram para o palacete de Nob Hill, e ninguém se deu ao trabalho de me explicar por que de repente minha vida dava um giro tão dramático, onde estavam meus avós Eliza e Tao, quem era aquela senhora monumental, coberta de joias, que me observava do alto de um trono, com olhos cheios de lágrimas. Corri para baixo de uma mesa e ali permaneci como um cão espancado, segundo me contaram. Naquela época Williams era o mordomo dos Rodríguez de Santa Cruz — o que é realmente difícil de imaginar —, e a ele acorreu, no dia seguinte, a solução para me afastarem daquele lugar: servirem comida em uma bandeja atada à extremidade de um cordão; quando eu não suportasse mais a fome, alguém puxaria o cordão devagar, e eu me arrastaria atrás da bandeja. Foi assim que conseguiram arrancar-me de meu refúgio, mas cada vez que eu acordava em meio àquele pesadelo voltava a esconder-me embaixo da mesa. Isso durou um ano, mas então viemos para o Chile, e com as confusões da viagem e da instalação em Santiago aquela mania desapareceu.

Meu pesadelo é em preto e branco, silencioso e inapelável, tem uma qualidade eterna. Suponho já dispor de informação suficiente para conhecer as chaves de seu significado, mas nem por isso ele deixa de me atormentar. Por culpa de meus sonhos sou diferente, como essas pessoas que por causa de um mal congênito, ou de uma deformidade, devem fazer um esforço constante para levar uma existência normal. Eles carregam marcas visíveis, a minha não se vê, mas existe, posso compará-la com ataques de epilepsia, que chegam de repente e deixam uma esteira de confusão. À noite me deito com temor, não sei o que ocorrerá enquanto durmo nem como despertarei. Já experimentei vários recursos contra meus demônios noturnos, desde licor de laranja com algumas gotas de ópio até o transe hipnótico e certas formas de necromancia, mas nada me garante um sono aprazível, a não ser uma boa companhia. Dormir abraçada é agora o único remédio eficaz. Deveria casar-me, como todos me aconselham, mas já o fiz uma vez e foi uma calamidade, não posso tentar novamente o destino. Aos trinta anos, sem marido, sou pouco menos do que um espantalho, minhas amigas me olham com lástima, embora seja possível que algumas invejem minha independência. Não estou só, tenho um amor secreto, sem amarras nem condições, motivo de escândalo em qualquer lugar, mas sobretudo aqui onde temos de viver. Não sou solteira, nem viúva, nem divorciada, vivo no limbo das "separadas", onde vão parar as infelizes que preferem o escárnio público a viver com um homem que não amam. De que outro modo pode ser no Chile, onde o matrimônio é eterno e inexorável? Em alguns extraordinários amanheceres, quando meu corpo e o de meu amante, úmidos de suor e lassos de sono compartido, ainda jazem naquele estado semi-inconsciente de ternura absoluta, felizes e confiantes como meninos adormecidos, caímos na tentação de falar em nos casarmos, em irmos para outro lugar, para os Estados Unidos, por exemplo, onde há muito espaço e ninguém nos conhece, para vivermos juntos como qualquer casal sem problemas, mas logo despertamos com o sol entrando pela janela e não voltamos a falar de tais coisas, pois sabemos que não poderíamos viver em outro lugar, a não ser neste Chile de cataclismos geológicos e pequenezas humanas, mas também de vulcões ásperos e cumes nevados, de lagos imemoriais semeados de esmeraldas, de rios espumosos e bosques fragrantes, país delgado como um cinto, pátria de gente pobre e contudo inocente, apesar de tantos e tão variados abusos. Nem ele poderia ir, nem eu me cansarei de fotografá-lo. Gostaria de ter filhos, mas resolvi finalmente que nunca serei mãe; não sou estéril, sou fértil em outros aspectos. Nívea del Valle diz que um ser humano não se define pela sua capacidade reprodutiva, o que no caso dela resulta irônico, pois deu à luz mais de uma dezena de crianças. Mas não é este o lugar de falar dos filhos que não terei, nem tampouco de meu amante, e sim dos acontecimentos que me transformaram naquela que sou. Compreendo que ao escrever estas memórias devo trair outros, é inevitável. "Lembre-se de que roupa suja lava-se em casa", me repete Severo del Valle, que, como todos nós, foi criado sob esse lema. "Escreva com honestidade e não se preocupe com os sentimentos alheios, pois escreva o que escrever vão odiá-la do mesmo modo", Nívea por sua vez me aconselha. Continuemos, portanto.

Ante a impossibilidade de eliminar meus pesadelos, tento pelo menos tirar algum proveito deles. Comprovei que depois de uma noite tormentosa fico alucinada, em carne viva, um estado ótimo para a criação. Minhas melhores fotos foram feitas em dias como esses, quando meu único desejo é esconder-me embaixo da mesa, tal como fazia nos primeiros tempos em casa de minha avó Paulina. Estou certa de que foi o sonho dos meninos de pijamas negros o que me levou à fotografia. Quando Severo del Valle me presenteou com uma câmara, foi esse o pensamento que primeiro me acorreu: se pudesse fotografar aqueles demônios, eu os derrotaria. Desde os treze anos já tentei muitas vezes. Inventei complicados sistemas de pequenas rodas e delgadas polias a fim de disparar uma câmara fixa enquanto dormia, mas terminou por evidenciar-se que aquelas criaturas maléficas eram invulneráveis ao assalto da tecnologia. Ao ser observado com verdadeira atenção, um objeto ou corpo de aparência comum transforma-se em algo sagrado. A câmara pode revelar os segredos que o olho desarmado ou a mente não captam, tudo desaparece, salvo aquilo que é enfocado no quadro. A fotografia é um exercício de observação, e o resultado é sempre um golpe de sorte; entre os milhares e milhares de negativos que lotam vários caixotes em meu estúdio, apenas uns poucos são excepcionais. Meu tio Lucky Chi'en se sentiria decepcionado se soubesse como foi pequeno o efeito do seu sopro de boa sorte em meu trabalho. A câmara é um aparelho simples, mesmo o indivíduo mais inepto pode usá-la, o desafio consiste em criar com sua ajuda aquela combinação de verdade e beleza que se chama arte. Essa busca é sobretudo espiritual. Procuro verdade e beleza na transparência de uma folha no outono, na forma perfeita de um caracol na areia da praia, nas curvas de um torso feminino, na textura de um velho tronco, mas também naquelas formas escorregadias da realidade. Algumas vezes, ao trabalhar com uma imagem em meu quarto escuro, aparece a alma de uma pessoa, a emoção de um evento ou a essência vital de um objeto, e nesse momento a gratidão explode em meu peito, e não posso evitar que meu pranto se solte. É para essa revelação que meu ofício aponta.

SEVERO DEL VALLE dispôs de várias semanas de navegação para chorar Lynn Sommers e meditar no que seria o restante de sua vida. Sentia-se responsável pela menina Aurora e tinha redigido um testamento antes de embarcar, para que a pequena herança recebida do pai, juntamente com suas economias, fosse diretamente para ela, caso ele lhe faltasse. Enquanto isso, ela receberia os juros mensalmente. Sabia que os pais de Lynn cuidariam da garota melhor que ninguém e supunha que, por grande que fosse sua prepotência, a tia Paulina não tentaria arrebatá-la à força, pois seu marido não permitiria que ela transformasse o assunto em um escândalo público.

Sentado na proa do navio, com a vista perdida no mar infinito, Severo concluiu que jamais se consolaria com a perda de Lynn. Sem ela, não queria viver. Perecer em combate era o melhor que o futuro poderia oferecer-lhe; morrer logo, e rápido, era tudo o que pedia. Durante meses, o amor que sentia por Lynn e a sua decisão de ajudá-la tinham ocupado seu tempo e atenção, por isso havia postergado o dia da volta ao Chile, enquanto todos os compatriotas de sua idade se alistavam em massa para lutar. A bordo iam vários jovens com um propósito igual ao seu, incorporar-se às fileiras — vestir o uniforme azul era uma questão de honra —, e Severo aproximou-se deles para analisar as notícias da guerra transmitidas pelo telégrafo. Durante os quatro anos passados na Califórnia tinha se desenraizado de seu país, e assim havia respondido ao chamado da guerra como uma forma de entregar-se à própria dor, mas isso não significava que sentisse o menor fervor bélico. Contudo, à medida que o navio avançava para o sul, foi se deixando contagiar pelo entusiasmo dos demais. Voltou a pensar em servir ao Chile como havia desejado nos seus tempos de escola, quando, na companhia de outros estudantes, discutia política nos cafés. Supunha que seus antigos camaradas estariam combatendo, havia meses, enquanto ele volteava pelas ruas de São Francisco, fazendo hora para visitar Lynn Sommers e jogar *mahjong*. Como poderia justificar semelhante covardia a parentes e amigos? A imagem de Nívea o assaltava durante essas cavilações. Sua prima não entenderia a demora do regresso a fim de defender a pátria; Severo tinha certeza de que, se fosse homem, ela teria sido a primeira a partir para a frente. Ainda bem que no seu caso não necessitaria dar explicações, esperava morrer crivado de balas antes de tornar a vê-la; para enfrentar Nívea depois de ter se conduzido tão mal em relação a ela exigiria muito mais valor do que o combate com o pior dos inimigos. O navio avançava com desesperadora lentidão, e naquele andar só chegaria ao Chile quando a guerra já houvesse terminado, pensava ansioso. Estava certo de que a vitória seria dos seus, apesar da vantagem numérica do adversário e da arrogante incompetência do alto comando chileno. O comandante em chefe do exército e o primeiro-almirante da esquadra formavam uma dupla de velhotes de comédia, que não conseguiam se pôr de acordo em relação ao mais elementar dos objetivos, mas os chilenos contavam com um grau de disciplina maior que o dos peruanos e bolivianos. "Foi necessário que Lynn morresse para que eu decidisse voltar ao Chile e cumprir meu dever patriótico, não passo de um piolho", dizia para os seus botões, envergonhado.

Quando o vapor atracou na baía, o porto de Valparaíso brilhava sob a luz radiante de dezembro. Ao passar pelas águas territoriais do Peru e do Chile tinham avistado alguns vasos das esquadras dos dois países, fazendo manobras, mas até atracarem no porto de Valparaíso não tiveram nenhuma evidência da guerra. De fato, a aparência do porto era bem diferente daquilo de que Severo podia lembrar-se. A cidade estava militarizada, havia tropas acantonadas esperando transporte, a bandeira chilena flamejava nos edifícios e notava-se um intenso movimento de botes e rebocadores em torno dos vasos da armada; em troca, escasseavam os navios de passageiros. O jovem havia anunciado à sua mãe a data da chegada, mas não tinha esperança de vê-la no porto, já que dois anos antes ela passara a viver em Santiago com os filhos menores, e a viagem da capital até Valparaíso era muito desconfortável. Pelo mesmo motivo, não se deu ao trabalho de explorar o cais à procura de conhecidos, como fazia a maior parte dos passageiros. Apanhou sua maleta, deu algumas moedas a um marinheiro para que se encarregasse dos baús e desceu pela prancha, respirando a plenos pulmões o ar salino da cidade onde havia nascido. Ao pisar em terra cambaleava como um bêbado, durante as semanas da travessia tinha se habituado ao vaivém das ondas, e agora sentia dificuldade para caminhar em solo firme. Assobiou chamando um carregador, para que o ajudasse com a bagagem, enquanto procurava um coche que o levasse à casa de sua avó Emilia, onde pensava ficar por duas noites, até conseguir incorporar-se ao exército. Nesse momento sentiu que alguém tocava em seu braço. Voltou-se com surpresa e se viu cara a cara com a última pessoa que gostaria de encontrar neste mundo: sua prima Nívea. Necessitou de uns dois segundos para reconhecê-la e se recuperar da surpresa. A adolescente que havia deixado quatro anos antes tinha se transformado em uma adulta desconhecida, baixinha como sempre, mas muito mais magra e de corpo bem-desenhado. De intacto nela, apenas a expressão inteligente, concentrada no rosto. Vestia uma roupa de verão, feita de tafetá azul, e se protegia do sol com um chapéu de palha, coroado por um grande laço de organdi branco, cuja tira passava por baixo do queixo, de modo a marcar ainda mais suas feições ovaladas, seus traços finos, seus olhos negros, que brilhavam inquietos e brincalhões. Estava só. Severo não se lembrou de saudá-la, ficou olhando-a com a boca aberta, até que recuperou a lucidez e conseguiu perguntar-lhe, perturbado, se havia recebido sua última carta, referindo-se àquela em que lhe anunciava o casamento com Lynn Sommers. Como desde então não voltara a escrever-lhe, imaginou que Nívea nada sabia da morte de Lynn ou do nascimento de Aurora, sua prima não podia adivinhar que havia se transformado em viúvo e pai sem nunca ter passado pela condição de marido.

— Dessa história falaremos depois, agora me deixe lhe dar as boas-vindas. Tenho um coche nos esperando — interrompeu ela.

Postos os baús na carruagem, Nívea ordenou ao cocheiro que os levasse a passo lento pela beira-mar, ganhando tempo antes de alcançarem a casa, onde o esperava o restante da família.

— Em relação a você, Nívea, me comportei como um desalmado. Só tenho para dizer a meu favor que jamais quis seu sofrimento — Severo murmurou, sem atrever-se a olhá-la.

— Reconheço que estava furiosa com você, Severo, tinha de morder a língua para não maldizê-lo, mas agora não tenho mais rancor. Creio que você sofreu mais do que eu. Na verdade, sinto muito o que aconteceu com sua mulher.

— Como soube do que aconteceu?

— Recebi um telegrama com a notícia, vinha assinado por um tal de Williams.

A primeira reação de Severo del Valle foi de raiva, como se atrevia aquele mordomo a imiscuir-se dessa maneira em sua vida privada, mas em seguida não pôde conter um impulso de gratidão, pois aquele telegrama o eximia de explicações dolorosas.

— Não espero que você me perdoe, quero apenas que me esqueça, Nívea. Você, mais do que ninguém, merece ser feliz...

— E quem lhe disse que quero ser feliz, Severo? Esse é o último dos adjetivos que eu empregaria para definir o futuro que desejo.

Quero uma vida interessante, aventureira, diferente, apaixonada, enfim, qualquer coisa, menos ser feliz.

— Ah, prima, é maravilhoso comprovar que você praticamente nada mudou! Mas, dentro de dois dias, estarei marchando com o exército rumo ao Peru e, francamente, espero morrer com as botas nos pés, porque minha vida deixou de ter sentido.

— E sua filha?

— Pelo visto, Williams não lhe passou todos os detalhes. Posso lhe dizer que também não sou o pai dessa menina? — perguntou Severo.

— E quem é?

— Não importa. Para efeitos legais é minha filha. Está nas mãos de seus avós e não lhe faltará dinheiro, deixei-a bem protegida.

— Como se chama?

— Aurora.

— Aurora del Valle... bonito nome. Trate de voltar inteiro da guerra, Severo, porque quando nos casarmos essa menina certamente se tornará nossa primeira filha — disse Nívea, ruborizando-se.

— Que foi que você disse?

— Que, se passei toda a vida esperando por você, posso esperar um pouco mais. Nada de pressa, tenho muitas coisas para fazer antes de me casar. Estou trabalhando.

— Trabalhando? Por quê?!? — Severo exclamou em tom escandalizado, pois mulher nenhuma trabalhava em sua família ou em qualquer outra família que conhecesse.

— Para aprender. Meu tio José Francisco me contratou para organizar sua biblioteca e dá permissão para ler o que eu quiser. Lembra-se dele?

— Conheço-o muito pouco; não é aquele que se casou com uma herdeira e tem um palácio em Viña del Mar?

— Ele mesmo, é parente de minha mãe. Não conheço homem mais sábio, nem melhor, além de ser um bocado moço, embora não tanto quanto você — disse ela, rindo.

— Não brinque, Nívea.

— Sua mulher era bonita? — perguntou a moça.

— Muito bonita.

— Tem de cumprir o luto, Severo. Talvez a guerra sirva para isso. Dizem que as mulheres mais belas são inesquecíveis, mas espero que aprenda a viver sem ela, mesmo que não a esqueça. Vou rezar para que você volte a se apaixonar, e tomara que seja por mim... — Nívea murmurou, tomando-lhe uma das mãos.

E então Severo del Valle sentiu uma dor terrível no tórax, como se uma lança lhe houvesse atravessado as costelas, e um soluço escapou-lhe por entre os lábios, seguido de um choro incontrolável, que sacudia todo o seu corpo, enquanto repetia arquejando o nome de Lynn, Lynn, mil vezes Lynn. Nívea puxou-o para seu peito e o envolveu com seus braços delgados, dando-lhe palmadinhas de consolo nas costas, como se ele não passasse de um menino.

A Guerra do Pacífico teve início no mar e continuou em terra, os homens combatendo corpo a corpo, com baionetas caladas e facas de lâmina curva, nos mais áridos e inclementes desertos do mundo, situados nas províncias que hoje formam o norte do Chile, mas que antes da guerra pertenciam ao Peru e à Bolívia. Os exércitos desses dois países estavam muito mal preparados para aquela contenda, eram pouco numerosos, mal armados e seu sistema de abastecimento falhava tanto, que algumas batalhas e escaramuças foram decididas pela falta de água para beber ou porque as rodas das carretas carregadas com caixotes de balas enterravam-se na areia. O Chile era um país expansionista, com uma economia sólida, dono da melhor esquadra da América do Sul e de um exército composto de mais de setenta mil homens. Tinha reputação de civismo em um continente de caudilhos rústicos, corrupção sistemática e revoluções sangrentas; a austeridade do caráter chileno e a solidez de suas instituições eram a inveja das nações vizinhas, suas escolas e universidades atraíam professores e estudantes estrangeiros. A influência dos imigrantes ingleses, alemães e espanhóis tinha conseguido impor uma certa moderação ao arrebatado temperamento crioulo. O exército recebia instrução prussiana e não conhecia a paz, pois durante os anos anteriores à Guerra do Pacífico tinha se mantido de armas na mão, combatendo, no sul do país, os índios da zona chamada La Frontera, porque até ali havia chegado o braço civilizador, e ali começava o desconhecido território indígena, pelo qual, até recentemente, só os missionários jesuítas tinham se aventurado. Os formidáveis guerreiros araucanos, que vinham lutando sem trégua desde os tempos da conquista, não se atemorizavam diante das balas nem das piores atrocidades, mas, um após outro, vinham sendo dizimados pelo álcool. Lutando contra eles, os soldados tomavam lições de ferocidade. E, assim, não demorou que peruanos e bolivianos aprendessem a temer os chilenos, inimigos sanguinários, capazes de matar à bala e punhal os feridos e os prisioneiros. Os chilenos despertaram muito ódio e muito medo, provocando uma violenta antipatia internacional, com a consequente e interminável série de reclamações e litígios diplomáticos, exacerbando em seus adversários a decisão de lutar até a morte, pois de nada lhes adiantava render-se. As tropas peruanas e bolivianas eram compostas de um punhado de oficiais, contingentes de soldados regulares mal apetrechados e massas de indígenas recrutados à força, que mal sabiam por que combatiam e na primeira oportunidade desertavam. Em contraste, as fileiras chilenas contavam com uma nítida maioria de civis, tão encarniçados no combate quanto os militares, que lutavam por paixão patriótica e nunca se rendiam. Muitas vezes, as condições eram infernais. Durante a marcha pelo deserto arrastavam-se dentro de uma nuvem de poeira salobra, mortos de sede, com areia até o meio da perna, o sol desapiedado reverberando sobre a cabeça, as mochilas e munições pesando nos ombros, mas desesperadamente aferrados aos seus fuzis. Eram dizimados pela varíola, o tifo e a febre terçã; nos hospitais de campanha havia mais doentes do que feridos em combate. Quando Severo del Valle se reuniu ao exército, seus compatriotas acabavam de ocupar Antofagasta — a única província marítima da Bolívia — e as províncias peruanas de Tarapacá, Arica e Tacna. Em meados de 1880, o ministro da guerra e da marinha morreu de um derrame cerebral em plena campanha do deserto, deixando o governo desorganizado. Por fim o Presidente nomeou para seu lugar um civil, dom José Francisco Vergara, o tio de Nívea, viajante incansável e grande devorador de livros, a quem coube empunhar o sabre aos quarenta e seis anos de idade a fim de comandar uma guerra. Foi ele um dos primeiros a perceber que, enquanto os chilenos avançavam na conquista do norte, os argentinos iam silenciosamente arrebatando-lhes a Patagônia, no sul, mas ninguém se importava com isso, pois aquele território era considerado tão inútil quanto a Lua. Vergara era brilhante, refinado e dono de uma excelente memória, tudo lhe interessava, da botânica à poesia, era incorruptível e completamente desprovido de ambição política. Planejou a estratégia bélica com a mesma tranquila minuciosidade praticada na condução dos seus próprios negócios. Apesar da desconfiança dos homens de farda e para surpresa de todo mundo, conduziu as tropas chilenas diretamente até Lima. Como disse sua sobrinha Nívea: "A guerra é um assunto demasiado sério para ser entregue aos militares." A frase escapou do círculo familiar e converteu-se em um daqueles juízos lapidares que passam a fazer parte do anedotário histórico de um país.

Ao término do ano, os chilenos preparavam-se para o assalto final a Lima. Fazia onze meses que Severo del Valle combatia, mergulhado na sujeira, no sangue, na mais desapiedada barbárie. Nesse meio-tempo, as lembranças de Lynn Sommers converteram-se em farrapos, já não sonhava com ela, mas apenas com os corpos destroçados dos homens com os quais no dia anterior havia compartido o rancho. A guerra era antes de tudo marcha forçada e paciência; os momentos de combate tornavam-se quase um alívio do tédio de se preparar e esperar. Quando podia sentar-se e fumar um cigarro, aproveitava a pausa para escrever algumas linhas a Nívea, no mesmo tom de camaradagem que sempre havia empregado com ela. Não falava de amor, mas pouco a pouco ia compreendendo que ela seria a única mulher de sua vida e que Lynn Sommers tinha sido uma prolongada fantasia. Nívea escrevia-lhe com regularidade, embora nem todas as suas cartas chegassem ao destino, para contar-lhe como ia a família, a vida na cidade, como eram seus raros encontros com o tio José Francisco e quais os livros cuja leitura ele lhe havia recomendado. Também comentava a transformação espiritual que a sacudia, como ia se distanciando de alguns ritos católicos, a seu ver mais parecidos com reminiscências de paganismo, a fim de procurar as raízes de um cristianismo mais filosófico do que dogmático. Preocupava-lhe o fato de que Severo, imerso em um mundo rústico e cruel, pudesse perder o contato com sua alma e se convertesse em um ser desconhecido. A ideia de que ele fosse obrigado a matar soava-lhe intolerável. Procurava não pensar em tal coisa, mas os relatos de soldados varados a faca, de corpos decapitados, de mulheres violadas e crianças espetadas em baionetas eram impossíveis de ignorar. Participaria Severo de tais atrocidades? Poderia um homem, depois de haver testemunhado tais fatos, reintegrar-se ao mundo da paz, converter-se em marido e pai de família? Poderia ela amá-lo, apesar de tudo? Severo del Valle fazia a si próprio essas mesmas perguntas, enquanto seu regimento se preparava para atacar a capital do Peru, a poucos quilômetros de distância. Nos últimos dias de dezembro o contingente chileno estava pronto para a ação em um vale ao sul de Lima. Tinham se preparado com esmero, contavam com tropas numerosas, mulas, cavalos, munições, víveres e água, várias embarcações à vela para o transporte das tropas, além de quatro hospitais móveis, com um total de seiscentos leitos, e dois navios convertidos em hospitais, protegidos pela bandeira da Cruz Vermelha. Um dos comandantes chegou a pé, com sua brigada intacta, depois de cruzar infinitos pântanos e montes, e se apresentou como um príncipe mongol com um séquito de mil e quinhentos chineses acompanhados de suas mulheres, suas crianças e seus animais. Ao vê-los, Severo del Valle imaginou-se vítima de uma alucinação, na qual toda Chinatown havia saído de São Francisco para perder-se na mesma guerra em que ele se metera. O pitoresco chefe havia recrutado os chineses pelo caminho, eram imigrantes que trabalhavam em condições de escravidão e, colhidos entre dois fogos e sem lealdade definida por nenhum dos bandos, haviam decidido unir-se às forças chilenas. Enquanto os cristãos ouviam missa antes de entrar em combate, os asiáticos organizavam sua própria cerimônia. Os capelães militares aspergiam todo mundo com água benta e, sem suspeitar de que aquela seria sua última carta, Severo escreveu a Nívea dizendo: "Isto parece um circo." Animando os soldados e dirigindo o embarque de milhares de homens, animais, canhões e provisões estava o ministro Vergara em pessoa, de pé, das seis da manhã, sob um sol abrasador, até altas horas da noite.

Os peruanos tinham organizado duas linhas de defesa a poucos quilômetros da cidade, em lugares de difícil acesso para os atacantes. Às elevações escarpadas e arenosas somavam-se fortins, terraplenos, baterias e trincheiras com atiradores protegidos por sacos de areia. Além disso, tinham instalado minas invisíveis na areia, destinadas a explodir ao menor contato com seus detonadores. As duas linhas de defesa estavam unidas entre si, e com a cidade de Lima, por uma estrada de ferro que devia garantir o transporte das tropas, dos feridos e das provisões. Severo del Valle e seus camaradas sabiam, bem antes de iniciar-se o ataque em meados de janeiro de 1881, que a vitória — se viesse a ocorrer — custaria um grande número de vidas.

NAQUELA TARDE DE janeiro as tropas estavam prontas para a marcha sobre a capital do Peru. Depois de fazerem uma refeição, os chilenos desmontaram os acampamentos, queimaram os barracos de madeira nos quais tinham habitado por algum tempo e se dividiram em três grupos, com a intenção de assaltar de surpresa, protegidos pela neblina espessa, as defesas do inimigo. Iam em silêncio, cada um com seu pesado equipamento nas costas e os fuzis carregados, dispostos a atacar "de frente e à maneira chilena", como haviam decidido os generais, conscientes de que a mais poderosa arma de que dispunham eram o destemor e a ferocidade dos soldados ébrios de violência. Severo del Valle tinha visto circularem os cantis com aguardente e pólvora, uma incendiária mistura que deixava as tripas em chamas, mas que dava ao combatente um valor indomável. Tinha-a provado uma vez, mas passara os dois dias seguintes atormentado por vômitos e dores de cabeça, e por isso preferia enfrentar o combate a frio. A marcha silenciosa e o negror da planície pareceram-lhe intermináveis, apesar dos breves momentos de pausa. Passada a meia-noite, a imensa multidão de soldados parou a fim de descansar durante uma hora. Seu propósito era cair sobre um balneário próximo a Lima antes do clarear do dia, mas as ordens contraditórias e a confusão dos comandantes arruinaram o plano. Pouco se sabia sobre a situação das fileiras de vanguarda, para as quais aparentemente a batalha já havia começado, e isso obrigou a tropa esgotada a continuar a marcha sem tempo de respirar. Seguindo o exemplo dos demais, Severo desfez-se da mochila, da manta e do resto de seus apetrechos, calou a baioneta na ponta da arma e deitou a correr às cegas para a frente, gritando a plenos pulmões, como uma fera raivosa, pois já não se tratava de apanhar o inimigo de surpresa, mas de apavorá-lo. Os peruanos estavam à espera deles e, mal os chilenos ficaram ao alcance de suas armas, trataram de recebê-los com uma saraivada de chumbo. À neblina vieram somar-se a fumaça e o pó, que cobriam o horizonte com um manto impenetrável, enquanto o ar se enchia de pavor com as cornetas ordenando a carga, os estrondos, os alaridos do combate, os gritos dos feridos, os relinchos dos cavalos e os rugidos dos canhões. O solo estava minado, mas os chilenos avançavam de qualquer maneira, levando nos lábios o grito selvagem de "Vamos degolar!". Severo del Valle viu dois de seus companheiros voarem em pedaços, depois de pisarem em um detonador de mina a poucos metros do local onde estava. Não chegou a calcular que poderia ser atingido pela próxima explosão, não havia tempo para pensar em nada, pois os primeiros hussardos já saltavam sobre as trincheiras inimigas, com suas facas de lâmina curva entre os dentes e as baionetas caladas, massacrando e morrendo entre jorros de sangue. Os peruanos sobreviventes recuaram, e os atacantes começaram a escalar as colinas, forçando as defesas que se sucediam nas encostas. Sem saber o que fazia, Severo del Valle viu-se de sabre na mão, despedaçando um homem e em seguida atirando à queima-roupa na nuca de outro que fugia. Horror e fúria tinham se apossado inteiramente dele; como todos os outros, havia se transformado em uma fera. Seu uniforme estava rasgado e coberto de sangue, um pedaço de tripa alheia pendia-lhe de uma das mangas, estava rouco de tanto gritar e maldizer, tinha perdido o medo e a identidade, agora era apenas uma máquina de matar, distribuindo golpes sem se importar a quem atingiam, com o único objetivo de chegar ao alto da colina.

Às sete da manhã, depois de duas horas de batalha, a bandeira chilena tremulou pela primeira vez no topo das colinas, e lá do alto, de joelhos, Severo viu uma grande quantidade de peruanos que se retiravam em debandada para em seguida juntar-se no pátio de uma fazenda, onde se realinharam e enfrentaram uma carga frontal da cavalaria chilena. Em poucos minutos aquilo se converteu num inferno. Severo del Valle, que se aproximava correndo, via o brilho dos sabres no ar, ouvia o tiroteio e os alaridos de dor. Quando alcançou a fazenda, os inimigos já corriam, novamente perseguidos pelas tropas chilenas. Nesse momento ouviu a voz de seu comandante, ordenando-lhe que reagrupasse os homens de seu destacamento a fim de tomar o povoado. A breve pausa, enquanto as fileiras se organizavam, deu-lhe um momento para respirar; deixou-se cair no chão, o rosto na areia, ofegando e tremendo, as mãos agarradas à sua arma. Pensou que aquele ataque seria uma loucura, pois seu regimento não poderia enfrentar, sozinho, a numerosa tropa inimiga entrincheirada nas cabanas e nas construções maiores e mais sólidas, seria necessário lutar de porta em porta; mas a sua tarefa não era pensar, e sim obedecer às ordens do superior e reduzir o povoado peruano a escombros, cinzas e morte. Minutos mais tarde corria fatigado à frente de seus companheiros, enquanto as balas passavam silvando por ele. Entraram em duas colunas, uma de cada lado da rua principal. A maioria dos habitantes tinha fugido ao soarem os gritos de "Aí vêm os chilenos!", mas os que haviam ficado estavam decididos a combater com tudo que houvesse ao alcance da mão, de facas de cozinha até panelas de azeite fervente, que despejariam do alto dos balcões. O regimento de Severo tinha recebido ordens para ir de casa em casa até desocupar o povoado inteiro, o que não era nada fácil, porque o local estava cheio de soldados peruanos que se ocultavam nos tetos, nas árvores, nas janelas e atrás das portas. Severo tinha a garganta seca e os olhos inflamados, mal conseguia ver a um metro de distância; o ar, denso de poeira e fumaça, tornara-se irrespirável, tamanha era a confusão, que ninguém mais sabia o que fazer, cada um se limitava a imitar aquele que ia alguns passos adiante. De repente caiu ao redor dele uma saraivada de balas, e Severo compreendeu que não podia continuar o avanço, tinha de procurar onde abrigar-se. Com uma coronhada pôs abaixo a porta mais próxima e irrompeu casa adentro empunhando o sabre, cego pelo contraste entre o sol abrasador lá de fora e a penumbra do interior. Necessitava de uns instantes para refazer-se e recarregar o fuzil, mas não os teve: foi surpreendido e paralisado por um grito assustador, e de repente viu uma figura que até então estivera oculta em um canto e agora se erguia diante dele brandindo um machado. Conseguiu proteger a cabeça com os braços e jogar o corpo para trás. O machado caiu como um relâmpago sobre o seu pé esquerdo, cravando-o no chão. Severo del Valle não chegou a saber o que havia se passado e foi por puro instinto que reagiu. Valendo-se de todo o peso de seu corpo empurrou o fuzil com a baioneta calada no ventre de seu atacante e depois que a lâmina havia mergulhado fez um esforço brutal a fim de levantá-la. O sangue jorrou-lhe em plena cara. E só então pôde perceber que o inimigo era uma menina. Havia lhe rasgado o ventre, e, de joelhos, ela segurava o intestino, que começava a esvaziar-se no chão de madeira. Os olhos de ambos se cruzaram em um olhar interminável, ambos estavam surpresos e, naquele eterno instante de silêncio, ambos se perguntavam quem eram, por que se enfrentavam daquela maneira, por que sangravam, por que deviam morrer. Severo quis segurá-la, mas não pôde mover-se, e então sentiu pela primeira vez a dor terrível no pé, que subia como uma língua de fogo pela perna até alcançar o peito. Nesse instante outro soldado chileno entrou na casa e, avaliando a situação com um simples olhar, tratou de atirar, à queima-roupa e sem vacilação, na mulher, que aliás já estava morta; agarrou o cabo do machado e com um puxão formidável libertou Severo. "Vamos, tenente, temos de sair daqui, dentro de instantes a artilharia estará bombardeando!" Severo, no entanto, perdia sangue aos borbotões, perdia a consciência, recuperava-a por uns instantes e logo voltava a sentir-se envolvido pela escuridão. O soldado levou o cantil à boca de Severo e o obrigou a beber um grande trago de aguardente, improvisou um torniquete com um lenço atado abaixo do joelho, pôs o ferido nas costas e deixou o interior da casa. Lá fora outras mãos o ajudaram, e quarenta minutos mais tarde, enquanto a artilharia chilena varria o povoado a tiros de canhão, deixando escombros e ferros torcidos onde antes era um aprazível balneário, Severo aguardava no pátio do hospital, ao lado de centenas de cadáveres destroçados e milhares de feridos que jaziam em lodaçais, hostilizados pelas moscas, alguns morrendo, outros salvos por milagre. O sofrimento e o medo o aturdiam, de vez em quando mergulhava em misericordiosos desmaios e quando ressuscitava via o céu tornar-se negro. Ao calor escaldante do dia seguiu-se o frio úmido da *camanchaca*, que envolveu a noite em seu manto de espessa neblina. Nos momentos de lucidez lembrava-se das orações aprendidas na infância e rezava para que a morte lhe viesse rápida, enquanto a imagem de Nívea lhe aparecia como um anjo, e tinha a impressão de que ela se debruçava sobre ele, dando--lhe forças, limpando-lhe a fronte com um lenço úmido, dizendo-lhe palavras de amor. Repetia o nome de Nívea, clamando sem voz por um copo de água.

A BATALHA PELA conquista de Lima terminou às seis da tarde. Nos dias seguintes, quando puderam contar os mortos e feridos, calcularam que uns vinte por cento dos combatentes, dos dois exércitos, tinham perecido no decorrer do confronto. Muitos outros morreriam depois, em consequência dos ferimentos infectados. Improvisaram hospitais de campanha em uma escola e em tendas disseminadas pelas cercanias. O vento levava o fedor de carniça a quilômetros de distância. Os médicos e enfermeiros, exaustos, iam atendendo aos que chegavam na medida de suas possibilidades, mas havia mais de dois mil e quinhentos feridos no exército chileno e se calculavam em pelo menos sete mil os sobreviventes das tropas peruanas. Os feridos se acumulavam nos corredores e nos pátios, deitados no chão, até que chegasse a vez de cada um. Os mais graves eram atendidos primeiro, e Severo del Valle ainda não estava agonizando, apesar da tremenda perda de força, de sangue e de esperança, e por isso os padioleiros o deixavam de lado, dando preferência a outros. O mesmo soldado que o havia transportado no ombro até o hospital rasgou-lhe a bota com sua faca, tirou-lhe a camisa ensopada e com ela improvisou um tampão para o pé destroçado, porque não havia bandagens nem medicamentos ao alcance da mão, nem fenol para desinfetar, nem ópio, nem clorofórmio, tudo havia se acabado ou então se perdido na desordem do combate. "Solte o torniquete de vez em quando, tenente, para que a perna não gangrene", o soldado recomendou. Antes de despedir-se desejou-lhe boa sorte e presenteou-o com o que de mais precioso ainda possuía, um pouco de tabaco e seu cantil com restos de aguardente. Severo del Valle não chegou a saber quanto tempo esteve naquele pátio, talvez um dia, talvez dois. Quando finalmente o recolheram, para levá-lo ao médico, estava inconsciente e desidratado, mas no momento em que o moveram a dor foi terrível, e ele despertou com um grito. "Seja forte, tenente, pois o pior ainda o espera", disse um dos padioleiros. Viu-se em uma grande sala, com o chão coberto de areia, sobre o qual dois soldados despejavam mais e mais baldes de areia, a fim de absorver o sangue, e aproveitavam os baldes vazios para levar os membros amputados; lá fora eles eram incinerados em uma grande pira, que impregnava o vale com seu cheiro de carne queimada. Em quatro mesas de madeira, cobertas com lâminas metálicas, os pobres feridos eram operados; ao pé das mesas havia tinas de água avermelhada, na qual mergulhavam as esponjas com que limpavam os ferimentos, tudo sujo, salpicado de areia e de serragem. Sobre uma mesa ao lado espalhavam-se pavorosos instrumentos de tortura — tenazes, tesouras, serras, agulhas —, todos manchados de sangue seco. Os gritos dos operados invadiam o ambiente, e o cheiro de decomposição, de vômito e de excremento era irrespirável. O médico era um imigrante dos Bálcãs, feições duras, segurança e rapidez de cirurgião experiente. Estava com uma barba de dois dias, os olhos vermelhos de cansaço e vestia um pesado avental de couro coberto de sangue fresco. Tirou o improvisado tampão do pé de Severo, soltou o torniquete e bastou-lhe um olhar para ver que a infecção havia começado e decidir-se pela amputação. Nem pestanejou, certamente havia cortado muitos membros naqueles últimos dias.

— Tem alguma bebida, soldado? — perguntou com um inconfundível sotaque estrangeiro.

— Água... — Severo del Valle clamou com a língua ressecada.

— Depois tomará água. Agora necessita de algo que o deixe um pouco embriagado, mas aqui não temos nem uma gota de álcool — disse o médico.

Severo apontou para o cantil. O médico obrigou-o a beber três grandes tragos, explicando-lhe que não dispunham de anestesia, e usou o resto para empapar uns trapos e limpar seus instrumentos; em seguida fez um sinal para os seus ajudantes, que se situaram um de cada lado da mesa, a fim de imobilizar o paciente. Esta é a minha hora da verdade, Severo conseguiu pensar, e tratou de imaginar Nívea, para não morrer com a imagem da menina que havia estripado com sua baioneta. Um enfermeiro aplicou-lhe novo torniquete e imobilizou-lhe a perna, com firmeza, à altura da coxa. O cirurgião tomou um bisturi, mergulhou-o vinte centímetros abaixo do joelho, e, mediante um hábil movimento circular, cortou a carne até alcançar a tíbia e o perônio. Severo del Valle bramiu de dor e em seguida perdeu a consciência, mas as ordenanças do médico não o soltaram, mantendo-o como se estivesse cravado na mesa, enquanto os dedos do médico puxavam para trás a pele e os músculos, deixando os ossos descobertos; a seguir o médico tomou uma serra e cortou os ossos com três certeiros movimentos. O enfermeiro extraiu do músculo os vasos seccionados, e o médico se pôs a atá-los com inacreditável destreza; depois foi soltando aos poucos o torniquete, enquanto cobria com carne o osso amputado e finalmente costurava a pele cortada em tiras. Severo foi rapidamente vendado e levado para um recanto da sala, a fim de abrir espaço para outro ferido que chegava gritando à mesa do cirurgião. Toda a operação tinha durado menos de seis minutos.

Nos dias que se seguiram àquela batalha as tropas chilenas entraram em Lima. Segundo os comunicados oficiais publicados nos jornais do Chile, fizeram-no de modo ordeiro; segundo consta na memória dos limenhos, foi uma carnificina, que se somou aos desmandos dos soldados peruanos derrotados e furiosos porque se sentiam traídos pelos seus chefes. Uma parte da população civil tinha fugido enquanto as famílias abastadas haviam buscado segurança em navios ancorados no porto, nos consulados e em uma praia protegida por marinheiros de outros países, onde os membros do corpo diplomático haviam instalado barracas para acolher os refugiados à sombra da bandeira da neutralidade. Os que ficaram para defender suas posses iriam recordar pelo resto da vida as cenas infernais da soldadesca enlouquecida e embriagada pela violência. Saquearam e queimaram casas, violaram, feriram e assassinaram os que iam encontrando pela frente, inclusive mulheres, crianças e anciãos. Por fim, uma parte dos regimentos peruanos largou as armas e rendeu-se, mas muitos soldados se dispersaram e fugiram para as montanhas. Dois dias depois o general peruano Andrés Cáceres saía da cidade ocupada pelos chilenos, com uma perna destroçada, seguido pela mulher e ajudado por dois dedicados oficiais, para sumir nos inacessíveis desvãos da cordilheira. Tinha jurado que enquanto lhe restasse um sopro de vida continuaria a combater.

No porto de Callao os comandantes peruanos ordenaram às tripulações que abandonassem os navios e incendiassem os paióis de pólvora, afundando tudo o que restava de sua frota. As explosões despertaram Severo del Valle, que jazia em seu canto, deitado na areia imunda da sala de cirurgia, ao lado de outros homens que, como ele, acabavam de passar pelo suplício da amputação.

Alguém o havia coberto com uma manta e posto ao seu lado um cantil cheio de água; estirou a mão, mas esta tremia tanto, que não pôde abrir o cantil, e ficou com ele apertado contra o peito, gemendo, até que uma jovem da cantina ambulante aproximou-se, abriu o recipiente e o ajudou a levá-lo aos lábios secos. Bebeu o conteúdo inteiro quase sem tomar fôlego, instruído pela mulher, que durante meses havia combatido ao lado dos homens e sabia cuidar dos feridos tão bem quanto os médicos, pôs na boca um punhado de tabaco e o mascou avidamente a fim de amortecer o choque operatório. "Matar é fácil, sobreviver é que é difícil, menino. Se você se descuidar, a morte vem e pega você à traição", advertiu-o a vivandeira. "Estou com medo", Severo murmurou; e ela, talvez mesmo sem ter ouvido o que ele acabava de dizer, adivinhou o terror que o dominava, pois tirou uma pequena medalha de prata que trazia no pescoço e depositou-a em suas mãos. "Que a Virgem o proteja", sussurrou e, inclinando-se, beijou-o de leve nos lábios antes de afastar-se. Severo ficou com o toque daqueles lábios e a medalha apertada na mão. Tiritava, seus dentes batiam castanholas, ardia em febre; de vez em quando desmaiava ou simplesmente dormia, mas quando acordava ou recuperava a consciência a dor o aturdia. Horas mais tarde a vivandeira voltou com suas tranças escuras e entregou-lhe uns pedaços de pano molhados, para que limpasse o suor e o sangue ressequido, e também um prato de flandres com papa de milho, um pedaço de pão duro e uma caneca de café de chicória, um líquido morno e escuro no qual nem mesmo se esforçou por tocar, impedido pelas náuseas e a fraqueza dos músculos.

Escondeu a cabeça embaixo da manta, abandonado ao sofrimento e ao desespero, gemendo e chorando como um menino, até que de novo adormeceu. "Perdeu muito sangue, meu filho, se não comer, morre"; foi despertado com essas palavras ditas por um capelão que percorria o local, distribuindo consolo entre os feridos e dando a extrema-unção aos moribundos. Então Severo del Valle lembrou-se de que decidira ir para a guerra a fim de morrer. Esse tinha sido o seu propósito ao perder Lynn Sommers, mas agora que a morte ali estava, curvada sobre ele como um abutre, esperando a oportunidade para dar-lhe a bicada final, o instinto de vida voltava a sacudi-lo. O desejo de salvar-se estava acima do tormento que, como um ferro aquecido, atravessava-o da perna amputada até a última fibra de seu corpo, mais forte do que a angústia, a incerteza e o terror. Compreendeu que, ao invés de entregar-se à morte, queria desesperadamente permanecer no mundo, viver em qualquer estado e condição, de qualquer maneira, coxo, derrotado, nada importava, desde que continuasse neste mundo. Como qualquer soldado, sabia que só um em dez amputados conseguia sobreviver à perda de sangue e à gangrena, não tinha como evitá-las, tudo era uma questão de sorte. Decidiu que seria um dos sobreviventes. Pensou que sua maravilhosa prima Nívea merecia um homem inteiro, e não um mutilado, não desejava que ela o visse transformado em um farrapo, não seria capaz de tolerar sua compaixão. Contudo, ao cerrar os olhos ela ressurgiu ao seu lado. Viu Nívea não contaminada pela violência da guerra ou pela fealdade do mundo, inclinada sobre ele com seu rosto inteligente, seus olhos negros e seu sorriso travesso, e então o orgulho de Severo dissolveu-se como uma pedra de sal dentro da água. Não teve a menor dúvida de que ela o amaria com meia perna a menos tanto quanto o havia amado antes. Tomou a colher com os dedos endurecidos, tratou de controlar os tremores, obrigou-se a abrir a própria boca e engoliu um bocado daquela asquerosa papa de milho, já fria e coberta de moscas.

Os regimentos chilenos entraram triunfalmente na cidade de Lima em janeiro de 1881 e, a partir dali, trataram de impor ao Peru a forçada paz da derrota. Uma vez serenada a bárbara confusão das primeiras semanas, os soberbos vencedores deixaram um contingente de dez mil homens para controlar a nação ocupada, enquanto as outras unidades empreendiam a viagem para o sul, recolhendo seus bem-merecidos lauréis, ignorando olimpicamente os milhares de soldados peruanos que haviam conseguido fugir para a montanha com o propósito de continuar a combater os ocupantes. A vitória tinha sido arrasadora, e assim os generais chilenos não podiam imaginar que os peruanos continuariam a fustigá-los durante três longos anos. A alma daquela obstinada resistência foi o lendário general Cáceres, que escapou milagrosamente da morte e, com uma ferida espantosa, partiu para as montanhas a fim de incentivar o renascimento da pertinaz semente da coragem em um exército andrajoso, formado de soldados fantasmas e levas de indígenas, com o qual levou a cabo uma cruenta guerra de guerrilhas, emboscadas e escaramuças. Com uniformes em farrapos, às vezes descalços, desnutridos e desesperados, os soldados de Cáceres lutavam com facas, lanças, cacetes, pedras, e alguns com fuzis antiquados, mas contavam com a vantagem de conhecer o terreno. Tinham escolhido com cuidado o campo de batalha no qual enfrentariam um inimigo disciplinado e bem-armado, ainda que nem sempre bem-suprido, porque o acesso àqueles lugares escarpados era tarefa para condores. Escondiam-se nos cumes nevados, em grutas e gargantas, em geleiras a milhares de metros de altura, onde o ar era tão escasso e o isolamento tão grande, que só eles, nascidos nas montanhas, podiam sobreviver. Os ouvidos dos soldados chilenos sangravam, eles caíam desmaiados por falta de oxigênio, seus corpos congelavam-se nos frios desfiladeiros dos Andes. Enquanto eles subiam com a maior dificuldade, porque não tinham coração para tanto esforço, os índios do altiplano galgavam as encostas como lhamas, levando nas costas uma carga equivalente ao seu próprio peso, alimentando-se unicamente com a carne amarga das águias e uma bola verde de folhas de coca dando voltas na boca. Foram três anos de guerra sem trégua e sem prisioneiros, com milhares de mortos. As forças peruanas conseguiram ganhar somente uma das batalhas que tiveram de travar frontalmente, tendo como campo uma aldeia sem valor estratégico, guarnecida por setenta e sete soldados chilenos, alguns atacados pelo tifo. Os defensores tinham apenas cem balas por homem, mas lutaram durante toda a noite contra centenas de soldados e índios, e tamanha foi sua bravura, que, ao amanhecer, quando só restavam três atiradores, os oficiais peruanos suplicaram que se rendessem, porque lhes parecia ignominioso matá-los. Não atenderam ao apelo, continuaram lutando e morreram de baioneta na mão, gritando o nome de seu país. Com eles havia três mulheres, que a turba de indígenas arrastou para o centro da praça ensanguentada, onde elas foram violadas e despedaçadas. Uma delas tinha dado à luz durante a noite no interior da igreja, enquanto o marido lutava lá fora, mas também o seu bebê foi reduzido a pedaços. Os índios mutilaram os cadáveres, abriram seus ventres, esvaziaram suas entranhas e, segundo se contava em Santiago, comeram suas vísceras assadas em espetos. Esse ato de bestialidade nada teve de excepcional, naquela guerra de guerrilhas os dois lados dividiam igualmente a barbárie. A rendição final e a assinatura do tratado de paz ocorreram em outubro de 1883, depois que as tropas de Cáceres foram vencidas em uma derradeira batalha, um massacre a ponta de faca e baioneta que deixou mais de mil mortos em campo. O Chile ficou com três províncias peruanas. A Bolívia perdeu sua única saída para o mar e foi obrigada a aceitar uma trégua indefinida, que se estenderia por vinte anos, até a assinatura de um novo tratado de paz.

Juntamente com milhares de outros feridos, Severo del Valle foi levado de navio para o Chile. Enquanto muitos morriam gangrenados ou infectados pelo tifo e a disenteria nas improvisadas enfermarias militares, ele conseguia recuperar-se graças a Nívea, que mal soube do ocorrido entrou em contato com seu tio, o ministro Vergara, e não o deixou em paz enquanto ele não mandou procurar Severo, retirou-o de um hospital onde não passava de um número entre milhares de doentes em condições fatídicas e o transferiu para Valparaíso no primeiro transporte disponível. Também forneceu uma permissão especial à sobrinha para que pudesse entrar na área militar da cidade e designou um tenente para ajudá-la. Quando Severo del Valle foi desembarcado, em uma padiola, Nívea não pôde reconhecê-lo; havia perdido vinte quilos, estava imundo, parecia um cadáver amarelo e hirsuto, com barba de várias semanas, olhos espavoridos e delirantes de louco. Nívea se sobrepôs ao espanto, com a mesma firme vontade de amazona que a sustentava em todas as lutas de sua vida, e o saudou com um alegre "Olá, primo, prazer em vê-lo!", que Severo não pôde responder. Aliviadíssimo pela sua presença, Severo cobriu o rosto com as mãos para que ela não o visse chorar. O tenente havia providenciado o transporte e, de acordo com as ordens recebidas, levou Nívea e o ferido diretamente para o palácio do ministro em Viña del Mar, onde a mulher de Vergara havia preparado um aposento para Severo. "Meu marido mandou dizer que você deverá ficar aqui até poder andar, filho,"ela anunciou. O médico da família Vergara usou todos os recursos da ciência para devolver-lhe a saúde, porém um mês mais tarde, quando viu que a ferida não cicatrizava e que Severo continuava a debater-se em meio a violentos ataques de febre, Nívea compreendeu que sua alma continuava a sofrer os horrores da guerra e que o único remédio contra tanta inquietação era o amor, e então decidiu recorrer a medidas extremas.

— Vou pedir permissão a meus pais para me casar com você — ela anunciou a Severo.

— Mas eu estou morrendo, Nívea — ele suspirou.

— Você tem sempre alguma desculpa, Severo! A agonia nunca foi impedimento para que uma pessoa se case.

— Quer ser viúva sem ter sido esposa? Não quero que aconteça a você aquilo que me aconteceu com Lynn.

— Não serei viúva, porque você não vai morrer. Poderia me pedir humildemente que case com você, primo? Me dizer, por exemplo, que eu sou a mulher de sua vida ou algo parecido. Invente alguma coisa, homem! Diga que não pode viver sem mim, até porque isso é verdade, não é? Admito que não gostaria de ser a única parte romântica nesta relação.

— Você está louca, Nívea. Nem ao menos sou um homem inteiro, não passo de um pobre inválido.

— Falta-lhe alguma outra coisa além de um pedaço de perna? — ela perguntou, alarmada.

— Acha pouco?

— Se tudo o mais estiver no lugar, Severo, penso que você perdeu muito pouco — ela disse, rindo.

— Pois então se case comigo, por favor — ele murmurou, com profundo alívio e um soluço atravessado na garganta, fraco demais para abraçá-la.

— Não chore, primo, me dê um beijo; para isso uma perna não faz falta — ela replicou, inclinando-se sobre a cama com o mesmo gesto que ele muitas vezes tinha visto em seus delírios.

Três dias mais tarde casaram-se, numa breve cerimônia, realizada em um dos mais belos salões da residência do ministro, com a presença das duas famílias. Devido às circunstâncias foi um casamento privado; mas só os parentes mais próximos somavam noventa e quatro pessoas. Severo apareceu em uma cadeira de rodas, pálido e fraco, com o cabelo cortado à moda Byron, a barba feita, uma roupa de gala, com camisa de colarinho rígido, botões de ouro e uma gravata de seda. Não houve tempo para fazer um vestido de noiva nem um enxoval adequado para Nívea, mas suas irmãs e primas encheram dois baús com a roupa de casa que haviam passado anos bordando para os seus próprios enxovais. Ela usou um vestido de cetim branco e uma tiara de pérolas e diamantes, emprestados pela mulher de seu tio. Na fotografia da boda Nívea aparece radiante, de pé, ao lado da cadeira de seu marido. À noite houve uma representação dramática em família, à qual Severo del Valle não assistiu, pois as emoções do dia o haviam esgotado. Depois que os convidados se retiraram, Nívea foi conduzida por sua tia ao quarto que havia reservado para ela. "Lamento muito que sua primeira noite de casada seja assim...", murmurou a boa senhora, ruborizando-se. "Não se preocupe, tia, me consolarei rezando um rosário", a jovem replicou. Aguardou que a casa adormecesse e quando teve certeza de que nada mais se movia, exceto o vento salino do mar por entre as árvores do jardim, Nívea levantou-se de camisola, percorreu a passos largos aquele palácio alheio e entrou no quarto de Severo. A freira contratada para vigiar o sono do enfermo jazia desfeita em um sofá, profundamente adormecida, mas Severo estava desperto, esperando-a. Ela pôs um dedo nos lábios, pedindo silêncio, apagou as lâmpadas a gás e deitou-se na cama.

Nívea fora educada por monjas e vinha de uma família antiga, na qual jamais se mencionavam as funções do corpo, e muito menos aquelas relacionadas com a reprodução, mas estava com vinte anos, tinha uma boa memória e um coração apaixonado.

Lembrava-se muito bem dos jogos clandestinos com seu primo nos recantos escuros da casa, da forma do corpo de Severo, da ansiedade do prazer sempre insatisfeito, da fascinação pelo pecado. Naquela época, o poder e a culpa os inibiam, e ambos saíam tremendo dos lugares proibidos, extenuados, a pele em chamas. Nos anos em que tinham vivido separados, teve de repassar cada instante compartido com o primo e transformar a curiosidade da infância em um amor profundo. Afora isso, havia explorado a fundo a biblioteca de seu tio José Francisco Vergara, homem de pensamento liberal e moderno, que não aceitava limitação alguma à sua inquietação intelectual e menos ainda se dispunha a tolerar a censura religiosa. Enquanto Nívea classificava os livros sobre a ciência, a arte e a guerra, descobriu casualmente o meio de ter acesso a uma prateleira secreta, na qual encontrou um conjunto nada desprezível de romances constantes da lista negra da Igreja, além de textos eróticos, entre os quais uma divertida coleção de desenhos japoneses e chineses com casais de pés para o ar, em posturas anatomicamente impossíveis, mas capazes de inspirar o mais ascético, e com maior razão uma personagem de tanta imaginação quanto Nívea. Contudo, os textos mais didáticos para ela foram os romances pornográficos de uma tal de *Dama Anônima*, muito mal traduzidos do inglês para o espanhol; a jovem levou alguns escondidos em sua bolsa, leu-os cuidadosamente e os repôs de forma sigilosa no mesmo lugar, precaução inútil, porque seu tio andava pelo teatro de guerra e ninguém mais naquele palácio tinha acesso à biblioteca. Guiada por aqueles livros, Nívea explorou o próprio corpo, aprendeu os rudimentos da mais antiga arte da humanidade e se preparou para o dia em que lhe seria possível levar a teoria à prática. Sabia, sem dúvida, que estava cometendo um horrível pecado — o prazer é sempre um pecado —, porém se absteve de discutir o tema com seu confessor, pois lhe parecia que o prazer que dava a si mesma naquele momento, e que voltaria a dar no futuro, valia o risco de ir para o inferno. Rezava para que a morte não a surpreendesse de repente e para que lhe fosse possível confessar, antes de exalar seu último suspiro, as horas de deleite que os livros lhe haviam oferecido. Jamais lhe havia passado pela cabeça que aquele entretenimento solitário um dia fosse servir para ajudá-la a devolver a vida ao homem que amava, e muito menos que teria de fazê-lo a três metros de uma freira adormecida. A partir daquela primeira noite com Severo, Nívea dava um jeito de levar uma xícara de chocolate quente e uns biscoitinhos para a religiosa na hora de despedir-se do marido e retirar-se para seu quarto. Só que ao chocolate era acrescentada uma dose de valeriana capaz de manter um camelo adormecido. Severo del Valle jamais havia imaginado que sua casta prima fosse capaz de proezas tão extraordinárias. À ferida na perna, que lhe causava dores pungentes, juntavam-se a febre e a fraqueza para limitá-lo a um papel puramente passivo, mas aquilo que lhe faltava em matéria de força era compensado por ela em termos de iniciativa e sabedoria. Severo não tivera, até então, a menor ideia de que tais acrobacias fossem possíveis e estava convencido de que não eram cristãs, mas isso não o impedia de gozá-las plenamente. Se não fosse pelo fato de conhecer Nívea desde a infância, teria pensado que sua prima fora treinada em um serralho turco, mas, embora o inquietasse a forma como a donzela havia aprendido tal variedade de truques de meretriz, foi inteligente o bastante para não fazer perguntas a respeito. Acompanhou-a com docilidade naquela viagem pelos sentidos até onde o corpo permitiu, entregando-lhe pelo caminho até o último resquício de sua alma. Embaixo dos lençóis os dois se buscavam conforme as maneiras descritas pelos pornógrafos da biblioteca do honrado ministro da guerra e depois com outras que eles próprios iam inventando, sob o aguilhão do amor e do desejo, embora limitados pelo coto de perna envolvido em bandagens e pela presença da monja que roncava em seu sofá. O amanhecer vinha surpreendê-los num emaranhado de braços, com as bocas unidas respirando em uníssono, e, assim que se insinuava a primeira luz do dia, ela deslizava como uma sombra de volta ao seu aposento. Aqueles jogos se transformaram em verdadeiras maratonas de concupiscência, os dois se acariciavam com apetite voraz, beijavam-se, lambiam-se, penetravam-se por todas as partes, tudo na mais completa escuridão, no mais absoluto silêncio, engolindo os suspiros e mordendo os travesseiros para sufocar a alegre luxúria que, naquelas noites excessivamente breves, elevava-os de vez em quando às alturas da glória. O relógio voava: mal Nívea irrompia no aposento, com a leveza de um espírito, a fim de introduzir-se na cama de Severo, e já era de manhã. Nenhum dos dois pregava os olhos, não podiam perder um minuto só daqueles benditos encontros. No dia seguinte ele dormia, até por volta das doze horas, como se fosse um recém-nascido; ela, porém, levantava-se cedo, com um ar confuso de sonâmbula, e cumpria todas as rotinas normais. À tarde, Severo del Valle saía para o terraço em sua cadeira de rodas e ali repousava contemplando o pôr do sol no oceano, enquanto Nívea, ao seu lado, tentava bordar pequenas mantas e acabava por adormecer. Diante dos outros, os dois se comportavam como irmãos, não se tocavam e quase não se olhavam, mas o ambiente ao redor deles estava carregado de ansiedade. Passavam o dia contando as horas, aguardando com delirante veemência que chegasse a hora de voltarem a abraçar-se na cama. O que faziam durante as noites teria horrorizado o médico, as duas famílias, a sociedade inteira, para não falar da monja. Os parentes e amigos, no entanto, comentavam a abnegação de Nívea, aquela jovem tão pura e tão católica, condenada a um amor platônico, e elogiavam a fortaleza moral de Severo, que havia perdido uma perna e arruinado a própria vida lutando em defesa da pátria. Em suas intrigas, as comadres espalhavam que Severo não havia perdido apenas uma perna, mas também seus atributos viris. Coitadinhos, lamentavam entre suspiros, sem suspeitar o quanto passava bem aquela parelha de dissipados. Uma semana depois de terem começado a anestesiar a religiosa com chocolate e fazer amor como os egípcios, a ferida deixada pela amputação havia cicatrizado e a febre desaparecido. Menos de dois meses depois Severo del Valle já andava de muletas e começava a falar de uma perna de madeira, enquanto Nívea revolvia as entranhas, escondida em algum dos vinte e dois banheiros do palácio de seu tio. Quando não houve mais jeito de ocultar da família a gravidez de Nívea, a surpresa foi tão geral e de tais proporções, que se chegou a atribuir o fato a um milagre. Sem dúvida, a mais escandalizada de todas era a freira, porém Severo e Nívea sempre suspeitaram que, apesar das superlativas doses de valeriana, a santa mulher teve oportunidade de aprender muitas coisas; fingia estar adormecida para não privar-se do prazer de espiá-los. O único que se mostrou capaz de imaginar como os dois haviam feito aquilo, e que celebrou a perícia do casal com uma sonora gargalhada, foi o ministro Vergara. Quando Severo pôde dar os primeiros passos com sua perna artificial e o ventre de Nívea não teve mais como ser dissimulado, ele ajudou o casal a instalar-se em outra casa e deu um emprego a Severo del Valle. "O país e o Partido Liberal necessitam de pessoas com uma audácia igual à sua", disse Vergara, embora, a bem da verdade, a audaciosa no caso fosse Nívea.

Não conheci meu avô Feliciano Rodríguez de Santa Cruz, morto alguns meses antes que eu fosse morar em sua casa. Sofreu uma apoplexia quando estava sentado à cabeceira da mesa, presidindo um banquete em sua mansão de Nob Hill, engasgado com um pastel de carne de cervo e um gole de vinho francês. Levantaram-no do chão e o recostaram, moribundo, em um sofá, com sua bela cabeça de príncipe árabe no colo de Paulina del Valle, que para animá-lo repetia: "Não morra, Feliciano, olha que ninguém convida as viúvas para nada... Respira, homem! Se você respirar, prometo que hoje mesmo, sem falta, mando tirar o ferrolho de minha porta." Contam que Feliciano chegou a sorrir antes que o coração explodisse e o sangue jorrasse dele. Há numerosos retratos daquele chileno fornido e alegre; é fácil imaginá-lo vivo, porque em nenhum ele está posando para o pintor ou para o fotógrafo, em todos dá impressão de o terem surpreendido em um gesto espontâneo. Ria com dentes de tubarão, gesticulava ao falar, movimentava-se com a segurança e a petulância de um pirata. Com sua morte, Paulina del Valle desmoronou; de tão deprimida, não pôde comparecer ao funeral nem a nenhuma das muitas homenagens que a cidade prestou ao morto. Como seus três filhos estavam ausentes, coube ao mordomo Williams e aos advogados da família dirigirem as exéquias. Os dois filhos mais jovens chegaram algumas semanas mais tarde, porém Matías continuou na Alemanha, a pretexto de cuidar da saúde, e sendo assim não apareceu para consolar a mãe. Pela primeira em sua vida Paulina perdeu a coqueteria, o apetite e o interesse pelos livros de contabilidade, recusava-se a sair e passava dias inteiros na cama. Não permitiu que ninguém a visse naquelas condições, só as mucamas sabiam de seu choro, elas e Williams, que fingia não perceber seu sofrimento, limitando-se a estar sempre por perto, de modo a poder ajudá-la caso ela o solicitasse. Uma tarde Paulina parou casualmente diante do grande espelho dourado que ocupava meia parede de seu banheiro e viu em que havia se transformado: numa bruxa gorda e malvestida, com uma cabecinha de tartaruga coroada por um verdadeiro matagal de cabelos grisalhos. Deu um grito de horror. Nenhum homem no mundo — e menos ainda Feliciano — merecia tamanha abnegação, Paulina concluiu. Tinha chegado ao fundo, era hora de pisar forte e voltar de um pulo à superfície. Tocou a campainha para chamar as mucamas, ordenando-lhes que a ajudassem a tomar banho e mandassem vir o cabeleireiro. A partir daquele dia se refez do luto com uma vontade de ferro, ajudada apenas por montanhas de doce e longos banhos de tina. Muitas vezes a noite vinha surpreendê-la com a boca cheia e o corpo mergulhado na banheira, mas não voltou a chorar. No Natal emergiu de sua reclusão com vários quilos a mais, porém inteiramente refeita, e então comprovou que na sua ausência o mundo continuara a girar e que ninguém havia sentido a sua falta, o que foi um incentivo a mais para manter-se definitivamente de pé. Não permitiria que a ignorassem, decidiu; acabava de completar sessenta anos e ainda pretendia viver mais uns trinta, nem que fosse apenas para mortificar seus semelhantes. Vestiria luto durante alguns meses, era o mínimo que podia fazer em respeito a Feliciano, mas estava certa de que ele não gostaria de vê-la convertida em uma daquelas viúvas gregas que se cobriam de trapos negros para o resto de suas vidas. Começou a pensar em um novo guarda-roupa em tons pastéis, para ser usado no ano seguinte em uma viagem pela Europa, na qual não pensaria em negócios. Sempre tivera vontade de ir ao Egito, mas Feliciano achava que aquilo não passava de um país de areia e múmias, onde tudo que era interessante havia acontecido três mil anos antes. Agora que estava só podia realizar aquele sonho. Logo, no entanto, iria perceber o quanto sua existência havia mudado e como era pouco estimada pela sociedade de São Francisco; toda sua fortuna era insuficiente para que a perdoassem por sua origem hispano-americana e seu sotaque de cozinheira. Tal como havia dito de brincadeira, ninguém a convidava, já não era a primeira a receber convites para as festas, não lhe pediam que inaugurasse um hospital ou um monumento, seu nome deixou de aparecer nas colunas sociais e na ópera mal lhe dirigiam uma saudação. Estava excluída. Por outro lado, tornava-se muito difícil incrementar os seus negócios, porque sem o marido não tinha quem a representasse nos meios financeiros. Calculou minuciosamente seus haveres e chegou à conclusão de que seus três filhos gastavam o dinheiro com rapidez maior do que ela podia ganhá-lo, havia dívidas por todos os lados, e, antes de morrer, Feliciano tinha feito alguns péssimos investimentos acerca dos quais ela não fora consultada. Não era tão rica quanto havia pensado, mas estava longe de sentir-se derrotada. Chamou Williams e ordenou-lhe que contratasse um decorador para reformar os salões, um *chef* para planejar uma série de banquetes que ofereceria por motivo do ano-novo, um agente de viagem para falar do Egito, um costureiro para desenhar os seus novos vestidos. Estava nisso, tomando medidas de emergência para repor-se do susto da viuvez, quando se apresentou em sua casa uma garotinha vestida de popelina branca, com um barrete rendado, botinhas de verniz, levada pela mão de uma mulher enlutada. Eram Eliza Sommers e sua neta Aurora, que Paulina tinha visto pela última vez cinco anos antes.

— Estou lhe trazendo a garota, tal como você queria, Paulina — Eliza disse tristemente.

— Santo Deus, que aconteceu? — Paulina del Valle perguntou, apanhada de surpresa.

— Meu marido morreu.

— Então estamos as duas viúvas... — Paulina murmurou.

Eliza Sommers explicou que não poderia cuidar da neta, pois tinha de levar o cadáver de Tao Chi'en para a China, conforme sempre havia prometido. Paulina del Valle chamou Williams e ordenou-lhe que levasse a menina para ver os pavões reais no jardim, enquanto as duas conversavam.

— Quando acha que vai voltar, Eliza? — Paulina perguntou.

— Pode ser uma viagem muito demorada.

— Não quero me afeiçoar pela menina e depois de alguns meses ter de devolvê-la. Eu ficaria de coração partido.

— Prometo que isso não acontecerá, Paulina. Você pode oferecer à minha neta uma vida melhor do que eu poderia lhe dar. Não pertenço a lugar nenhum. Sem Tao, não me faz sentido viver em Chinatown, também não me entendo com os americanos e não tenho nada para fazer na China. Sou uma estrangeira em todos os lugares, mas desejo que Lai-Ming tenha raízes, uma família e uma boa educação. Penso que seria dever de Severo del Valle, seu pai legal, encarregar-se dela, mas ele está muito longe e tem outros filhos. Como você sempre quis ter a menina, pensei que...

— Fez muito bem, Eliza! — Paulina interrompeu.

Paulina del Valle ouviu do começo ao fim o relato da tragédia que havia se abatido sobre Eliza Sommers e em seguida averiguou todos os detalhes acerca de Aurora, inclusive o papel que Severo del Valle tinha desempenhado em seu destino. Sem saber como, rancor e orgulho foram se evaporando pelo caminho, e Paulina se viu abraçando comovidamente aquela mulher a quem momentos antes considerava sua pior inimiga, agradecendo-lhe a incrível generosidade de entregar-lhe a neta e jurando-lhe que seria uma verdadeira avó, certamente não tão boa quanto ela e Tao Chi'en tinham sido, mas disposta a dedicar o resto da vida a cuidar de Aurora e fazê-la feliz. Aquela seria a sua missão número um neste mundo.

— Lai-Ming é uma garota esperta. Dentro em breve irá perguntar quem é seu pai. Até recentemente acreditava que seu pai, seu avô, seu melhor amigo e Deus eram a mesma pessoa: Tao Chi'en — disse Eliza.

— O que quer que eu diga, caso ela pergunte? — Paulina quis saber.

— Diga-lhe a verdade, isso é sempre o mais fácil de entender — Eliza aconselhou.

— Que meu filho Matías é seu pai biológico e meu sobrinho Severo é seu pai legal?

— Por que não? E diga-lhe que sua mãe se chamava Lynn Sommers, uma jovem boa e muito bonita — murmurou Eliza, com a voz sumida.

As duas avós concordaram, ali mesmo, que, para não deixar a neta ainda mais confusa, convinha separá-la definitivamente de sua família materna, que ela não voltasse a falar chinês e não tivesse contato nenhum com o passado. Aos cinco anos ainda não se sabe usar a razão, as duas concluíram; com o tempo a pequena Lai-Ming esqueceria suas origens e o trauma dos fatos recentes. Eliza Sommers comprometeu-se a não tentar nenhuma forma de comunicação com a menina, e Paulina del Valle a adorá-la como teria adorado a filha que tanto havia desejado e que jamais tivera. Despediram-se com um breve abraço, e Eliza saiu por uma porta de serviço, para que sua neta não a visse afastar-se.

LAMENTO MUITO QUE aquelas duas boas senhoras — minhas avós Eliza Sommers e Paulina del Valle — tenham decidido meu destino sem me permitir participação alguma. Com a mesma colossal determinação que aos dezoito anos levou-a a sair de um convento com a cabeça raspada para fugir com seu noivo e aos vinte e oito acumulou uma fortuna transportando em navios toneladas de gelo pré-histórico, minha avó Paulina empenhou-se em apagar todos os traços da minha procedência. E se não fosse por uma acrobacia do destino, que na última hora lhe alterou os planos, ela teria conseguido. Lembro-me muito bem da primeira impressão que tive dela. Vejo-me entrando em um palácio encarapitado em uma colina, atravessando jardins com espelhos d'água e arbustos recortados, vejo os degraus de mármore, ladeados por leões de bronze em tamanho natural, a porta dupla de madeira escura e o imenso *hall* iluminado pelos vitrais coloridos de uma cúpula que coroava majestosamente o teto. Eu nunca tinha estado em um lugar como aquele e me sentia tão fascinada quanto possuída pelo medo. Em seguida me vi diante de uma poltrona dourada, onde estava Paulina del Valle, rainha em seu trono. Como voltei a vê-la muitas vezes instalada naquela mesma poltrona, não é difícil imaginar o seu aspecto no meu primeiro dia em Nob Hill: imponente, enfeitada com uma profusão de joias e tecido bastante para fazer um grande cortinado. Ao seu lado o resto do mundo desaparecia. Tinha uma bela voz, uma grande elegância natural e os dentes brancos e bem-alinhados, produto de uma perfeita ponte de porcelana. Naquela época certamente seus cabelos já eram grisalhos, mas traziam sempre o mesmo castanho da juventude e tinham o volume aumentado por uma série de pequenos chinós habilmente dispostos, de maneira que o penteado parecia uma torre. Até então eu não tinha visto uma pessoa com tais dimensões, perfeitamente adequada ao tamanho e à suntuosidade de sua mansão. Agora, quando finalmente descubro o que me ocorreu nos dias anteriores àquele momento, compreendo que não é justo atribuir meu espanto unicamente àquela avó formidável; quando me levaram para sua casa, o terror fazia parte de minha bagagem, como a pequena maleta e a boneca chinesa às quais eu me agarrava. Depois de passarmos pelo jardim e de eu me ver sentada em uma imensa e vazia sala de jantar, tendo diante de mim uma taça de sorvete, Williams me levou à sala das aquarelas, onde eu supunha que minha avó Eliza me esperava, mas em seu lugar me encontrei com Paulina del Valle, que se aproximou de mim com cuidado, como quem tenta agarrar um gato esquivo, e disse que me amava muito e a partir daquele momento eu passaria a morar naquela grande casa e teria muitas bonecas, além de um pônei e um coche do meu tamanho.

— Eu sou tua avó — ela esclareceu.

— E onde está minha avó verdadeira? — dizem que perguntei.

— Eu sou a tua verdadeira avó, Aurora. A outra avó foi fazer uma longa viagem — Paulina me explicou.

Deitei a correr, cruzei o *hall* da cúpula, perdi-me na biblioteca, fui sair na sala de jantar, meti-me embaixo da mesa e ali fiquei encolhida, muda de confusão. Era um móvel enorme, com o tampo de mármore verde e as pernas ornamentadas com figuras de cariátides, impossível de ser mudado de lugar. Logo chegaram Paulina del Valle, Williams e dois criados decididos a me seduzirem, mas eu escapava como uma doninha assim que alguém se aproximava de mim. "Deixe-a, senhora, daqui a pouco ela sairá por vontade própria", sugeriu Williams, mas, como várias horas se houvessem passado e eu continuasse entrincheirada embaixo da mesa, me trouxeram outra taça de sorvete, uma almofada e um cobertor. "Quando adormecer, nós a tiraremos daí", disse Paulina del Valle, mas não adormeci e, em troca, urinei na roupa, com plena consciência da falta que estava cometendo, mas excessivamente assustada para sair à procura de um banheiro. Permaneci embaixo da mesa inclusive quando Paulina jantava; de minha trincheira via suas pernas grossas, seus pequenos sapatos de cetim, deformados pelo tamanho dos pés, e as calças negras dos criados que passavam servindo. Em duas ocasiões ela se abaixou com tremenda dificuldade a fim de me seduzir com uma piscar de olho, gesto ao qual reagi escondendo a cara entre os joelhos. Eu estava morrendo de fome, de cansaço e de vontade de ir ao banheiro, mas era tão orgulhosa quanto a própria Paulina del Valle e não me renderia com facilidade. Pouco depois Williams empurrou para baixo da mesa uma bandeja com um terceiro sorvete, biscoitos e um grande pedaço de bolo de chocolate. Esperei que ele se afastasse e, quando me senti segura, quis comer, mas quanto mais minha mão avançava, mais se distanciava a bandeja, que o mordomo ia puxando por um cordão. Quando, finalmente, pude apanhar um biscoito, já estava fora de meu refúgio, mas como não havia ninguém na sala de jantar pude devorar as guloseimas em paz e voltar voando para debaixo da mesa, assim que ouvi um pequeno ruído. O mesmo iria acontecer horas mais tarde, ao clarear do dia, até que seguindo a bandeja movediça cheguei à porta, onde, com um cãozinho amarelado, me esperava Paulina del Valle, que me pôs ele nos braços.

— Tome, é para você, Aurora. Esse cachorrinho também se sente só e assustado — ela me disse.

— Meu nome é Lai-Ming.

— Seu nome é Aurora del Valle — replicou a rotunda Paulina.

— Onde é o banheiro? — perguntei com as pernas cruzadas.

Foi assim que se iniciou minha relação com aquela colossal avó, para quem o destino me levara. Ela me instalou em um quarto próximo do seu e me autorizou a dormir com o cachorro, ao qual dei o nome de *Caramelo*, porque era essa a sua cor. À meia-noite despertei com o pesadelo dos meninos de pijamas negros e, sem pensar duas vezes, fui voando para a lendária cama de Paulina del Valle, assim como antes me introduzia todas as madrugadas na de meu avô, para que ele me acalmasse com seus mimos. Estava habituada a ser recebida pelos braços firmes de Tao Chi'en, nada me confortava tanto quanto o seu cheiro de mar e a litania de palavras doces em chinês, que ele me recitava meio adormecido. Ignorava que as crianças normais não cruzam o umbral dos aposentos dos adultos, e muito menos que se enfiam em suas camas; tinha me criado em estreito contato físico, beijada e mimada até o infinito pelos meus avós maternos, não conhecia outra forma de consolo ou descanso a não ser um abraço. Ao me ver, Paulina del Valle me repeliu escandalizada, e eu me pus a gemer baixinho, fazendo coro com o pobre do cachorro, e tão lamentável lhe deve ter parecido nosso estado, que ela acabou por fazer um sinal para que nos aproximássemos. Pulei na cama e cobri a cabeça com os lençóis. Imagino que dormi imediatamente, mas o certo mesmo é que amanheci encolhida entre os grandes seios que cheiravam a gardênia, enquanto o cachorro se enroscava aos meus pés. O que primeiro fiz ao despertar entre os delfins e as náiades florentinas foi perguntar pelos meus avós Eliza e Tao Chi'en. Procurei-os por toda a casa e pelos jardins, depois me instalei diante da porta à espera de que viessem me buscar. A cena repetiu-se por todo o restante da semana, apesar dos presentes, dos passeios e dos agrados de Paulina. No sábado fugi. Nunca estivera sozinha na rua e não era capaz de situar-me, mas o instinto me dissera que devia descer a colina, e assim cheguei ao centro de São Francisco, onde deambulei durante várias horas, aterrorizada, até que vislumbrei uma dupla de chineses com um carrinho carregado de roupa para lavar e os segui a uma distância prudente, pois se pareciam bastante com meu tio Lucky. Dirigiam-se para Chinatown — ali se situavam todas as lavanderias da cidade —, e, assim que entrei naquele bairro que tanto conhecia, me senti segura, embora ignorasse os nomes das ruas e o endereço dos meus avós. Eu era tímida e estava excessivamente assustada para pedir ajuda, de modo que continuei a andar sem rumo fixo, guiada pelos cheiros dos alimentos, pelos sons da língua e pelo aspecto das centenas de pequenas lojas diante das quais tantas vezes havia passado, segurando a mão de meu avô Tao Chi'en. Em certo momento fui vencida pelo cansaço e então me acomodei no portal de um velho edifício, e ali adormeci. Fui despertada pelas sacudidas e grunhidos de uma velha de finas sobrancelhas pintadas a carvão no meio da testa, de maneira que seu rosto parecia bem mais uma máscara. Soltei um grito de pavor, mas já era tarde para safar-me, pois ela me segurava pelas duas mãos. Esperneando, fui levada por ela até uma espécie de quarto, pequenino e infecto, onde fiquei presa. O quarto cheirava muito mal, e entre o medo e a fome suponho que adoeci, pois logo comecei a vomitar. Não tinha ideia de onde estava. Assim que me recuperei das náuseas comecei a gritar a plenos pulmões pelo meu avô, e então a mulher voltou e me deu umas bofetadas de tirar o fôlego; nunca ninguém havia batido em mim, e creio que a surpresa foi maior do que a dor. Falando em cantonês ela disse que se eu não calasse a boca me bateria com uma vara de bambu, em seguida tirou minha roupa, examinou-me por inteiro, dando especial atenção à boca, aos ouvidos e aos genitais, vestiu-me uma camisola limpa e levou minha roupa suja. Fiquei novamente sozinha no minúsculo quarto, que ia escurecendo cada vez mais, à medida que entrava menos luz pela única abertura de ventilação.

Creio que essa aventura muito me marcou, pois já se passaram vinte e cinco anos e, no entanto, ainda tremo quando recordo aquelas horas intermináveis. Naquela época jamais se viam meninas sozinhas em Chinatown, as famílias tinham os maiores cuidados com elas, pois ao menor descuido podiam desaparecer nos subterrâneos da prostituição infantil. Eu era jovem demais para isso, mas frequentemente meninas de minha idade eram compradas ou raptadas para que, desde a infância, fossem treinadas em toda espécie de depravação. A mulher voltou horas mais tarde, quando já estava escuro, acompanhada de um homem mais jovem. Observaram-me à luz de uma lâmpada e começaram a discutir acaloradamente em seu idioma, que eu conhecia, mas entendia pouco, porque me sentia extenuada e estava morta de medo. Pareceu-me ter ouvido várias vezes o nome de meu avô Tao Chi'en. Saíram, e eu me vi novamente só, tiritando de frio e de terror, não sei por quanto tempo. Mais tarde, quando a porta voltou a abrir-se e a luz da lâmpada me cegou, escutei meu nome em chinês, Lai-Ming, e reconheci a voz inconfundível de meu tio Lucky. Seus braços me ergueram, e eu não soube mais o que aconteceu, pois, de tão aliviada, perdi os sentidos. Não me lembro da viagem de coche, nem do momento em que voltei a encontrar-me no palacete de Nob Hill, diante de minha avó Paulina. Tampouco me lembro do que se passou nas semanas seguintes, porque fui infectada pela catapora e estive muito doente; foi um período confuso, de muitas mudanças e contradições.

Agora, atando os cordões soltos do meu passado, posso assegurar, sem a menor dúvida, que fui salva pela boa sorte de meu tio Lucky. A mulher que me raptou na rua foi comunicar o fato a um representante de seu *tong*, pois nada acontecia em Chinatown sem o conhecimento e a aprovação daqueles bandos. A comunidade inteira pertencia aos diferentes *tongs*. Irmandades fechadas e ciosas, que agrupavam seus membros exigindo deles lealdade e comissões em troca de proteção, contatos para trabalhar e a promessa de levar de volta à China os corpos dos que porventura viessem a morrer em solo americano. O homem tinha-me visto muitas vezes andando pela mão de meu avô e, por uma feliz coincidência, pertencia ao mesmo *tong* de Tao Chi'en. Foi ele quem chamou meu tio. O primeiro impulso de Lucky foi me levar para sua casa, para que sua nova esposa, recém-comprada na China mediante catálogo, tomasse conta de mim, mas logo compreendeu que as instruções de seus pais deviam ser respeitadas. Depois de me entregar a Paulina del Valle, minha avó Eliza tinha partido com o corpo de seu marido a fim de enterrá-lo em Hong Kong. Tanto ela como Tao Chi'en sempre haviam considerado que o bairro chinês de São Francisco era um mundo pequeno demais para mim, desejavam que eu fizesse parte dos Estados Unidos. Embora não estivesse de acordo com esse ponto de vista, Lucky Chi'en não podia desobedecer à vontade de seus pais, por isso pagou aos meus raptores a quantia exigida e me levou de volta à casa de Paulina del Valle. Eu só voltaria a vê-lo vinte anos mais tarde, quando fui procurá-lo a fim de averiguar os últimos detalhes de minha história.

A ORGULHOSA FAMÍLIA dos meus avós paternos viveu trinta e seis anos em São Francisco sem deixar muito rastro. Andei muito em busca de suas marcas. O palacete de Nob Hill é hoje um hotel, e ninguém sabe dizer quem foram os seus primeiros donos. Examinando jornais antigos na biblioteca, descobri numerosas menções à família nas colunas sociais, bem como a história da estátua da República e o nome de minha mãe. Existe ainda uma pequena notícia sobre a morte de meu avô Tao Chi'en, um obituário muito elogioso, escrito por um tal de Jacob Freemont, e um comunicado fúnebre da Sociedade Médica, no qual a entidade agradece as contribuições do *zhong-yi* Tao Chi'en à medicina ocidental. Trata-se de algo raro, pois a população chinesa era então quase invisível, nascia, vivia e morria à margem daquilo que acontecia nos Estados Unidos, mas o prestígio de Tao Chi'en havia ultrapassado os limites de Chinatown e da Califórnia, ele chegara a ser conhecido na Inglaterra, onde fez várias conferências sobre acupuntura. Sem esses testemunhos impressos, a maior parte dos protagonistas desta história teria desaparecido, arrastada pelo vento da memória adversa.

Minha fuga para Chinatown em busca dos avós maternos somou-se a outros motivos que induziram Paulina del Valle a voltar para o Chile. Compreendeu que nem festas suntuosas nem outros esbanjamentos seriam capazes de devolver-lhe a situação social que havia tido quando o marido vivia. Estava envelhecendo só, longe de seus filhos, seus parentes, seu idioma, sua terra. O dinheiro que lhe restara não era suficiente para manter o modo de vida habitual em sua mansão de quarenta e cinco peças, porém seria uma fortuna imensa no Chile, onde tudo ainda era bem mais barato. Além disso, tinha-lhe caído no colo uma neta estranha, a quem considerava necessário desenraizar completamente de seu passado chinês, caso pretendesse fazer dela uma senhorita chilena. Paulina não podia suportar a ideia de que eu fugisse novamente e contratou uma ama inglesa para me vigiar dia e noite. Cancelou seus planos de viagem ao Egito e os banquetes de ano-novo, mas apressou a confecção de seu novo guarda-roupa, tratando em seguida de dividir metodicamente seu dinheiro entre os Estados Unidos e a Inglaterra, enviando ao Chile apenas o indispensável para instalar-se, pois a situação política lhe parecia instável. Escreveu uma longa carta ao seu sobrinho Severo del Valle, a fim de reconciliar-se com ele, contar-lhe o que havia acontecido a Tao Chi'en e a decisão tomada por Eliza Sommers de entregar-lhe a menina, explicando as vantagens de confiar-lhe a criação da garota. Severo del Valle entendeu suas razões e aceitou a proposta, até porque já era pai de dois filhos e sua mulher estava à espera do terceiro, mas negou-se a entregar-lhe a tutela legal, como ela pretendia.

Os advogados de Paulina ajudaram-na a pôr suas finanças em ordem e a vender a mansão, enquanto seu mordomo Williams se encarregava dos aspectos práticos do traslado da família para o sul do mundo e de embalar todas as posses de sua patroa, pois ela não quis vender nada, não gostaria de más línguas dizendo que o fazia por necessidade. Conforme o programado, Paulina tomaria um navio comigo, a ama inglesa e outros empregados de confiança, enquanto Williams mandava a bagagem para o Chile e em seguida, depois de receber uma bela gratificação em libras esterlinas, estaria livre. Aquela seria sua última função como empregado de Paulina. Uma semana antes que ela embarcasse, Williams pediu permissão para falar-lhe a sós.

— Desculpe, senhora, posso perguntar por que perdi sua estima?

— De que está falando, Williams? Você bem sabe o quanto o aprecio e quanto sou grata pelos seus serviços.

— Contudo, não quer me levar para o Chile...

— Por Deus, homem! Essa ideia não tinha me ocorrido. Que faria um mordomo inglês no Chile? Lá não existe nenhum outro. Ririam de você e de mim. Já olhou para aquele mapa? O Chile é um país distante e lá ninguém fala inglês, sua vida não seria nada agradável. Não tenho direito de lhe pedir tal sacrifício, Williams.

— Se me permite dizer, sacrifício maior será me separar da senhora.

Paulina del Valle ficou a olhar para seu empregado com os olhos esbugalhados de surpresa. Pela primeira vez percebia que Williams era mais do que um simples autômato vestido de preto, com luvas brancas e colarinho duro. Viu então, diante dela, um homem de cerca de cinquenta anos, ombros largos e rosto agradável, olhos penetrantes e vasta cabeleira cor de pimenta caiena; tinha mãos toscas de estivador e dentes amarelados pela nicotina, embora ela jamais o tivesse visto fumando ou mascando tabaco. Ficaram calados por um interminável momento, ela observando-o e ele sustentando-lhe o olhar sem dar mostras de desassossego.

— Senhora, foi-me impossível não notar as dificuldades que lhe trouxe a viuvez — disse finalmente Williams, na linguagem indireta que costumava empregar.

— Está brincando? — Paulina sorriu.

— Nada mais distante de minhas intenções, senhora.

— Ora! — disse ela, temperando a garganta após a longa pausa que se seguiu à resposta do mordomo.

— A senhora deve estar se perguntando o que tudo isso significa — ele continuou.

— Digamos que você conseguiu me inquietar, Williams.

— Já que não posso ir para o Chile como seu mordomo, pensei que não seria uma ideia de todo mal ir como seu marido.

Paulina del Valle teve a sensação de que o chão se abria e ela afundava com sua cadeira até o centro da terra. Seu primeiro pensamento foi o de que um parafuso havia afrouxado na cabeça daquele homem, não havia outra explicação; mas, ao constatar a dignidade e a calma do mordomo, engoliu os insultos que já lhe haviam subido à boca.

— Permita-me explicar-lhe meu ponto de vista, senhora — acrescentou Williams. — Não pretendo, é claro, exercer a função de esposo no aspecto sentimental. Também não ambiciono sua fortuna, que estaria totalmente a salvo, para isso a senhora tomaria as medidas legais pertinentes. Meu papel junto à senhora seria praticamente o mesmo: auxiliá-la em tudo que puder, sempre com a máxima discrição. Suponho que no Chile, como no resto do mundo, as mulheres sós enfrentam muitos inconvenientes. Para mim seria uma honra assumir as dificuldades em seu lugar.

— O que você ganharia com esse curioso arranjo? — Paulina perguntou, sem dissimular o tom de mordacidade.

— De um lado, ganharia respeito. De outro, admito que a ideia de não voltar a vê-la me atormentou desde que se pôs a fazer planos para deixar a América. Passei ao seu lado metade da vida, estou habituado.

Paulina ficou muda por mais uma eternidade, enquanto a estranha proposta de seu empregado lhe volteava na cabeça. Tal qual fora apresentada, era sem dúvida um bom negócio, com vantagens para ambos; ele desfrutaria de um alto nível de vida, que de outro modo jamais teria, e ela andaria de braço dado com um sujeito que, olhado com atenção, era perfeitamente distinto. De fato, Williams parecia um membro da nobreza britânica. Só de imaginar a cara de seus parentes no Chile e a inveja de suas irmãs, Paulina soltou uma gargalhada.

— Você tem pelo menos dez anos e trinta quilos menos que eu, não teme o ridículo? — ela perguntou, ainda sacudida pelo riso.

— Não. E a senhora, não teme que a vejam com alguém de minha condição?

— Não tenho medo de nada nesta vida e gosto de escandalizar o próximo. Como é seu nome, Williams?

— Frederick.

— Frederick Williams... Bom nome, para lá de aristocrático.

— Lamento dizer-lhe, senhora, que de aristocrático é só isso que tenho — disse Williams sorrindo.

E assim, cerca de uma semana depois, minha avó Paulina del Valle, seu recém-estreado marido, o cabeleireiro, a ama, duas criadas, um criado e eu partimos de trem para Nova York, com um carregamento de baús, e de lá embarcamos para a Europa em um navio britânico. Também nos acompanhava *Caramelo*, que estava naquela etapa de desenvolvimento em que os cachorros fornicam com tudo que encontram e, no caso, inclusive com a capa de pele de raposa de minha avó. Da cintura da capa pendiam caudas inteiras, e *Caramelo*, confuso diante da passividade com a qual elas recebiam suas abordagens amorosas, acabou por destroçá-las a dentadas. Furiosa, Paulina del Valle esteve a ponto de atirar o cachorro e a capa pela amurada, mas, diante do faniquito que isso me provocou, ambos sobreviveram. Minha avó ocupava uma suíte de três aposentos, e Frederick Williams uma do mesmo tamanho do outro lado do corredor. Ela passava o dia comendo sem parar, trocando o vestido para cada atividade, ensinando-me aritmética, para que no futuro eu me encarregasse dos seus livros de contabilidade, e contando-me a história da família para que eu soubesse de onde vinha, sem jamais esclarecer a identidade de meu pai, como se eu tivesse aparecido no clã Del Valle por geração espontânea. Quando eu perguntava por minha mãe e meu pai, ela me respondia que haviam falecido e que isso não importava, pois bastava e sobrava tê-la por avó. Enquanto isso, Frederick Williams jogava *bridge* e lia jornais ingleses, como os demais cavalheiros da primeira classe. Tinha deixado crescer as suíças e cultivava agora um bigode frondoso, de pontas enceradas, fumava cachimbo e charutos cubanos. Confessou à minha avó que era um fumante empedernido e que o mais difícil de seu trabalho de mordomo tinha sido abster-se de fazê-lo em público, mas agora podia finalmente saborear seu tabaco e jogar no lixo as pastilhas de hortelã que comprava em grande quantidade e que lhe haviam perfurado o estômago. Naquela época em que os homens bem situados na vida ostentavam barriga e papada dupla, a figura bem mais delgada e atlética de Williams era uma raridade nos altos círculos sociais, embora suas maneiras impecáveis fossem muito mais convincentes que as de minha avó. À noite, antes de descerem juntos para o salão de baile, passavam, a fim de despedir-se, pelo camarote que eu e minha ama dividíamos. Os dois eram um espetáculo: ela penteada e maquiada pelo seu cabeleireiro, vestida de gala, resplendente de joias, como um ídolo gordo, e ele convertido em um distinto príncipe consorte. Às vezes eu me aproximava do salão a fim de espiá-los, maravilhada. Frederick Williams era capaz de manobrar Paulina del Valle pela pista de baile com a segurança de alguém habituado a carregar fardos de muitos quilos de peso.

CHEGAMOS AO CHILE um ano mais tarde, quando a vacilante fortuna de minha avó estava novamente de pé, graças à especulação do açúcar que havia posto em prática durante a Guerra do Pacífico. Sua teoria mostrara-se correta: em tempos ruins as pessoas têm necessidade de comer mais doce. Nossa chegada coincidiu com a apresentação da incomparável Sarah Bernhardt em seu papel mais célebre, *A Dama das Camélias*. A grande atriz não foi capaz de comover o público, como havia feito no resto do mundo civilizado, porque a hipócrita sociedade chilena não simpatizou com a cortesã tuberculosa, a todos parecia normal que ela se sacrificasse pelo amante, não vendo razão para tanto drama nem para tanta camélia de mentira. A famosa atriz convenceu-se de que havia visitado um país de pessoas severamente atingidas pela idiotice, opinião que Paulina dividia plenamente. Minha avó passeara com seu séquito por várias cidades da Europa, mas não cumprira seu sonho de ir ao Egito, na suposição de que ali não encontraria um camelo capaz de suportar seu peso, e teria de visitar as pirâmides a pé, sob um sol de lava ardente. Em 1886 eu tinha seis anos, falava um misto de chinês, inglês e espanhol, mas podia realizar as quatro operações básicas da aritmética e sabia converter, com incrível destreza, francos franceses em libras esterlinas e estas em marcos alemães ou liras italianas. Havia deixado de chorar a toda hora por meu avô Tao e por minha avó Eliza, mas ainda era regularmente atormentada pelos mesmos e inexplicáveis pesadelos. Existia um vácuo negro em minha memória, algo sempre presente e perigoso que eu não conseguia saber com precisão o que era, algo desconhecido que me aterrorizava, sobretudo no escuro ou no meio da multidão. Não podia suportar a ideia de ver-me cercada de pessoas, começava a gritar como uma endemoninhada, e minha avó Paulina tinha então de envolver-me com um abraço a fim de me trazer a calma de volta. Eu tinha adquirido o hábito de refugiar-me em sua cama quando acordava assustada e estou certa de que assim cresceu a intimidade que iria me salvar da demência e do terror que, de outro modo, teriam me engolfado. Diante da necessidade de me consolar, Paulina del Valle mudou, de maneira imperceptível, a todos, menos a Frederick Williams. Foi se tornando mais tolerante e carinhosa, e até chegou a perder um pouco de peso, porque de tanto andar atrás de mim acabava por esquecer-se dos doces. Creio que me adorava. Digo-o sem falsa modéstia, pois disso me deu muitas provas, ajudou-me a crescer com a maior liberdade que era possível naquele tempo, açulando minha curiosidade e mostrando-me o mundo. Não me permitia sentimentalismos nem queixumes, "não se deve olhar para trás" era um dos seus lemas. Fazia brincadeiras comigo, às vezes bastante pesadas, até que aprendi como devolvê-las em cima do laço, e isso iria marcar o tom de nossa relação. Certa vez encontrei no pátio uma lagartixa esmagada pela roda de um coche; depois de ter permanecido vários dias ao sol, a lagartixa estava fossilizada, fixada para sempre em sua triste condição de réptil desventrado. Apanhei-a e guardei-a, sem saber para quê; um dia, finalmente, descobri como dar-lhe um uso perfeito. Eu estava sentada diante de uma escrivaninha, fazendo meus deveres de matemática, e minha avó acabava de entrar distraidamente no quarto, quando fingi um descontrolado ataque de tosse e ela se aproximou para bater-me nas costas. Dobrei-me em duas, com o rosto entre as mãos, e para horror da pobre mulher "cuspi" a lagartixa, que aterrissou em minha saia. Foi tal o susto de minha avó, que, ao ver o bicho aparentemente saído de meus pulmões, caiu sentada, mas depois riu tanto quanto eu e, como recordação, guardou o bichinho dissecado entre as páginas de um livro. Custo a entender por que aquela mulher tão forte sentia medo de me contar a verdade sobre meu passado. Penso, então, que, apesar de sua postura desafiante em relação às convenções, jamais pôde superar os preconceitos de sua classe. Para me proteger da rejeição, ocultou cuidadosamente a existência de meu quarto de sangue chinês, o modesto ambiente social de minha mãe e o fato de que, na realidade, eu era uma bastarda. Isso é tudo que tenho a censurar naquela pessoa gigantesca que foi minha avó.

Conheci, na Europa, Matías Rodríguez de Santa Cruz y del Valle. Paulina não respeitou o acordo que havia feito com minha avó Eliza Sommers, segundo o qual deveria dizer-me a verdade, e, em vez de apresentá-lo como meu pai, disse que era outro tio, um dos muitos que qualquer criança chilena possui, já que todo parente ou amigo da família com idade para levar o título sem tornar-se ridículo passa automaticamente a ser chamado de tio ou de tia, e por isso sempre chamei o bom Williams de *tio* Frederick. Só vim a saber que Matías era meu pai vários anos mais tarde, quando, tendo regressado ao Chile para morrer, ele mesmo me contou o fato. Matías não produziu em mim nenhuma impressão memorável; era delgado, pálido e bem-educado; parecia jovem quando estava sentado, mas muito mais velho quando tentava mover-se. Caminhava com a ajuda de uma bengala e estava sempre em companhia de um criado que lhe abria as portas, que o abrigava, que acendia seus charutos, passava-lhe o copo de água de um para o outro lado da mesa, porque o esforço de estender o braço era demasiado para ele. Minha avó Paulina me explicou que aquele tio sofria de artrite, uma doença muito dolorosa que o tornava fraco como se fosse de vidro, e por isso, disse-me, quando eu me aproximasse dele o fizesse com os maiores cuidados. Minha avó morreria anos mais tarde, sem saber que seu filho mais velho não sofria de artrite, mas de sífilis.

Foi monumental o espanto da família Del Valle quando minha avó chegou a Santiago. Partindo de Buenos Aires, cruzamos a Argentina por terra, até alcançarmos o Chile, uma verdadeira expedição, levando-se em conta o volume de bagagem que trazíamos da Europa, além das onze maletas com as compras que havíamos feito em Buenos Aires. Viajávamos de coche, com a carga transportada por uma récua de mulas, protegidos por guardas armados sob o comando de tio Frederick, pois sabíamos que havia bandidos de ambos os lados da fronteira, mas infelizmente não fomos atacados e assim chegamos ao Chile sem nada de interessante para contar acerca da travessia dos Andes. No caminho perdemos a ama, que se apaixonou por um argentino e preferiu ficar por lá, e uma criada a quem o tifo derrotou, mas meu tio Frederick sempre dava um jeito de contratar ajudantes domésticos em cada etapa de nossa peregrinação. Paulina havia decidido que nos instalaríamos em Santiago, a capital, porque depois de viver tantos anos nos Estados Unidos achou que o porto de Valparaíso, onde tinha nascido, seria pequeno demais para ela. Além disso, tinha se acostumado a estar longe de seu clã e detestava a ideia de ver os parentes todos os dias, temível hábito de qualquer sofrida família chilena. Mas mesmo em Santiago não conseguiu livrar-se deles, pois tinha várias irmãs casadas com "gente boa", como se chamavam entre si os membros da classe alta, assumindo assim, imagino, que o resto do mundo entrava para a categoria da "gente má". Seu sobrinho Severo del Valle, que também vivia na capital, apresentou-se com a mulher para nos trazer saudações assim que chegamos. Do primeiro encontro com eles guardo uma lembrança mais nítida do que a de meu pai na Europa, pois chegaram a me assustar as exageradas demonstrações de afeto com as quais me receberam. O mais notável em Severo del Valle era que, apesar de seu coxeio e de sua bengala, parecia um príncipe desses de ilustração de contos de fadas — poucas vezes vi um homem mais garboso — e em Nívea o grande ventre redondo que a fazia sobressair. Naquela época, a procriação era considerada indecente, e entre a burguesia as mulheres grávidas encerravam-se em suas casas, mas Nívea não tentava dissimular seu estado, ao contrário, exibia-o indiferente à perturbação que causava. Na rua as pessoas procuravam não olhar para ela, como se estivessem diante de alguém deformado ou que passeasse nu. Eu nunca tinha visto algo semelhante, e quando perguntei o que ocorria com aquela senhora, minha avó Paulina explicou que a coitadinha havia engolido um melão. Em contraste com seu elegante marido, Nívea parecia um rato, mas bastava que a gente falasse uns dois minutos com ela para cair presa de seu encanto e sua tremenda energia.

Santiago era uma bela cidade, situada em um vale fértil, rodeada por altas montanhas arroxeadas no verão e cobertas de neve no inverno, cidade tranquila, sonolenta, cujo cheiro vinha da mistura de flores de jardins e bosta de cavalo. Tinha um ar afrancesado, com suas árvores idosas, suas praças, fontes mouriscas, portais trabalhados e passagens cobertas, suas mulheres elegantes, suas excelentes lojas onde se vendia o que de mais fino era importado da Europa e do Oriente, suas alamedas e passeios, nos quais os ricos exibiam seus coches e seus estupendos cavalos. Pelas ruas iam e vinham vendedores apregoando as humildes mercadorias que levavam em suas cestas, corriam matilhas de cães vagabundos e nos telhados se aninhavam pombas e pardais. Os sinos das igrejas assinalavam o passar das horas, exceto as da sesta, durante a qual as ruas permaneciam vazias e as pessoas repousavam. Era uma cidade senhoril, muito diferente de São Francisco, com sua inconfundível marca de lugar fronteiriço e seu ar cosmopolita e colorido. Paulina del Valle comprou uma bela mansão na Ejército Libertador, a mais aristocrática das ruas, próxima da Alameda de las Delicias, pela qual passavam, toda primavera, o coche napoleônico, com seus cavalos empenachados, e a guarda de honra do Presidente da

República a caminho do desfile militar e das festas patrióticas no Parque de Marte. Em esplendor, a casa não podia se comparar à de São Francisco, mas para Santiago era de uma opulência irritante. Contudo, não foi nem o tamanho da riqueza nem a falta de tato o que deixou boquiaberta a pequena sociedade da capital, mas o marido com *pedigree* que Paulina del Valle "tinha comprado", como diziam, e os mexericos que circulavam a respeito da imensa cama dourada, com figuras da mitologia do oceano, sobre a qual ninguém tinha imaginação bastante para chegar ao número de pecados cometidos por aquele casal de velhos. A Williams eram atribuídos títulos de nobreza e péssimas intenções. Que razão teria um lorde britânico, tão garboso e elegante, para casar-se com aquela mulher, muito maior do que ele e de reconhecido mau caráter? Só podia ser algum conde arruinado, um caçador de fortuna, preparado para despojá-la de seu dinheiro e logo em seguida abandoná-la. No fundo todos desejavam que assim fosse, pois desse modo minha arrogante avó baixaria o topete, mas, apesar de tudo, seu esposo não sofreu a menor humilhação, no que foi obedecida, aliás, a tradição chilena de hospitalidade oferecida aos estrangeiros. Além disso, Frederick Williams ganhou o respeito de gregos e troianos graças aos seus modos impecáveis, sua maneira simples de enfrentar a vida e suas ideias monárquicas, sua crença de que todos os males da sociedade eram devidos à indisciplina e ao desrespeito pelas hierarquias. O lema daquele que por tantos anos tinha sido um servidor era "cada um em seu lugar e um lugar para cada um". Ao se transformar em marido de minha avó assumira o papel de oligarca tão naturalmente como antes havia cumprido seu destino de criado; no passado, jamais tentara misturar-se com os lá de cima e, agora, não roçava um dedo em alguém lá de baixo; a separação de classes parecia-lhe indispensável para evitar o caos e a vulgaridade. Naquela família de bárbaros apaixonados, como eram os Del Valle, Williams causava estupor e admiração pela sua exagerada cortesia e sua calma impassível, produtos de longos anos na condição de mordomo. Como falava apenas meia dúzia de palavras em castelhano, seu forçado silêncio era confundido com sabedoria, orgulho e mistério. O único que podia desmascarar o suposto nobre britânico era Severo del Valle, mas ele jamais deu um passo nesse sentido, porque gostava do antigo servidor e admirava aquela tia que zombava de todos pavoneando-se com seu garboso marido.

Minha avó Paulina lançou uma campanha pública de caridade, com o objetivo de calar a inveja e a maledicência que sua fortuna provocava. Sabia como fazer tal coisa, pois havia passado os primeiros anos de sua vida naquele país, onde socorrer os indigentes é tarefa obrigatória das mulheres abastadas. Quanto mais se sacrificam pelos pobres, percorrendo hospitais, asilos, orfanatos e conventos, mais alto sobem na estima geral, razão pela qual apregoam aos quatro ventos as esmolas que oferecem. Ignorar tal dever atrai tantos olhares torvos e tantas admoestações sacerdotais, que nem Paulina del Valle teria escapado ao sentido de culpa e ao temor de estar se condenando ao inferno. Assim, ela me treinou nas tarefas da compaixão, mas confesso que sempre me pareceu incômodo chegar a um bairro miserável com nosso luxuoso coche carregado de vitualhas, cercadas de lacaios que distribuíam os presentes àquelas criaturas andrajosas, que nos agradeciam com grandes demonstrações de humildade, mas com a chama do ódio viva e brilhante em suas pupilas.

MINHA AVÓ TEVE de me educar em casa, porque eu fugia de cada um dos estabelecimentos religiosos em que me matriculava. Várias vezes a família Del Valle conseguiu convencê-la de que um internato era a única maneira de me transformar em uma pessoa normal; garantiam que eu necessitava da companhia de outras crianças para superar minha patológica timidez e da mão firme das monjas para me tornar submissa. "Você criou muito mal essa garota, Paulina, ela está se transformando em um monstro", diziam, e minha avó acabou por acreditar no que lhe parecia óbvio. Eu dormia com *Caramelo* na cama, comia e lia quando tinha vontade, passava o dia entretida com jogos de imaginação, sem muita disciplina, pois não havia, ao redor de mim, ninguém disposto a dar-se ao trabalho de me impor obediência; em outras palavras, eu gozava de uma infância bastante feliz. Não suportei os internatos com suas monjas bigodudas e sua multidão de colegiais, que me traziam de volta à lembrança aquele angustiante pesadelo dos meninos de pijamas negros; também não suportava o rigor das regras, a monotonia dos horários e o frio daqueles conventos coloniais. Não sei quantas vezes se repetiu aquela rotina. Paulina del Valle me vestia inteiramente de branco, recitava as instruções em tom ameaçador, levava-me praticamente à força e me deixava com meus baús nas mãos de alguma noviça parruda, para em seguida afastar-se tão depressa quanto o peso lhe permitia, acossada pelo arrependimento. Tratava-se de colégios para meninas ricas, onde imperavam a submissão e a feiura, e o objetivo final consistia em nos dar um pouco de instrução para que não fôssemos totalmente ignorantes, já que um verniz de cultura tinha valor no mercado matrimonial, mas não o suficiente para que nos tornássemos capazes de fazer perguntas. O objetivo, portanto, era dobrar a vontade pessoal em proveito do bem coletivo, garantir que fôssemos boas católicas, mães abnegadas e esposas obedientes. O dever das monjas mandava que elas começassem pelo domínio de nosso corpo, fonte de vaidade e outros pecados; não nos deixavam rir, correr, brincar ao ar livre. Tomávamos somente um banho por mês, o corpo escondido por uma comprida camisola, para que não expuséssemos nossas vergonhas ao olho de Deus, que estava em toda parte. Partia-se do princípio de que as coisas deviam ser aprendidas com sangue, e por isso não economizavam severidade. Elas nos transmitiam o temor de Deus, do diabo, de todos os adultos, da palmatória com a qual nos batiam nas mãos, das pedrinhas sobre as quais devíamos nos ajoelhar em penitência, dos nossos próprios pensamentos e desejos, o medo do medo. Jamais recebíamos uma palavra de elogio, pois temiam que isso cultivasse em nós a vaidade, porém sobravam os castigos com os quais esperavam nos temperar o caráter. Entre aqueles espessos muros sobreviviam minhas companheiras uniformizadas, com as tranças tão repuxadas, que às vezes faziam sangrar o couro cabeludo e as mãos eternamente rachadas pelo frio. O contraste com seus lares, onde, por ocasião das férias, eram vistas como princesas, devia ser enlouquecedor até para as mais propensas à mansidão. Não pude suportar aquilo. Certa vez consegui a cumplicidade de um jardineiro para pular a grade e fugir. Não sei como pude chegar sozinha à rua Ejército Libertador, onde fui recebida por *Caramelo* com histéricas manifestações de alegria. Mas Paulina del Valle quase sofreu um infarto ao me ver com a roupa suja de barro e os olhos inchados de chorar. Passei alguns meses em casa, até que as pressões externas obrigaram minha avó a repetir a experiência. Nessa segunda vez escondi-me entre uns arbustos do pátio durante toda a noite, com a ideia de morrer de frio e de fome. Imaginava as caras das freiras e das pessoas de minha família ao descobrirem meu cadáver, e chorava de pena de mim mesma, pobre menina mártir, morta com tão pouca idade. No dia seguinte o colégio mandou avisar a Paulina del Valle que eu tinha desaparecido, e ela foi imediatamente ao local, como uma tempestade, a fim de exigir explicações. Enquanto ela e Frederick Williams eram levados por uma noviça de rosto avermelhado ao escritório da madre superiora, eu escapulia dos arbustos onde havia me escondido, corria até a carruagem que esperava no pátio, subia sem que o cocheiro me visse e me enroscava embaixo do assento. Frederick Williams, o cocheiro e a madre superiora tiveram de ajudar minha avó a subir no coche. Ela estrilava, se eu não aparecesse imediatamente, logo iriam ver quem era Paulina del Valle! Quando saí de meu refúgio, já perto de chegar em casa, ela esqueceu suas lágrimas de tristeza e me deu uma surra que durou um par de quarteirões, antes que finalmente o tio Frederick pudesse acalmá-la. Mas a disciplina não era o forte da boa senhora; ao saber que eu não havia comido desde o dia anterior e tinha passado a noite sujeita às intempéries, cobriu-me de beijos e me levou para tomar sorvete. Na terceira instituição em que se propôs a me matricular fui rejeitada de saída, porque na entrevista com a diretora garanti-lhe que tinha visto o diabo e que suas patas eram verdes. Depois dessa tentativa, minha avó deu-se por vencida. Severo del Valle convenceu-a de que não havia razão para me torturar, pois podia aprender o necessário recebendo, em casa, lições de professores particulares. Pela minha infância passariam, assim, uma série de instrutoras inglesas, francesas e alemãs, que sucumbiriam sucessivamente à água contaminada do Chile e aos ataques de zanga de Paulina del Valle; as infortunadas mulheres voltavam aos seus países de origem com diarreia crônica e más recordações. Minha educação foi bastante acidentada, até que entrou em minha vida uma excepcional professora chilena, a senhorita Matilde Pineda, que me ensinou quase tudo que sei de importante, excetuando-se o senso comum, que ela mesma não tinha. Era apaixonada e idealista, escrevia poemas filosóficos que jamais pôde publicar, sofria de uma fome insaciável de conhecimento e, diante das fraquezas alheias, tinha aquela intransigência própria das criaturas demasiado inteligentes. Não tolerava a preguiça; em sua presença a frase "não posso" estava simplesmente proibida. Minha avó contratou-a porque ela se proclamava agnóstica, socialista e partidária do voto feminino, três fortíssimas razões para que não lhe dessem trabalho em nenhuma instituição educativa. "Vamos ver se você consegue reverter um pouco a hipocrisia conservadora e patriarcal desta família", propôs-lhe Paulina del Valle na primeira entrevista, com o apoio de Frederick Williams e Severo del Valle, os únicos que foram capazes de perceber o talento da senhorita Pineda, enquanto todos os outros asseguravam que aquela mulher alimentaria o monstro que já estava se gestando em mim. As tias classificaram-na, imediatamente, de "pobretona besta" e trataram de prevenir minha avó contra aquela mulher de classe inferior "metida a ser gente", como se costumava dizer. Em contraste, Williams, o homem mais intransigente em matéria de classe que até hoje conheci, tomou-se de simpatia por ela. Seis dias por semana, sem jamais faltar, a professora comparecia às sete da manhã na mansão de minha avó, onde eu a esperava vestindo uma roupa engomada, as unhas limpas e os cabelos recém-trançados. Tomávamos o desjejum em uma pequena sala de jantar reservada ao dia a dia, enquanto comentávamos as notícias mais importantes dos jornais; em seguida tínhamos duas horas de lições regulares e durante o resto do dia íamos ao museu e à livraria Siglo de Oro a fim de comprar livros e tomar chá com o livreiro, dom Pedro Tey, visitávamos artistas, saíamos a observar a natureza, fazíamos experiências químicas, líamos contos, escrevíamos poesia e montávamos obras de teatro clássico com figuras recortadas em cartolina. Foi ela quem deu à minha avó a ideia de formar um clube de damas destinado a canalizar a caridade para algo prático e, em vez de oferecer aos pobres roupa usada ou a comida que sobrava em suas cozinhas, criar um fundo, administrado como se fosse um banco, a fim de emprestar dinheiro às mulheres que se dispusessem a iniciar algum pequeno negócio: um galinheiro, um ateliê de costura, uma bancada para lavar roupa alheia, uma caleche para fazer transporte, enfim, o necessário para sair da indigência absoluta em que sobreviviam com seus filhos. Aos homens, não, disse a senhorita Pineda, porque usariam o empréstimo para comprar bebida, isso sem esquecer que os planos sociais do governo já se encarregavam de socorrê-los; em contraste, ninguém se ocupava a sério das mulheres e das crianças. "As pessoas não querem presentes, querem ganhar a vida com dignidade", minha mestra explicou, Paulina del Valle entendeu-a perfeitamente e logo em seguida lançou-se à realização daquele projeto, com um entusiasmo igual ao que demonstrava em relação aos planos mais ambiciosos para ganhar dinheiro. "Com uma das mãos vou agarrar o que puder, com a outra vou dar; assim mato dois coelhos com uma cajadada só, me divirto e ganho o céu," dizia, rindo às gargalhadas, minha inimitável avó. Levou sua iniciativa ainda mais longe e não apenas formou o Clube das Damas, que capitaneava com a eficiência habitual — e por isso as outras senhoras se aterrorizavam com ela —, mas também financiou escolas, consultórios médicos ambulantes, e organizou um sistema destinado a recolher tudo aquilo que deixasse de ser vendido nos mercados e padarias, mas ainda estivesse em bom estado, e distribuir nos asilos e orfanatos.

Quando Nívea vinha visitá-la, sempre grávida e com vários filhos pequenos nos braços das respectivas amas, a senhorita Matilde Pineda abandonava o quadro-negro e, enquanto as empregadas se encarregavam da manada de crianças, tomávamos o chá e as duas se dedicavam a planejar uma sociedade mais justa e mais nobre. Embora Nívea não dispusesse de tempo nem de dinheiro, era a mais jovem e mais ativa de todas as senhoras do clube de minha avó. Às vezes íamos visitar sua antiga professora, irmã María Escapulario, que dirigia um asilo para monjas idosas, pois já não lhe permitiam exercer seu papel de educadora; a congregação havia decidido que suas ideias avançadas não eram recomendáveis para colegiais e que ela causaria menos danos cuidando de velhinhas chochas do que semeando rebeldia nas mentes infantis. Irmã María Escapulario dispunha de uma pequena cela em um edifício decrépito, mas com um jardim encantador, onde sempre nos recebia com gratidão, pois gostava da conversa intelectual, prazer inalcançável naquele asilo.

Levávamos livros que ela pedia e que comprávamos na empoeirada livraria Siglo de Oro. Também lhe oferecíamos biscoitos ou uma torta para acompanhar o chá, que ela preparava em um fogareiro portátil, alimentado a parafina, e servia em chávenas desbeiçadas. No inverno ficávamos na cela, a freira ocupando o único assento disponível, Nívea e a senhorita Matilde Pineda sentadas no catre e eu no chão, mas, quando o clima nos permitia, passeávamos pelo maravilhoso jardim, entre árvores centenárias, trepadeiras cobertas de jasmins, rosas, camélias e muitas outras espécies de flores, tudo em estupenda desordem, de tal modo que a mistura de perfumes às vezes me deixava levemente embriagada. Eu não perdia uma só palavra daquelas conversas, ainda que decerto as entendesse bem pouco; não voltei, jamais, a ouvir discursos tão apaixonados. Cochichavam segredos, morriam de rir e falavam de tudo, menos de religião, em respeito às ideias da senhorita Matilde Pineda, para quem Deus era uma invenção de homens cujo objetivo era controlar outros homens, e sobretudo as mulheres. Irmã María Escapulario e Nívea eram católicas, mas nenhuma das duas parecia fanática, ao contrário da maioria das pessoas que então me cercavam. Nos Estados Unidos ninguém falava de religião, já no Chile esse era um assunto de mesa e sobremesa. Minha avó e o tio Frederick me levavam à missa de vez em quando, para que nos vissem, porque nem Paulina del Valle, com toda a sua audácia e fortuna, podia dar-se ao luxo de não ir à igreja. A família e a sociedade não tolerariam essa falta.

— Você é católica, vovó? — eu lhe perguntava, cada vez que era obrigada a adiar um passeio ou a leitura de um livro para acompanhá-la à missa.

— Acha que se pode não ser católica no Chile? — era como respondia.

— A senhorita Pineda não vai à missa.

— Sim, mas pense como as coisas são ruins para a coitadinha. Inteligente como é, poderia ser diretora de uma escola, desde que fosse à missa...

Contra toda a lógica, Frederick Williams adaptou-se perfeitamente à enorme família Del Valle, bem como ao próprio Chile. Devia ter tripas de aço, pois foi o único que não andou com a barriga cheia de vermes por causa da água potável e que podia comer várias *empanadas* sem acender uma fogueira no estômago. Nenhum dos chilenos que conhecíamos, exceto Severo del Valle e dom José Francisco Vergara, falava inglês, a segunda língua das pessoas educadas era o francês, apesar da existência de uma numerosa colônia de britânicos no porto de Valparaíso, e, sendo assim, Williams se viu forçado a aprender castelhano. As aulas ficaram por conta da senhorita Pineda, e em poucos meses ele já conseguia, com esforço, fazer-se entender em um espanhol maltratado, mas funcional, podia ler os jornais e fazer vida social no Club de la Unión, onde costumava jogar *bridge* em companhia de Patrick Egon, o diplomata norte-americano que chefiava a Legação. Minha avó conseguiu que o aceitassem no clube, mediante insinuações acerca de suas origens aristocráticas, com raízes na corte britânica, o que ninguém se deu ao trabalho de comprovar, até porque os títulos de nobreza estavam abolidos desde os tempos da Independência; sem esquecer que, para acreditar na alegação, bastava olhar Williams uma vez. Por definição, os membros do Club de la Unión pertenciam a "famílias conhecidas" e eram "homens de bem" — as mulheres não podiam cruzar aqueles portais —, e, caso houvessem descoberto a identidade de Frederick Williams, qualquer um daqueles senhores teria aceitado bater-se em duelo, tal seria a vergonha de sentir-se enganado por um ex-mordomo da Califórnia, transformado no mais requintado, elegante e culto de seus membros, o melhor jogador de *bridge* e certamente um dos mais ricos. Williams se mantinha em dia com os negócios, a fim de aconselhar minha avó Paulina, e com a política, tema obrigatório nas conversas em sociedade. Declarava-se francamente conservador, como quase todos os de nossa família, e lamentava o fato de que no Chile não existisse monarquia, como na Grã-Bretanha, pois a seus olhos a democracia era vulgar e pouco eficaz. Nos obrigatórios almoços dominicais na casa de minha avó, ele discutia com Nívea e Severo, os únicos liberais do clã. Suas ideias divergiam, mas os três se admiravam entre si, e creio que, secretamente, zombavam dos outros membros da primitiva tribo Del Valle. Nas raras ocasiões em que nos víamos em presença de dom Francisco José Vergara, com quem pudera conversar um pouco em inglês, Frederick Williams se mantinha em respeitosa distância; era o único que conseguia intimidá-lo com sua superioridade intelectual, possivelmente o único que havia detectado de imediato sua condição de antigo criado. Suponho que muitos se perguntaram quem era eu e por que Paulina me havia adotado, mas ninguém se atrevia a mencionar tal assunto diante de mim; nos almoços familiares dos domingos reuniam-se duas dezenas de primos de várias idades, e nenhum jamais perguntou pelos meus pais; para ser aceita por eles, bastava-lhes saber que eu levava o nome da família.

MINHA AVÓ CUSTOU mais a adaptar-se no Chile do que o marido, embora seu nome e sua fortuna lhe abrissem todas as portas. Sentia-se asfixiada pelas mesquinharias e dissimulações daquele ambiente, sofria com a falta da liberdade de outrora; não era em vão que tinha vivido mais de trinta anos na Califórnia, mas assim que abriu as portas de sua mansão passou a encabeçar a vida social de Santiago, porque soube agir com grande classe e maior tino, sabedora de como no Chile os ricos são odiados, especialmente os mais presunçosos. Nada de lacaios de libré, como os que empregava em São Francisco, mas discretas criadas com vestidos pretos e aventais brancos; nada de estragar a reputação com saraus faraônicos, mas festas recatadas e em tom familiar, para que não a acusassem de *siútica*, ou seja, de nova-rica, o pior de todos os epítetos. Dispunha, é claro, de opulentas carruagens, de invejáveis cavalos e de camarote privado no Teatro Municipal, com *buffet* e uma pequena sala na qual servia refrescos e champanha aos convidados. Apesar da idade e da gordura, Paulina del Valle ditava a moda, porque tinha acabado de chegar da Europa e todos acreditavam que ela estava em dia com o estilo e os acontecimentos modernos. Naquela sociedade austera e pacata ela se tornou um farol da influência estrangeira, a única senhora de seu círculo que falava inglês, recebia revistas e livros de Nova York e Paris, encomendava tecidos, sapatos e chapéus diretamente de Londres e, em público, fumava os mesmos cigarros que seu filho Matías importava do Egito. Comprava obras de arte e em sua mesa servia pratos nunca vistos, porque até as mais soberbas famílias ainda comiam como os rudes capitães da época da conquista: sopa, cozido, assado, feijão e pesadas sobremesas coloniais. A primeira vez que minha avó serviu *foie gras* e uma variedade de queijos importados da França, só os cavalheiros que já haviam passado pela Europa sabiam de que maneira comê-los. Depois de cheirar os *camembert* e os *Port-Salut* uma senhora sentiu-se nauseada e teve de sair correndo para o banheiro. A casa de minha avó era o centro de reuniões de artistas e literatos jovens de ambos os sexos, que se encontravam para dar a conhecer suas obras, dentro do quadro habitual do classicismo; se o interessado não era branco e não tinha um nome de família conhecida, necessitava de muito talento para ser aceito, pois nesse aspecto Paulina não se diferenciava do resto da alta sociedade chilena. Em Santiago, as tertúlias de intelectuais eram realizadas em clubes e cafés, com a participação exclusiva dos homens, porque se partia do princípio de que as mulheres estariam melhor mexendo a sopa do que escrevendo versos. A iniciativa de minha avó no sentido de incorporar artistas femininas ao seu salão foi considerada uma novidade algo licenciosa.

Minha vida mudou na mansão da rua Ejército Libertador. Pela primeira vez desde a morte de meu avô Tao Chi'en experimentei uma sensação de estabilidade, de viver em algo que não se movia e não mudava, uma espécie de fortaleza com raízes bem plantadas em terra firme. Tomei de assalto o edifício inteiro, não deixei espaço nenhum por explorar, nem recanto algum por conquistar, inclusive o teto, onde costumava passar horas observando os pombos, e os quartos de serviço, embora me houvessem dito para não pôr nem os olhos nem os pés neles. A enorme propriedade dava para duas ruas e tinha duas entradas, a principal pela rua Ejército Libertador e a do pessoal de serviço pela rua de trás, contava com dezenas de salas, quartos, jardins, terraços, esconderijos, desvãos, escadarias. Havia um salão vermelho, outro azul e outro dourado, usados somente nas grandes ocasiões, e uma galeria de cristal maravilhosa, onde transcorria a vida familiar, entre vasos de louça chinesa, samambaias e gaiolas de canários. Na sala de jantar principal havia um afresco sobre Pompeia, que ocupava as quatro paredes por inteiro, vários guarda-louças, com suas coleções de porcelanas e pratarias, um *chandelier* com lágrimas de cristal e uma grande janela dando para uma fonte mourisca de mosaico, da qual a água corria eternamente.

Fui muito feliz a partir do momento em que minha avó renunciou à ideia de me mandar para a escola e as aulas da senhorita Pineda se tornaram uma rotina. Cada vez que eu lhe fazia uma pergunta, a magnífica mestra, em vez de responder, mostrava o caminho que eu devia seguir para encontrar a resposta. Ensinou-me, assim, a ordenar o pensamento, investigar, ler e ouvir, buscar alternativas, resolver antigos problemas mediante soluções novas, discutir com lógica. Ensinou-me, sobretudo, a não acreditar cegamente, a duvidar e perguntar, mesmo acerca daquilo que parecesse uma verdade irrefutável, como a superioridade do homem sobre a mulher ou de uma raça ou classe social sobre outra, ideias novas em um país patriarcal onde os índios jamais eram mencionados e onde bastava que alguém descesse um degrau na hierarquia das classes sociais para que seu nome desaparecesse da memória coletiva. Foi a primeira mulher intelectual que cruzou o meu caminho de vida. Nívea, com toda a sua inteligência e educação, não podia competir com minha mestra; ela se distinguia pela intuição e pela enorme generosidade de sua alma, estava meio século à frente de seu tempo, mas nunca fez pose de intelectual, nem mesmo nas famosas tertúlias de minha avó, nas quais se distinguia pelos seus apaixonados discursos sufragistas e suas dúvidas teológicas. Na aparência física ninguém poderia ser mais chilena que a senhorita Pineda; levava dentro de si aquela mistura de espanhol e de índio que produz mulheres de baixa estatura, com ancas largas, olhos e cabelos escuros, pômulos salientes e um modo de caminhar meio pesado, como se estivessem cravadas no chão. Sua mente era fora do comum para a época e as condições em que vivia; tinha saído de uma esforçada família sulista, seu pai era ferroviário e entre oito irmãos ela foi a única a terminar os estudos. Era discípula e amiga de dom Pedro Tey, o proprietário da livraria Siglo de Oro, um catalão de maneiras meio duras, mas de coração mole, que orientava suas leituras e lhe emprestava ou lhe dava livros de presente, já que ela não podia comprá-los. Em qualquer troca de opiniões, por mais banal que fosse, Tey não deixava de contradizer. Certa vez ouvi-o assegurar, por exemplo, que os sul-americanos são uns macacos com tendência aos excessos, à folia e à preguiça; mas bastou que a senhorita Pineda concordasse, para que ele mudasse imediatamente de lado e acrescentasse que, apesar disso tudo, pelo menos são melhores que seus compatriotas, que andam sempre agastados e pela menor das bobagens resolvem bater-se em duelo. Embora fosse impossível que os dois estivessem de acordo acerca de alguma coisa, eles se davam muito bem. Dom Pedro Tey devia ser pelo menos vinte anos mais velho do que minha mestra, mas quando começavam a falar a diferença de idade se esfumava: ele rejuvenescia de entusiasmo e ela crescia em inteligência e maturidade.

Em dez anos, Severo e Nívea del Valle tiveram seis filhos e continuaram a procriar até chegar aos quinze. Conheço Nívea desde os seus vinte e poucos anos e jamais a vi sem um bebê nos braços; sua fertilidade seria uma maldição se o casal não gostasse de crianças. "O que eu daria para que você educasse meus filhos!", suspirava Nívea quando se encontrava com a senhorita Matilde Pineda. "São muitos, senhora Nívea, e Aurora já me traz inteiramente ocupada", minha mestra replicava. Severo tinha se transformado em um advogado de renome, em um dos pilares mais jovens da sociedade e membro destacado do Partido Liberal. Não estava de acordo com muitos pontos da política do Presidente, também liberal, e, como era incapaz de dissimular suas críticas, nunca o chamaram para fazer parte do governo. Suas opiniões o levaram, pouco depois, a formar um grupo dissidente, que passou para a oposição quando explodiu a Guerra Civil, do mesmo modo que o fariam Matilde Pineda e seu amigo da livraria Siglo de Oro. Meu tio Severo me distinguia entre as dúzias de sobrinhos que o rodeavam, me chamava de sua "afilhada" e contou que me dera o nome de família Del Valle, mas, cada vez que eu lhe perguntava se conhecia a identidade de meu verdadeiro pai, respondia-me com evasivas: "Façamos de conta que sou eu", dizia. À minha avó o assunto dava enxaqueca; e, se eu assediava Nívea, ela me mandava falar com Severo. Era um círculo que jamais se abria.

— Vovó, não posso viver cercada de tantos mistérios — disse um dia a Paulina del Valle.

— Por que não? As pessoas que tiveram uma infância fodida costumam ser as mais criativas — ela replicou.

— Ou então terminam por enlouquecer... — sugeri.

— Entre os Del Valle não há loucos que necessitem ser acorrentados, Aurora, existem apenas excêntricos, como acontece em qualquer família que se respeite — vovó me garantiu.

A senhorita Matilde Pineda jurou que desconhecia minhas origens e acrescentou que eu não tinha por que me preocupar, pois nesta vida não importa saber de onde se vem, mas saber para onde se vai; no entanto, quando me ensinou a teoria genética de Mendel, teve de admitir que existem boas razões para que procuremos saber quem são os nossos antepassados. E se meu pai fosse um demente, um daqueles que andavam soltos degolando donzelas?

A REVOLUÇÃO COMEÇOU no mesmo dia em que entrei na puberdade. Acordei com a camisola de dormir manchada por alguma coisa parecida com chocolate, fui me esconder no banheiro, envergonhada; antes mesmo de me lavar descobri que, ao contrário do que pensava, aquilo não era cocô: havia sangue entre as minhas pernas. Corri aterrorizada para comunicar o fato à minha avó e pela primeira vez não a encontrei na sua grande cama imperial, o que era inusitado no caso de alguém que nunca se levantava antes do meio-dia. Corri pelas escadas abaixo, seguida por *Caramelo* e seus latidos, irrompi como um cavalo assustado no escritório e topei de frente com Severo e Paulina del Valle, ele vestido para viajar e ela com um roupão de cetim roxo, que lhe dava uma aparência de bispo na Semana Santa.

— Vou morrer! — gritei, lançando-me em cima dela.

— Este não é o momento apropriado — minha avó replicou secamente.

Fazia anos que as pessoas se queixavam do governo, e durante meses tínhamos ouvido dizer que o presidente Balmaceda tentava converter-se em ditador, acabando assim com cinquenta e sete anos de respeito à constituição. Aquela constituição, redigida pela aristocracia com a ideia de governar para sempre, outorgava faculdades amplíssimas ao executivo; quando o poder caiu nas mãos de alguém com ideias contrárias, a classe alta rebelou-se. Balmaceda, homem brilhante e de ideias modernas, na verdade não vinha se saindo mal. Tinha dado impulso à educação mais do que qualquer outro governante anterior, defendido o salitre chileno das companhias estrangeiras, criado hospitais e realizado numerosas obras públicas, sobretudo ferrovias, embora começasse mais do que terminasse; o Chile tinha poderio militar e naval, era um país próspero e sua moeda a mais sólida da América Latina. Contudo, a aristocracia não lhe perdoava o fato de ter melhorado a situação da classe média e tentado governar com ela; por sua vez, o clero não podia tolerar que Estado e Igreja fossem separados, que o casamento civil substituísse o religioso, nem tampouco a lei pela qual se permitia que nos cemitérios os mortos fossem sepultados sem distinção de credo. Antes dela, era uma complicação enterrar aqueles que em vida não tinham sido católicos, que fossem ateus ou suicidas; frequentemente os corpos dessas pessoas iam parar nos despenhadeiros ou então no mar. Por causa das medidas em questão, as mulheres abandonaram em massa o Presidente. Embora não tivessem poder político, reinavam em seus lares e exerciam uma tremenda influência. A classe média, que Balmaceda havia apoiado, também lhe deu as costas, e ele respondeu com soberba, pois estava habituado a mandar e ser obedecido, como todo fazendeiro daquela época. Sua família possuía imensas extensões de terra, uma província com sua administração, ferrovias, povoações e milhares de camponeses; os homens de seu clã não tinham fama de ser bondosos como patrões, mas rudes tiranos que dormiam com a arma embaixo do travesseiro e esperavam respeito cego de seus subordinados. Talvez por isso ele tivesse a pretensão de manipular o país como se fosse o seu próprio feudo. Era um homem alto, aprumado, viril, de testa ampla e porte aristocrático, filho de amores novelescos, criado em lombo de cavalo, com o chicote em uma das mãos e a pistola na outra. Fora seminarista, mas não levava jeito de vestir uma sotaina; era apaixonado e vaidoso. Chamavam-no *el Chascón*, o desgrenhado, pela sua tendência em mudar com frequência o penteado, a forma do bigode e o arranjo das costeletas; suas roupas demasiado elegantes, confeccionadas em Londres, eram motivo de comentários. Ridicularizavam sua oratória grandiloquente e suas declarações de zeloso amor pelo Chile, diziam que se identificava tanto com a pátria, que não podia concebê-la sem ele próprio no comando; "minha e de mais ninguém!", essa era uma das frases que lhe atribuíam. Os anos de governo aos poucos o isolaram, e no final ele seguia uma conduta errática, que ia da extravagância à depressão; mas mesmo entre os seus piores adversários ainda mantinha a fama de bom estadista, de ser rigorosamente honesto, como aliás quase todos os presidentes do Chile, que, ao contrário dos caudilhos de outros países da América Latina, saíam do governo mais pobres do que haviam entrado. Tinha visão de futuro, sonhava criar uma grande nação, porém lhe coube viver o final de uma época e o desgaste de um partido que tinha permanecido tempo demais no poder. O país e o mundo estavam mudando, mas o Partido Liberal havia se corrompido. Cada presidente designava seu sucessor, e as autoridades civis e militares fraudavam as eleições; graças à força tão apropriadamente chamada de bruta, o partido governista sempre ganhava; os ausentes e até mesmo os mortos votavam em favor do candidato oficial, compravam-se votos, e os que estavam em dúvida eram intimidados a cacete. O Presidente enfrentava a implacável oposição dos conservadores, de alguns grupos de liberais dissidentes, da totalidade do clero e da maior parte da imprensa. Pela primeira vez os extremos do espectro político se juntavam com um mesmo objetivo: derrubar o governo. Manifestantes de oposição reuniam-se diariamente na Plaza de Armas, a polícia os dispersava com violência, e na última viagem do Presidente pelas províncias os soldados tiveram de defendê-lo a golpes de sabre das multidões enfurecidas, que o apupavam e o alvejavam com verduras. Ele, no entanto, mantinha-se imperturbável diante daquelas manifestações de descontentamento, como se não percebesse que a nação ia aos poucos mergulhando no caos.

Segundo Severo del Valle e a senhorita Matilde Pineda, cerca de oitenta por cento das pessoas detestavam o governo, e dessa maneira o mais decente seria que Balmaceda renunciasse, pois o clima de tensão havia se tornado insuportável e a qualquer momento explodiria como um vulcão. E foi isso que aconteceu naquela manhã de janeiro de 1891, quando a marinha se sublevou e o Congresso destituiu o Presidente.

— Vai desencadear-se uma terrível repressão, tia. — Ouvi Severo del Valle dizer. — Quanto a mim, vou para o norte a fim de lutar. Peço-lhe que cuide de Nívea e dos meninos, pois eu mesmo não poderei fazê-lo, sabe Deus por quanto tempo...

— Você já perdeu uma perna na guerra, Severo, se perder a outra ficará parecendo um anão...

— Não tenho alternativa, em Santiago me matariam da mesma maneira.

— Não seja melodramático, não estamos na ópera!

Mas o fato era que Severo del Valle estava mais bem informado que sua tia, como se comprovou alguns dias mais tarde, quando o terror foi desencadeado. A reação do Presidente foi dissolver o Congresso, nomear a si mesmo ditador e designar um tal de Joaquín Godoy para organizar a repressão, um sádico para quem "os ricos devem pagar por serem ricos, os pobres por serem pobres, e os padres devem ser todos fuzilados!". O exército manteve-se fiel ao governo, e aquilo que havia começado como uma revolta política transformou-se em uma espantosa guerra civil, a partir do momento em que se enfrentaram os dois ramos das forças armadas. Godoy, com o decidido apoio dos chefes do exército, tratou de levar para a cadeia todos os congressistas de oposição que pôde agarrar. Pôs-se fim às garantias dos cidadãos, começaram as invasões residenciais e a tortura sistemática, enquanto o Presidente se fechava em seu palácio, nauseado com tais métodos, porém convencido de que não havia outra maneira de dobrar seus inimigos políticos. "Não gostaria de ter conhecimento dessas medidas," ouviram-no dizer mais de uma vez. Na rua da livraria Siglo de Oro não se podia dormir à noite nem andar de dia, por causa dos gritos dos torturados. Nada a esse respeito era mencionado diante das crianças, é claro, mas eu ia sabendo de tudo e passava horas escutando as conversas dos adultos, pois durante todos aqueles meses praticamente não tive nada para fazer. Enquanto lá fora a guerra fervia, dentro de casa era como se estivéssemos enclausurados em um convento de luxo. Minha avó Paulina trouxe Nívea e seu batalhão de crianças, criadas e amas de leite, e em seguida fechou a casa a prego, certa de que ninguém se atreveria a atacar uma dama de sua posição social, casada com um cidadão britânico. Por via das dúvidas, Frederick Williams hasteou uma bandeira inglesa no teto e manteve suas armas lubrificadas.

Severo del Valle partiu na hora certa, quando se propôs a ir lutar no norte, pois no dia seguinte invadiram sua casa, e se ele ainda estivesse lá teria ido parar nos calabouços da polícia política, onde ricos e pobres eram igualmente torturados. Como Severo del Valle, Nívea tinha sido partidária do regime liberal, porém se transformou em uma acérrima oposicionista quando o Presidente quis impor o nome de seu sucessor mediante fraudes, tratando em seguida de esmagar o Congresso. Nos meses da Revolução, enquanto gestava um par de gêmeos e criava seis crianças, teve tempo e ânimo para participar da oposição, em uma tal medida, que, se a houvessem apanhado, teria perdido a vida. Atuava pelas costas de minha avó, cujas ordens eram no sentido de que nos mantivéssemos invisíveis, para não chamar a atenção das autoridades, porém com o pleno conhecimento de Williams. A senhorita Matilde Pineda achava-se exatamente do lado oposto de Frederick Williams, tão socialista era ela quanto monárquico era ele, mas o ódio ao governo os unia.

Em um dos quartos dos fundos, onde minha avó jamais entrava, instalaram uma pequena impressora, com a ajuda de dom Pedro Tey, e ali produziam libelos e panfletos revolucionários, que em seguida a senhorita Matilde Pineda ocultava embaixo do manto e saía a distribuir de casa em casa. Fizeram-me jurar que não diria uma palavra a ninguém sobre o que acontecia naquele quarto, o que nem era necessário, porque o segredo me parecia um jogo fascinante, embora não fosse capaz de adivinhar o perigo que espreitava nossa família. Só no final da Guerra Civil compreendi que aquele perigo era real, pois, apesar da posição de Paulina del Valle, ninguém estava a salvo do longo braço da polícia política. A casa de minha avó não era o santuário que imaginávamos, o fato de ser uma viúva rica, bem-relacionada e com um nome importante não a teria isentado de uma invasão e talvez de uma temporada no cárcere. Fomos favorecidos pela confusão daqueles meses e pelo fato de que a maioria da população tinha se voltado contra o governo, sendo impossível controlar tanta gente. Mesmo dentro da polícia havia partidários da Revolução que ajudavam a escapar aqueles a quem deviam prender. Em todas as casas onde batia, a fim de entregar seus libelos, a senhorita Pineda era recebida de braços abertos.

Assim, pela única vez, Severo e seus parentes estavam do mesmo lado, porque no conflito os conservadores uniram-se com uma parte dos liberais. O resto da família Del Valle encerrou-se em seus feudos, o mais longe possível de Santiago, e os homens jovens foram lutar no norte, onde se reuniu um contingente de voluntários, que recebiam o apoio dos marinheiros sublevados. Fiel ao governo, o exército fez planos para derrotar em questão de dias aquela horda de civis rebelados, mas não foi capaz de imaginar a resistência que encontraria pela frente. A esquadra e os revolucionários dirigiram-se para o norte a fim de apoderar-se das minas de salitre, que eram a maior fonte de renda do país e perto das quais se acantonavam os regimentos do exército regular. No primeiro confronto sério as tropas do governo venceram e depois da batalha executaram feridos e prisioneiros, tal como se tinha feito muitas vezes durante a Guerra do Pacífico, dez anos antes. A brutalidade daquela matança deixou os revolucionários terrivelmente indignados, de modo que, quando voltaram a enfrentar o exército, alcançaram uma vitória esmagadora. Então chegou a sua vez de massacrar os vencidos. Em meados de março, os congressistas, como eram chamados os revolucionários, controlavam cinco províncias do norte e haviam formado uma Junta de Governo, enquanto no sul o presidente Balmaceda perdia adeptos a cada minuto. O que restou das tropas leais do norte teve de transferir-se para o sul, a fim de juntar-se ao grosso do exército; quinze mil homens cruzaram a pé a cordilheira, penetraram na Bolívia, passaram pela Argentina, cruzaram novamente as montanhas e assim chegaram a Santiago. Mortos de fadiga, chegaram à capital com os rostos barbados e as roupas esfarrapadas; tinham caminhado milhares de quilômetros através de um território inclemente, composto de vales profundos e montes altíssimos, enfrentando calores infernais e gelos eternos, arrebanhando pelo caminho lhamas e vicunhas do altiplano, colhendo abóboras e caçando tatus nos pampas, abatendo aves nos lugares mais altos. Foram recebidos como heróis. Um feito como aquele não se repetia desde os tempos dos ferozes conquistadores espanhóis, mas nem todos participaram da recepção, pois a oposição tinha aumentado como uma avalancha impossível de ser contida. Nossa casa permaneceu com as janelas fechadas, e as ordens de minha avó foram para que ninguém botasse o nariz na rua, mas eu não resisti à curiosidade e subi ao telhado para ver o desfile.

As detenções, os saques, as torturas e as requisições inquietavam os oposicionistas, não havia família que não se dividisse, ninguém estava livre do medo. As tropas faziam operações de surpresa para recrutar jovens, apareciam de repente em funerais, casamentos, campos e fábricas a fim de deter os homens em idade de usar armas e levá-los à força. Por falta de mão de obra a agricultura e a indústria se viram paralisadas. A prepotência dos militares tornou-se insuportável, e o Presidente compreendeu que era necessário puxar-lhes o freio, mas quando finalmente quis fazê-lo já era tarde, os soldados estavam explodindo de arrogância, e começava a espalhar-se o medo de que o depusessem e instaurassem uma ditadura militar, mil vezes mais temível do que a repressão imposta pela polícia política de Godoy. "Nada é mais perigoso do que o poder com impunidade", Nívea nos advertia. Perguntei à senhorita Matilde Pineda qual era a diferença entre os do governo e os revolucionários, e a resposta foi que ambos lutavam pela legitimidade. Quando fiz a pergunta à minha avó ela respondeu que não havia diferença nenhuma, todos eram uns canalhas.

O TERROR BATEU à nossa porta quando os esbirros prenderam dom Pedro Tey e o conduziram aos horrendos calabouços de Godoy. Suspeitavam, e com razão, que era ele o responsável pelos libelos políticos contra o governo, encontrados por toda parte. Certa noite de junho, uma dessas noites de chuva aborrecida e ventania traiçoeira, quando jantávamos no refeitório comum, a porta abriu-se de repente e a senhorita Matilde Pineda irrompeu na sala sem anunciar-se, atordoada, o rosto lívido, o manto empapado.

— Que está acontecendo? — perguntou minha avó, ofendida pela descortesia da professora.

A senhorita Pineda contou-nos de uma enfiada que os rufiões de Godoy tinham invadido a livraria Siglo de Oro, espancado os que ali se encontravam e levado em seguida dom Pedro Tey em um coche fechado. Minha avó ficou com o garfo no ar, esperando algo mais que justificasse o escandaloso aparecimento da mulher; mal conhecia o senhor Tey e não entendia por que a notícia era dada com tanta urgência. Não tinha ideia de que o livreiro vinha quase todos os dias àquela casa, entrava pela porta de serviço e produzia seus panfletos revolucionários em uma tipografia revolucionária escondida embaixo de seu próprio teto. Mas Nívea, Williams e a senhorita Pineda podiam adivinhar as consequências, caso o infortunado Tey fosse obrigado a confessar, e sabiam que mais cedo ou mais tarde teria de abrir a boca, pois os métodos de Godoy não davam lugar a dúvidas. Vi que os três trocavam olhares de desespero e, embora não compreendesse o alcance do que estava ocorrendo, imaginei o motivo de tudo.

— É por causa da máquina que temos no quarto de trás? — perguntei.

— Que máquina?! — exclamou minha avó.

— Máquina nenhuma — repliquei, lembrando-me do pacto secreto, mas Paulina del Valle não me deixou continuar agarrando-me pela orelha e me sacudindo com uma raiva, em seu caso, inusitada.

— Que máquina, estou perguntando, fedelha do diabo! — gritou-me.

— Deixe a garota, Paulina — disse Frederick Williams. — Ela não tem nada a ver com isso. Trata-se de uma impressora...

— Uma tipografia? Aqui, nesta casa? — berrou minha avó.

— Temo que sim, tia — murmurou Nívea.

— Com todos os diabos! E agora, que vamos fazer? — A matriarca deixou-se cair em sua cadeira, com a cabeça entre as mãos, murmurando que fora traída pela sua própria família, que íamos pagar o preço de tamanha imprudência, que éramos uns imbecis, que havia acolhido Nívea de braços abertos e vissem como ela pagava, que se Frederick imaginava estar na Inglaterra ou na Califórnia era melhor saber que aquilo podia custar-lhe o couro, quando iria entender como eram as coisas no Chile, que não queria ver a senhorita Pineda nunca mais nesta vida, a partir daquele momento estava proibida de pisar naquela casa ou de dirigir a palavra à sua neta.

Frederick Williams pediu o coche e anunciou que ia sair a fim de "solucionar o problema," o que, longe de tranquilizar minha avó, só fez aumentar o seu espanto. A senhorita Matilde Pineda me fez um gesto de despedida e só voltei a vê-la muitos anos mais tarde. Williams foi diretamente à embaixada norte-americana e pediu para falar com *mister* Patrick Egon, seu amigo e companheiro de *bridge*, que naquela hora encabeçava um banquete oficial com outros membros do corpo diplomático. Egon apoiava o governo, mas também era profundamente democrático, como quase todos os ianques, e detestava os métodos de Godoy. Ouviu à parte o que Frederick Williams tinha para contar-lhe e se pôs imediatamente em ação, indo ao encontro do ministro do Interior, que o recebeu naquela mesma noite, mas explicou que não estava em condições de interceder pelo preso. Contudo, nas primeiras horas do dia seguinte Egon conseguiu uma entrevista com o Presidente. Aquela foi a noite mais longa que já se vivera na casa de minha avó. Ninguém se deitou. Passei a noite agarrada a *Caramelo* em uma das poltronas do *hall*, enquanto empregadas e criados transitavam com maletas e baús, as amas-secas e as amas de leite com as crianças de Nívea adormecidas em seus braços, as cozinheiras com cestas de vitualhas. E até duas gaiolas com os pássaros favoritos de minha avó foram levadas para um dos coches.

Williams e o jardineiro, homem de sua confiança, desarmaram a impressora e enterraram suas peças no fundo do terceiro pátio e em seguida queimaram todos os papéis comprometedores. Ao amanhecer as duas carruagens da família estavam prontas para nos tirar de Santiago, protegidas por quatro servidores montados e armados. Todas as outras pessoas do serviço tinham ido refugiar-se na igreja mais próxima, onde outros coches as recolheriam mais tarde. Frederick Williams não quis nos acompanhar.

— Sou o responsável pelo que aconteceu e ficarei para proteger a casa — disse.

— Sua vida é muito mais valiosa do que esta casa e tudo o mais que possuo, por favor, venha conosco — implorou Paulina del Valle.

— Não se atreverão a tocar em mim, sou cidadão britânico.

— Não seja ingênuo, Frederick. Acredite em mim, ninguém está a salvo hoje em dia.

Mas não houve maneira de convencê-lo. Deu-me dois beijos nas faces, apertou longamente as mãos de minha avó e se despediu de Nívea, que respirava como um peixe fora d'água, não sei se por causa do medo ou da gravidez. Partimos quando um sol tímido mal começava a iluminar os picos nevados da cordilheira, a chuva tinha cessado e o céu se anunciava claro, embora soprasse um vento frio, que entrava pelas frinchas do coche. Minha avó me levava bem aconchegada em seu colo, envolvida em sua capa de pele de raposa, a mesma cujas caudas tinham sido devoradas por *Caramelo* em um dos seus acessos de luxúria. Viajava com os lábios apertados de raiva e de susto, mas nem por isso havia esquecido as cestas com a merenda e, assim que saímos de Santiago, a caminho do sul, abriu-as para dar início à comilança de frangos assados, ovos duros, pastéis folheados, queijos, pães, vinho e refrescos, banquete esse que iria durar o resto da viagem.

Os tios Del Valle, que haviam se refugiado no campo em janeiro, quando começara a sublevação, receberam-nos encantados, pois afinal íamos interromper sete meses de tédio irremediável, além de levarmos notícias. As notícias eram péssimas, mas o pior era não tê-las. Reencontrei meus primos, e aqueles dias, que foram de tanta tensão para os adultos, foram de férias para os meninos; fartamo-nos de leite ordenhado na hora, de queijo fresco e de conservas guardadas desde o verão, montávamos a cavalo, chapinhávamos no chão embaixo da chuva, brincávamos nos estábulos e mansardas, fazíamos representações teatrais e formamos um coro deprimente, porque nenhum de nós tinha vocação para a música. Alcançava-se a casa por um caminho cheio de curvas, ladeado por grandes álamos, atravessando um vale agreste, no qual o arado deixara poucas marcas e os criatórios de potros pareciam abandonados; de vez em quando víamos fileiras de arbustos secos e maltratados, e, segundo minha avó, tratava-se de vinhedos. Quando algum camponês cruzava por nós no caminho, tirava o chapéu de palha, baixava os olhos e nos saudava como patrões, dizendo "vossa mercê". Minha avó chegou cansada e de mau humor, mas poucos dias depois abriu seu guarda-chuva e, na companhia de *Caramelo*, percorreu os arredores com grande curiosidade. Vi como vovó Paulina observava os troncos e galhos retorcidos das parreiras e como recolhia amostras de terra, que ia guardando em misteriosas bolsinhas. A casa, em forma de U, era de tijolos e telhas cozidas, de aspecto pesado e sólido, sem a menor elegância, mas com aquele encanto de paredes que testemunharam muita história. No verão era um paraíso de árvores carregadas de frutos doces, fragrância de flores, trinar de pássaros agitados e rumor de abelhas diligentes, mas no inverno parecia uma velha dama que resmungava sob o chuvisco gelado e o céu sempre encoberto. O dia começava muito cedo e terminava com o pôr do sol, hora em que nos recolhíamos aos imensos aposentos, mal iluminados com velas e lamparinas a querosene. Fazia frio, mas nos sentávamos em torno de mesas cobertas com um pano grosso, embaixo das quais dispunham fogareiros cheios de brasas, e assim nossos pés se aqueciam; tomávamos vinho tinto fervido com açúcar, casca de laranja e canela, único meio de conseguirmos bebê-lo. Os tios Del Valle produziam aquele vinho rústico para o consumo da família, mas minha avó garantia que a bebida não fora feita para goelas humanas, e sim para ser usado como solvente em pinturas a óleo. Todo proprietário que se prezasse cultivava parreiras e fazia seu próprio vinho, alguns melhores, outros piores, mas aquele era particularmente áspero. Nos madeirames do teto as aranhas teciam suas finas peças de bordado, e por eles os ratos corriam com o coração leve, pois os gatos da casa não conseguiam subir em lugares tão altos. As paredes, branqueadas a cal ou pintadas de azul anilado, pareciam nuas, mas na verdade estavam cobertas de estatuetas de santos e imagens do Cristo crucificado. Na entrada erguia-se uma grande figura com cabeça, mãos e pés de madeira, cabelos humanos e olhos de vidro azul, uma representação de Nossa Senhora, que estava sempre coberta de flores e guardada por uma vela acesa, protegida do vento, diante da qual todos se persignavam ao passar, de modo que não se entrava nem se saía sem fazer uma saudação à Virgem. Uma vez por semana sua roupa era trocada, havia um armário cheio de vestidos renascentistas, e, quando tinha de sair em procissão, adornavam-na com joias e cobriam-na com uma capa de arminho esgarçada pelos anos. Comíamos quatro vezes por dia em prolongadas cerimônias que eram concluídas quase na hora de começar a seguinte, de tal modo que minha avó só se levantava da mesa para dormir e para ir à capela. Às sete da manhã assistíamos à missa e recebíamos a comunhão das mãos do padre Teodoro Riesco, que vivia com meus tios, um sacerdote já bastante idoso, que possuía a virtude da tolerância; no seu entender não havia pecado imperdoável, excetuando-se a traição de Judas; até o horrível Godoy, segundo ele, poderia encontrar consolo no seio do Senhor. "Essa não, padre; olhe, se houver perdão para Godoy eu prefiro ir para o inferno com Judas e todos os meus filhos", Nívea retrucou. Depois do anoitecer, a família, os meninos, os empregados e os rendeiros da propriedade reuniam-se para rezar. Cada um tomava uma vela acesa, e todos marchávamos enfileirados para a capela rústica, na extremidade sul da casa. Tomei gosto por aqueles ritos cotidianos, marcados pelo calendário, pelas estações e pelas vidas, gastava tempo arrumando as flores do altar e limpando os vasos de ouro. As palavras sagradas, ali inscritas, eram poesia:

No me mueve mi Dios para quererte
el cielo que me tienes prometido,
ni me mueve el infierno tan temido
para dejar por eso de ofenderte.

Tú me mueves, Señor; muéveme el verte
clavado en una Cruz y escarnecido;
muéveme el ver tu cuerpo tan herido;
muévenme tus afrentas y tu muerte.

Muéveme en fin tu amor, de tal manera,
que aunque no hubiera cielo, yo te amara
y aunque no hubiera infierno, te temiera.
No me tienes que dar porque te quiera,
porque, aunque lo que espero no esperara,
*lo mismo que te quiero, te quisiera.**

Creio que algo mais se abrandou no duro coração de minha avó, porque a partir daquela temporada no campo ela se aproximou aos poucos da religião, começou a ir à igreja por convicção e não apenas para ser vista, deixou de maldizer o clero por simples hábito, como fazia antes, e quando voltamos a Santiago mandou construir uma bonita capela com vitrais coloridos na casa da rua Ejército Libertador, onde rezava à sua maneira. O catolicismo era-lhe incômodo, e por isso ela tratou de ajustá-lo à sua medida. Após a oração

* Não me motiva, meu Deus, para querer-te / o céu que me houveste prometido, / nem me motiva o inferno tão temido / para deixar, por isso, de ofender-te. // Me motivas, Senhor; me motiva ver-te / pregado numa Cruz e escarnecido; / me motiva ver teu corpo tão ferido; / me motiva ver-te só e tão inerte. // Me motiva, por fim, teu amor eterno, / assim se não houvesse céu inda te amara / e te temera ainda não tendo inferno. // Por teu amor minha alma nada espera, / pois embora o que espero não esperara, / igual tanto que te quero te quisera. *Soneto espanhol do século XVI, atribuído a vários autores, entre os quais o poeta místico São João da Cruz.* [N.T.]

da noite, voltávamos com nossas velas para o grande salão a fim de tomar café com leite, enquanto as mulheres teciam e bordavam, e nós, crianças, escutávamos aterrorizadas as histórias de fantasmas que os nossos tios contavam. Nada nos causava espanto maior do que o *imbunche*, uma criatura maléfica da mitologia indígena. Diziam que os índios roubavam recém-nascidos para transformá-los em *imbunches*, costuravam-lhes as pálpebras e o ânus, criavam-nos em cavernas, alimentavam-nos com sangue, quebravam-lhes as pernas, torciam-lhes a cabeça para trás e escondiam um dos braços embaixo da pele das costas, e assim eles adquiriam todo tipo de poderes sobrenaturais. Por medo de que acabassem se transformando em alimento de algum *imbunche*, as crianças não botavam o nariz fora de casa após o anoitecer, e algumas, como eu, dormiam com a cabeça embaixo dos cobertores, atormentadas por arrepiantes pesadelos. "Como você é supersticiosa, Aurora! O *imbunche* não existe. Acredita que uma criança possa sobreviver a semelhantes torturas?", minha avó tentava levar-me a raciocinar, mas não havia argumento capaz de fazer com que meus dentes parassem de tremer.

Como passava a vida inteira grávida, Nívea pouco se preocupava em fazer contas e calculava a proximidade do parto pelo número de vezes que sentia necessidade de usar o urinol. Quando teve de se levantar treze vezes durante duas noites seguidas, anunciou, ao tomar o café da manhã, que já era hora de chamar um médico, e, realmente, naquele mesmo dia começaram as contrações. Não havendo médico por aquelas bandas, alguém sugeriu que se mandasse buscar a parteira da aldeia mais próxima, que era uma pitoresca *meica*, uma índia mapuche de idade indefinida, com a mesma cor parda de alto a baixo: pele, tranças e até as roupas tingidas com pigmentos vegetais. Chegou a cavalo, com uma bolsa cheia de plantas, azeites e xaropes medicinais, a cabeça coberta com um manto preso à altura do peito por um enorme prendedor de prata confeccionado com antigas moedas do período colonial. Minhas tias se espantaram, porque a *meica* parecia recém-saída do mais denso da Araucania, mas Nívea a recebeu sem dar mostras de desconfiança; o transe não a assustava, já havia passado por ele seis vezes antes. A índia falava pouquíssimo castelhano, mas parecia conhecer o ofício, e assim que se desfez do manto pudemos ver que estava limpa. Conforme a tradição, não entravam no quarto da parturiente aquelas que ainda não houvessem concebido, e, sendo assim, as jovens, juntamente com as crianças, foram para o outro extremo da casa, e os homens juntaram-se na sala dos bilhares, a fim de jogar, beber e fumar. Nívea foi levada para o quarto principal, acompanhada pela índia e algumas mulheres mais idosas da família, que se revezavam para rezar e ajudar. Mandaram cozinhar galinhas pretas, a fim de preparar um caldo substancioso capaz de fortalecer a mãe antes e depois do parto, e também ferveram borragem a fim de fazer infusões para serem aplicadas caso a parturiente viesse a sofrer de convulsões ou seu coração se mostrasse fraco. A curiosidade pôde mais do que a ameaça de minha avó de dar-me uma surra se me surpreendesse rondando o quarto de Nívea, e então consegui entrar em um aposento vizinho, de onde podia escutar e ver alguma coisa. Vi empregadas passando com lençóis brancos, bacias de água quente e óleo de macela para massagear o ventre, além de mantas e carvões para os fogareiros, pois nada se temia mais do que o *gelo na barriga*, ou seja, o resfriamento durante o parto. Ouvia-se o rumor contínuo de conversas e risadas; não me parecia que do outro lado da porta houvesse um ambiente de angústia ou sofrimento, muito pelo contrário, os sons que eu ouvia eram de mulheres em festa. Como eu não via nada de meu esconderijo e o hálito espectral dos corredores escuros me eriçava os pelos da nuca, logo me aborreci e saí para brincar com meus primos, mas, ao anoitecer, quando a família voltou a reunir-se na capela, novamente me aproximei do aposento de Nívea. Naquele momento não havia conversas, e o que eu podia ouvir com nitidez eram os esforçados gemidos de Nívea, o murmúrio de orações e o ruído da chuva caindo no telhado. Permaneci encolhida em um desvão do corredor, tremendo de medo, pois estava certa de que os índios podiam chegar de repente e roubar o bebê de Nívea... e se a *meica* fosse uma daquelas bruxas que fabricavam *imbunches* com recém-nascidos? Como podia Nívea não ter pensado nessa pavorosa possibilidade? Eu estava a ponto de pôr-me a correr de volta à capela, onde havia luz e gente, mas naquele momento uma das mulheres saiu a fim de buscar alguma coisa, deixou a porta entreaberta e eu pude vislumbrar o que acontecia no aposento. Ninguém me viu, porque o corredor estava completamente às escuras, mas lá dentro reinava a claridade de duas lamparinas de sebo e velas distribuídas por todos os lados. Três fogareiros acesos nos cantos mantinham o ar muito mais quente do que no resto da casa, e uma onda que se propagava do vaso em que ferviam folhas de eucalipto impregnava o ambiente de um fresco aroma de bosque. Nívea, vestida com uma camisola curta, um jaleco e grossas meias de lã, estava de cócoras sobre um lençol, agarrada com ambas as mãos a duas cordas que pendiam das vigas do teto, e era abraçada por trás pela *meica*, que murmurava palavras em uma língua desconhecida. O grande ventre da mãe, abaulado e marcado de veias azuis, parecia, à luz palpitante das velas, algo monstruoso, alheio ao resto do corpo, que nem mesmo humano parecia. Nívea lutava, empapada de suor, o cabelo colado no rosto, os olhos fechados, circulados de roxo, os lábios inchados. Uma das minhas tias rezava de joelhos ao lado de uma pequena mesa, onde havia posto uma estatueta de São Ramón Nonato, padroeiro das parturientes, único santo que não nasceu pela via normal, pois teve de ser retirado por um talho feito na barriga da mãe; outra estava perto da índia, com uma bacia de água quente e uma pilha de panos limpos. Houve uma breve pausa, durante a qual Nívea respirou fundo e a *meica* se pôs diante dela, a fim de massagear-lhe o ventre com suas pesadas mãos, como se acomodasse a criança lá dentro. De repente, um jorro de líquido sanguinolento empapou a manta. A *meica* o deteve com um pano, que também ficou imediatamente ensopado, e depois outro e mais outro. "Graças, graças, graças", ouvi a índia dizer em espanhol. Nívea apegou-se ainda mais às cordas e empurrou com tanta força, que os tendões do pescoço e as veias da fronte pareciam a ponto de estourar. Um surdo bramido saiu de seus lábios, e então algo assomou entre suas pernas, algo que a *meica* acolheu suavemente e sustentou por um instante, até que Nívea recobrou o fôlego, forçou novamente e o menino acabou de sair. Achei que ia desmaiar de terror e de asco, e então me afastei, cambaleando, pelo comprido e sinistro corredor.

Uma hora mais tarde, enquanto as criadas recolhiam os panos sujos e tudo o mais que fora usado no parto a fim de ser levado ao fogo — assim, acreditavam então, evitavam-se as hemorragias — e a *meica* envolvia a placenta e o cordão umbilical para serem enterrados embaixo de uma figueira, como era costume por aquelas bandas, o resto da família reunia-se na sala em torno do padre Teodoro Riesco a fim de dar graças a Deus pelo nascimento de um par de gêmeos, dois varões que levariam com honra o nome Del Valle, como disse o sacerdote. Duas das tias sustinham os recém-nascidos nos braços, bem agasalhados em mantilhas de lã, com gorrinhos na cabeça, enquanto os membros da família, um depois do outro, aproximavam-se para beijá-los na testa, dizendo "Deus te proteja", a fim de evitar algum involuntário mau-olhado. Não pude, como os demais, dar as boas-vindas aos meus novos primos, pois me pareciam uns vermes feíssimos, e a lembrança do ventre azulado de Nívea, expulsando-os como uma massa de carne ensanguentada, iria penalizar-me para sempre.

Na segunda semana de agosto chegou, para levar-nos de volta, Frederick Williams, elegantíssimo como sempre e também muito tranquilo, como se o risco de cair nas mãos da polícia política não tivesse passado de uma alucinação coletiva. Minha avó recebeu o marido como uma noiva, os olhos brilhantes e as faces vermelhas de emoção, estendeu-lhe as mãos, ele as beijou com algo mais do que respeito; percebi, pela primeira vez, que aquele estranho casal estava unido por laços muito parecidos com a ternura. Naquela ocasião ela andava ao redor dos sessenta e cinco anos, idade em que as outras mulheres eram derrotadas por lutos sobrepostos e pelas desventuras da existência, mas Paulina del Valle parecia invencível. Prendia o cabelo, coqueteria que nenhuma senhora de seu meio se permitia; apesar de sua gordura, vestia-se com a mesma vaidade de sempre e maquiava-se com tanta delicadeza, que ninguém seria capaz de suspeitar do ruge em suas faces ou do rímel nos seus cílios. Frederick Williams era visivelmente mais jovem, e, ao que parece, as mulheres o achavam muito atraente, pois sempre meneavam leques e deixavam cair lencinhos em sua presença. Nunca o vi retribuir essas amabilidades, mas em compensação sempre me pareceu absolutamente dedicado à sua mulher. Muitas vezes me perguntei se a relação de Frederick Williams e Paulina del Valle foi apenas um arranjo de conveniência, se foi tão platônica como todos supõem ou se houve entre eles uma certa atração. Chegaram a amar-se? Ninguém poderá saber, pois ele jamais tocou no assunto, e minha avó, que foi capaz de me contar as coisas mais íntimas, levou a resposta para o outro mundo.

Tio Frederick nos fez saber que, graças à intervenção do próprio Presidente, tinham libertado dom Pedro Tey antes que Godoy conseguisse arrancar-lhe uma confissão, e assim podíamos voltar para a casa de Santiago, pois de fato o nome de nossa família jamais entrou nas listas da polícia. Nove anos mais tarde, quando minha avó morreu e pude rever a senhorita Matilde Pineda e dom Pedro

Tey, vim a conhecer detalhes da ocorrência, dos quais o bondoso Frederick Williams fizera questão de nos poupar. Depois de terem invadido a livraria, espancado os empregados, empilhado centenas de livros e tocado fogo neles, os policiais tinham conduzido o livreiro catalão para o seu sinistro quartel, onde lhe aplicaram o tratamento habitual. Ao final do castigo, Tey havia perdido os sentidos, sem ter dito uma única palavra; então despejaram sobre ele um balde de água com excremento, ataram-no a uma cadeira e ali ele permaneceu o resto da noite. No dia seguinte, quando o levavam novamente à presença dos seus torturadores, chegaram o embaixador norte-americano Patrick Egon e um ajudante de ordens do Presidente, a fim de exigir a libertação do prisioneiro. Deixaram-no ir depois de adverti-lo de que, se dissesse uma só palavra sobre o ocorrido, dessa vez enfrentaria um pelotão de fuzilamento. Levaram-no sangrando e coberto de merda ao coche do embaixador, onde o esperavam Frederick Williams e um médico; dali foi conduzido à Embaixada dos Estados Unidos, na condição de asilado. Um mês depois o governo caiu, e dom Pedro Tey saiu da Legação para ajudar a família do Presidente deposto, que encontrou refúgio à sombra da mesma bandeira. O livreiro passou vários meses fora de cena, esperou que sarassem as feridas da tortura e os ossos dos ombros recuperassem o movimento, e então pôs de pé novamente o seu negócio de livros. As atrocidades sofridas não o amedrontaram, não lhe passou pela mente a ideia de voltar para a Catalunha e continuou sempre na oposição, fosse qual fosse o governo que estivesse ocupando o palácio. Quando, muitos anos mais tarde, agradeci-lhe pelo terrível suplício que havia suportado para proteger minha família, ele me respondeu que não havia feito aquilo por nós, mas pela senhorita Matilde Pineda.

Minha avó Paulina queria permanecer no campo até que terminasse a Revolução, mas Frederick Williams convenceu-a de que o conflito podia durar anos e não devíamos abandonar a posição que ocupávamos em Santiago; o fato era que a propriedade, com seus camponeses humildes, as sestas sem fim, os estábulos cheios de bosta e de moscas, parecia-lhe um destino pior do que o calabouço.

— A Guerra Civil durou quatro anos nos Estados Unidos, pode durar o mesmo aqui — disse ele.

— Quatro anos? Nesse caso não restaria um único chileno vivo. Diz meu sobrinho Severo que nestes poucos meses dez mil homens já morreram em combate e mais de mil foram assassinados — replicou minha avó.

Nívea quis regressar conosco a Santiago, embora ainda sentisse nas costas o cansaço daquele parto duplo, e tanto insistiu, que minha avó finalmente cedeu. No início, por causa daquela história da impressora, Paulina não falava com Nívea, mas, quando viu os gêmeos, perdoou-a por tudo. Logo nos encontramos todos a caminho da capital, com as mesmas bagagens que havíamos trazido semanas antes, mais dois recém-nascidos e menos os pássaros, que haviam morrido de susto pelo caminho. Levávamos várias cestas com vitualhas e uma jarra com a beberagem que Nívea devia tomar a fim de prevenir-se da anemia, uma nauseabunda mistura de vinho velho com sangue fresco de novilho. Nívea tinha passado meses sem notícias do marido e, como nos confessou em um momento de fraqueza, começava a sentir-se deprimida. Nunca duvidou que Severo del Valle voltaria para seu lado são e salvo da guerra, tinha uma espécie de clarividência em relação ao próprio destino. Assim como sempre soubera que seria sua esposa, mesmo quando ele anunciou-lhe que havia se casado com outra em São Francisco, também sabia que estavam destinados a morrer juntos em um acidente. Ouvi Nívea dizer isso muitas vezes, e a frase acabou por se converter em uma piada dentro da família. Tinha medo de ficar no campo, porque ali seria difícil para seu marido comunicar-se com ela, já que no caos da Revolução o correio era muitas vezes perdido, principalmente nas áreas rurais.

Desde o início de seu amor por Severo, quando se evidenciou sua irrefreável fertilidade, Nívea compreendeu que se fosse cumprir as normas habituais do decoro, fechando-se em casa durante cada gravidez e cada parto, iria passar o resto da vida encerrada; decidiu, portanto, não fazer mistério com a maternidade e, assim como se pavoneava com sua barriga pontuda, à maneira de uma camponesa descarada e para horror da "boa sociedade," também dava à luz sem afetações, mantinha-se confinada por apenas três dias — em vez da quarentena exigida pelo médico —, tratando em seguida de apresentar-se em todos os lugares, inclusive nos comícios das sufragistas, com seu séquito de crianças e de amas. Estas eram adolescentes recrutadas no campo e destinadas a servir pelo resto da vida, a menos que ficassem grávidas ou se casassem, o que era sempre pouco provável. Aquelas abnegadas moças cresciam, murchavam e morriam na casa, dormiam em quartos insalubres, sem janelas, e comiam as sobras da mesa principal; adoravam as crianças que deviam criar, principalmente os meninos, e quando as filhas da família se casavam levavam-nas consigo como parte do enxoval, para que continuassem servindo à segunda geração. Em uma época em que tudo que dizia respeito à maternidade era mantido às ocultas, a convivência com Nívea me instruiu, aos onze anos, em assuntos que qualquer garota do meu meio ignorava. No campo, quando os animais se acasalavam ou pariam, as meninas eram trancadas em casa, com as janelas fechadas, pois se partia do princípio de que aquelas funções feriam nossas almas sensíveis e nos plantavam ideias perversas na cabeça. Tinham razão, pois o luxurioso espetáculo de um potro bravo cobrindo uma égua, que vi casualmente na propriedade de meus tios, ainda me esquenta o sangue. Hoje, em 1910, quando os vinte anos de diferença entre mim e Nívea desapareceram, e, mais que minha tia, ela é minha amiga, vim a saber que os partos anuais nunca foram um obstáculo sério para ela; grávida ou não, estava sempre pronta para as impudicas cabrioladas com o marido. Em uma daquelas conversas confidenciais, perguntei-lhe por que teve tantos filhos — quinze, dos quais onze estão vivos —, e ela me respondeu que não pôde evitá-los, nenhum dos sábios recursos das matronas francesas funcionou em seu caso. Salvou-se daquele tremendo desgaste graças à sua força física indomável e ao seu coração, que se recusava a enredar-se nas teias do sentimentalismo. Criava os filhos com a ajuda do mesmo método que usava nos assuntos domésticos: delegando. Mal dava à luz, apertava os peitos sob a roupa e entregava a cria a uma ama de leite; em sua casa as amas eram quase tão numerosas quanto as crianças. A facilidade que Nívea tinha para parir, sua boa saúde e a maneira como se desprendia dos filhos salvaram sua relação íntima com Severo, e é fácil imaginar a grande ternura que os une. Segundo me contou, os livros proibidos que lera minuciosamente na biblioteca de seu tio haviam-lhe ensinado as fantásticas possibilidades do amor, entre as quais algumas bem tranquilas, para amantes limitados em sua capacidade acrobática, como teria sido o próprio caso dos dois: ele por causa da perna amputada e ela pelas suas barrigas de grávida. Não sei quais são as contorções favoritas daquele casal, mas imagino que os momentos de mais deleite são aqueles em que brincam às escuras, sem fazer o menor ruído, como se no aposento houvesse uma freira debatendo-se entre a sonolência do chocolate com valeriana e a ânsia de pecar.

As notícias da Revolução eram estritamente censuradas pelo governo, mas tudo se sabia, antes mesmo que ocorresse. Soubemos da conspiração, que nos foi anunciada por um dos meus primos mais velhos, que apareceu sigilosamente na casa da rua Ejército Libertador, em companhia de um morador da propriedade, criador e guarda-costas. Depois do jantar, ele se fechou por um longo tempo no escritório, com Frederick Williams e minha avó, enquanto eu fingia ler em um canto, mas sem perder uma só palavra do que diziam. Meu primo era um rapazinho louro, garboso, com cabelos anelados e olhos femininos, impulsivo e simpático; fora criado no campo e tinha pulso forte para domar cavalos, e isso é tudo que me lembro dele. Explicou que uns jovens, entre os quais ele se encontrava, pretendiam explodir umas pontes, a fim de hostilizar o governo.

— De quem partiu essa ideia tão brilhante? Vocês têm um chefe? — perguntou, sarcástica, minha avó.

— Não, ainda não temos um chefe, mas vamos elegê-lo quando nos reunirmos.

— Quantos são vocês, filho?

— Somos mais ou menos uma centena, mas não sei quantos virão. Nem todos sabem para que mandamos chamá-los; por motivos de segurança, isso só será dito depois, entende, tia?

— Entendo. São todos filhos de donos de terra, como você? — Quis saber minha avó, cada vez mais alterada.

— Há também artesãos, operários, gente do campo, e alguns deles são meus amigos.

— Que armas vocês têm? — perguntou Frederick Williams.

— Sabres, facas, e penso que teremos também algumas carabinas. É claro que precisamos conseguir pólvora.

— Tudo isso me parece um completo disparate! — Minha avó explodiu.

Tentaram dissuadi-lo, e ele os escutou com fingida paciência, mas ficou evidente que sua decisão estava tomada e aquele não era o momento para mudar de opinião. Quando saiu, levava em uma bolsa de couro algumas armas de fogo da coleção de Frederick Williams. Dois dias mais tarde soubemos o que aconteceu no local da reunião, a poucos quilômetros de Santiago. Os rebeldes foram chegando, no decorrer do dia, a uma pequena casa de vaqueiros, onde se sentiam seguros; passaram horas discutindo, mas, como tinham poucas armas e o plano vazava por todos os lados, decidiram adiá-lo, passariam a noite ali em alegre camaradagem e no dia seguinte dispersar-se-iam. Não suspeitavam de que tinham sido denunciados. Às quatro da madrugada foram atacados por noventa ginetes e quarenta infantes das tropas do governo; a manobra foi rápida e precisa, de modo que os sitiados não conseguiram defender-se e logo se renderam, convencidos de que estariam a salvo, pois não tinham cometido crime nenhum, exceto o de reunir-se sem permissão. O tenente-coronel à frente do destacamento perdeu a cabeça em meio à confusão e, aos gritos e cego de cólera, arrastou o primeiro preso para fora e mandou despedaçá-lo a tiros e golpes de baioneta; em seguida escolheu mais oito e os fuzilou pelas costas; a matança e as pauladas continuaram, e, quando o dia clareou, havia dezesseis corpos destroçados. O tenente-coronel invadiu as adegas da propriedade e depois entregou as mulheres dos camponeses à soldadesca embriagada pelo vinho e animada pela impunidade. Incendiaram a casa e torturaram tão selvagemente o administrador, que tiveram de fuzilá-lo sentado. Enquanto isso, ordens iam e vinham de Santiago, mas a espera não apaziguava o ânimo dos soldados, servindo apenas para aumentar sua febre de violência. No dia seguinte, depois de muitas horas de inferno, chegaram as instruções, que um general havia escrito do próprio punho: "Que todos sejam imediatamente executados." E assim foi feito. Depois levaram os cadáveres em cinco carroças, para atirá-los em uma fossa comum, mas o clamor foi tanto, que finalmente os entregaram às respectivas famílias.

Ao anoitecer trouxeram o corpo de meu primo, que minha avó havia reclamado, valendo-se de sua posição social e suas influências; vinha envolto em uma coberta ensanguentada, e o trancaram em um dos quartos da casa, a fim de melhorar um pouco sua aparência antes que a mãe e as irmãs viessem vê-lo. Do meu observatório no alto da escada vi a chegada de um cavalheiro vestido numa sobrecasaca negra e carregando uma pequena maleta; o recém-chegado trancafiou-se com o cadáver, enquanto as criadas diziam entre si que se tratava de um mestre embalsamador, capaz de esconder as marcas do fuzilamento com maquiagem, recheio e uma agulha de colchoeiro. Frederick Williams e minha avó tinham convertido o salão dourado em câmara ardente, com um altar improvisado e círios amarelos em altos candelabros. Quando os coches começaram a chegar, ao amanhecer, com a família e os amigos, a casa estava cheia de flores, e meu primo, limpo, bem-vestido, sem vestígios de martírio, repousava em um magnífico ataúde de acaju, com enfeites de prata. As mulheres, de luto rigoroso, estavam instaladas em uma dupla fila de cadeiras, chorando e rezando, os homens planejavam a vingança no salão dourado, as empregadas serviam salgadinhos, como se fosse um piquenique, e nós, as crianças, também vestidas de negro e sufocando o riso, brincávamos de nos fuzilarmos mutuamente. Meu primo e vários de seus companheiros foram velados durante três dias, em suas casas, enquanto os sinos das igrejas repicavam continuamente pelos rapazes mortos. As autoridades não se atreveram a intervir. Apesar da estrita censura, ninguém no país deixou de saber do acontecimento, a notícia voou como a pólvora e o horror sacudiu por igual partidários do governo e revolucionários. O Presidente não quis ouvir os detalhes e não assumiu qualquer responsabilidade, tal como havia feito em relação a todas as ignomínias cometidas por outros militares, como as do temível Godoy.

— Foram mortos sem nenhuma necessidade, a sangue-frio, como se fossem bichos. Não se pode esperar outra coisa, somos um país sanguinário — disse Nívea, muito mais furiosa do que triste, e tratou de explicar que tínhamos travado cinco guerras no decorrer do século que estava terminando. — Nós, chilenos, parecemos inofensivos, temos reputação de humildade, temos até mesmo o hábito de abusar dos diminutivos, *por favorzinho, me dê um copinho de aguinha*, mas na primeira oportunidade nos transformamos em canibais. Acho que precisamos saber de onde viemos para entender esse nosso lado brutal, nossos antepassados eram os mais aguerridos e cruéis conquistadores espanhóis, os únicos que se atreveram a vir ao Chile por terra, com as armaduras vermelhas de tão aquecidas pelo sol do deserto, vencendo os piores obstáculos da natureza. Aqui se misturaram com os araucanos, tão bravos quanto eles, único povo do continente que jamais pôde ser subjugado. Os índios comiam os prisioneiros, e seus chefes, os *toquis*, usavam máscaras cerimoniais feitas com as peles secas de seus opressores, preferencialmente daqueles com barba e bigode — porque eles próprios eram imberbes —, vingando-se assim dos brancos, que por sua vez os queimavam vivos, empalavam-nos, cortavam seus braços e arrancavam seus olhos.

— Basta! Proíbo que continue a falar dessas barbaridades diante de minha neta — vovó Paulina a interrompeu.

A CARNIFICINA DOS jovens conspiradores foi o detonador das batalhas finais da Guerra Civil. Nos dias seguintes, os revolucionários desembarcaram um exército de nove mil homens, apoiado pela artilharia naval, avançaram para o porto de Valparaíso em marcha forçada e aparente desordem, como uma horda de hunos; mas naquele caos havia um plano claríssimo, tanto que em poucas horas esmagaram seus adversários. As forças do governo perderam três em cada dez homens, o exército revolucionário ocupou Valparaíso e dali se preparou para avançar sobre Santiago e dominar o restante do país. O Presidente dirigia a guerra de seu gabinete, usando o telégrafo e o telefone, mas os informes que lhe chegavam eram falsos e suas ordens se perdiam na nebulosa das estações transmissoras, pois a maioria das telefonistas pertencia às fileiras revolucionárias. O Presidente recebeu a notícia da derrota na hora do jantar. Terminou de comer, impassível; em seguida ordenou à família que se refugiasse na embaixada norte-americana, tomou seu cachecol, sua capa e seu chapéu, e se encaminhou, a pé, em companhia de um amigo, para a embaixada argentina, que ficava a poucas quadras do palácio presidencial. Ali estava asilado um dos congressistas que faziam oposição ao seu governo, e os dois estiveram a ponto de cruzar-se à porta, um entrando derrotado e o outro saindo triunfante. O perseguidor tinha se transformado no perseguido.

Os revolucionários avançaram para a capital em meio às aclamações da mesma população que, meses antes, aplaudia as tropas do governo; em poucas horas os habitantes de Santiago ocuparam as ruas com fitas vermelhas atadas no braço, a maioria celebrando e alguns tratando de esconder-se, temendo o pior da parte da soldadesca e do populacho excitado. As novas autoridades apelaram à população para que cooperasse com a ordem e a paz, apelo esse que a turba interpretou à sua maneira. Formaram-se bandos, cada um com seu chefe, que passaram a percorrer a cidade levando listas de casas a serem saqueadas, com mapas que as identificavam e indicavam corretamente os endereços. Disseram mais tarde que essas listas foram feitas maldosamente por damas da alta sociedade, possuídas por desejos de vingança. Pode ser, mas, ao que me consta, Paulina del Valle e Nívea eram incapazes de semelhante baixeza, apesar do ódio que sentiam pelo governo derrubado; ao contrário, o que elas fizeram foi esconder em casa duas famílias perseguidas, até que o furor popular se abrandasse e a cidade voltasse à calma aborrecida dos tempos anteriores à Revolução, de que todos sentiam falta. O saque de Santiago foi uma ação metódica e mesmo divertida, desde que vista a distância, claro. À frente das "comissões", eufemismo usado para designar os bandos, iam os chefes tocando campainhas e dando instruções: "Meninos, aqui podem roubar, mas não quebrem nada"; "aqui guardem os documentos e depois toquem fogo na casa"; "aqui podem levar o que quiserem e quebrar tudo o mais". A "comissão" cumpria rigorosamente as instruções, e se os donos estivessem presentes eram saudados com educação, e a seguir tinha início o saque em meio à maior alegria, como se todos ali fossem crianças em festa. Abriam os escritórios, retiravam os papéis e documentos privados, que entregavam ao chefe; em seguida rebentavam os móveis a golpes de machado, levavam aquilo de que gostavam e, para terminar, aspergiam as paredes com parafina e punham fogo em tudo. Do aposento que ocupava na embaixada argentina, o deposto presidente Balmaceda ouvia o fragor da desordem que tomava conta das ruas; ali redigiu seu testamento político e, temendo que sua família pagasse o preço do ódio, deu um tiro na têmpora. A empregada, que naquela noite levara-lhe o jantar, foi a última pessoa a vê-lo com vida; às oito da manhã encontraram-no em sua cama, corretamente vestido, com a cabeça no travesseiro ensanguentado. A bala transformou-o imediatamente em um mártir e, nos anos vindouros, ele passaria a ser um símbolo da liberdade e da democracia, respeitado até pelos seus mais encarniçados inimigos. Como dizia minha avó, o Chile é um país de memória ruim. Nos poucos meses que durou a Revolução morreram mais chilenos do que nos quatro anos da Guerra do Pacífico.

No meio daquela desordem apareceu em nossa casa Severo del Valle, barbado e sujo de barro, a fim de levar sua mulher, que desde janeiro não via. Teve uma enorme surpresa ao encontrá-la com dois filhos a mais, pois, no tumulto da Revolução, Nívea tinha se esquecido de contar-lhe que a deixara grávida. Os gêmeos começaram a desenvolver-se e em duas semanas tinham adquirido um aspecto mais ou menos humano, não eram mais os bichinhos azuis e enrugados que tinham sido ao nascer. Nívea pulou no pescoço do marido e foi aquela a primeira vez na vida que presenciei um grande beijo na boca. Tomada de surpresa, minha avó tentou me distrair, mas não conseguiu, e o fato é que ainda me lembro do tremendo efeito que a cena teve em mim; aquele beijo marcou o começo da minha vulcânica transformação da adolescência. Em poucos meses me tornei uma estranha, não conseguia reconhecer a moça ensimesmada em que estava me transformando, vi-me aprisionada em um corpo rebelde e exigente, que crescia e se afirmava, sofria e palpitava. Parecia que eu era apenas uma extensão do meu ventre, aquela caverna que imaginava como um oco ensanguentado, onde fermentavam humores e se desenvolvia uma flora esquisita e terrível. Não podia esquecer a cena alucinante de Nívea dando à luz de cócoras, iluminada por velas, sua enorme barriga coroada pelo umbigo protuberante, de seus delgados braços agarrados a cordas que pendiam do teto. Punha-me de repente a chorar sem nenhuma causa aparente, da mesma forma que me rendia a chiliques de raiva incontida ou amanhecia tão cansada, que não conseguia me levantar. Os sonhos dos meninos em pijamas negros voltaram com mais intensidade e frequência; e também sonhava sendo envolvida pelos braços de um homem suave que cheirava a mar. Despertava agarrada ao travesseiro, desejando com desespero que alguém me beijasse da mesma maneira que Severo del Valle tinha beijado sua mulher. Por fora eu ardia em calor, por dentro gelava, não tinha mais paz para ler ou estudar, deitava a correr pelo jardim, dando voltas, como se fosse uma possuída, para não me render ao desejo de uivar, entrava com roupa e tudo no laguinho do jardim, pisoteando nenúfares e assustando os peixes vermelhos, orgulho de minha avó. Logo descobri os pontos mais sensíveis de meu corpo e me acariciava às escondidas, sem compreender por que me acalmava com aquilo que devia ser pecado. Estou enlouquecendo, como tantas mulheres que acabam histéricas, concluí aterrorizada, mas não me atrevi a puxar o assunto com minha avó. Paulina del Valle também estava mudando, enquanto meu corpo florescia o seu ia secando, atacado por males misteriosos que ela não discutia com ninguém, nem mesmo com o médico, fiel à sua teoria de que bastava andar ereta e não fazer ruídos de velha para manter-se longe da linha da decrepitude. A gordura pesava-lhe, tinha varizes nas pernas, os ossos doíam-lhe, sentia falta de ar e urinava gota a gota, misérias que fui adivinhando pela observação de pequenos sinais, que ela, no entanto, mantinha em estrito segredo. A senhorita Matilde Pineda muito me ajudara no transe da adolescência, mas havia saído por completo de minha vida, escorraçada por vovó Paulina. Nívea também se fora com o marido, filhos e amas, tão despreocupada e alegre como havia chegado, deixando um vazio tremendo na casa. Sobravam móveis e faltavam ruídos; sem ela e suas crianças a mansão de minha avó se transformara em um mausoléu.

Santiago festejou a derrubada do governo com uma sequência interminável de desfiles, danças de rua, festas e banquetes; minha avó não ficou atrás, abriu de novo as portas da casa e tratou de reatar sua vida social e suas tertúlias, mas havia um ar de agonia que o mês de setembro, com sua esplêndida primavera, não conseguia mudar. Os milhares de mortos, as traições e os saques continuavam pesando por igual nas almas de vencedores e vencidos. Estávamos envergonhados: a Guerra Civil tinha sido uma orgia de sangue.

AQUELA FOI UMA época estranha em minha vida, meu corpo mudou, minha alma expandiu-se e eu comecei a me perguntar a sério quem eu era e de onde tinha vindo. O detonador foi a chegada de Matías Rodríguez de Santa Cruz, meu pai, embora eu ainda não soubesse que o era. Recebi-o como o *tio* Matías, a quem havia conhecido anos antes na Europa. Já naquela ocasião me parecera frágil, mas ao vê-lo novamente não cheguei a reconhecê-lo; em sua cadeira de inválido parecia apenas uma ave desnutrida. Trouxe com ele uma bela mulher, madura, opulenta, de pele leitosa, vestida com uma simples roupa de popelina mostarda e um xale descolorido nos ombros, e cujo traço mais notável era a mata indômita de cabelos crespos, emaranhados e grisalhos, presos por uma fita estreita na altura da nuca. Parecia uma antiga rainha escandinava no exílio, não custava nada imaginá-la na proa de uma embarcação viking ladeada de escudos e tambores.

Paulina del Valle recebeu um telegrama anunciando que seu filho mais velho desembarcaria em Valparaíso e tomou imediatamente as medidas necessárias para ir ao porto comigo, tio Frederick e o resto do cortejo habitual. Para recebê-lo, viajamos em um vagão especial, que o gerente inglês da ferrovia pôs à nossa disposição. Era revestido de madeira envernizada, guarnecido por peças de bronze polido, e seus assentos cobertos de veludo cor de sangue de touro; o serviço estava a cargo de empregados que nos atendiam como se pertencêssemos à realeza. Instalamo-nos em um hotel de frente para o mar e esperamos o navio, que devia chegar no dia seguinte. No cais apresentamo-nos tão elegantes como se fôssemos a uma cerimônia de casamento; posso garantir que foi realmente assim, porque tenho em meu poder uma fotografia feita na praça pouco antes de o navio atracar. Paulina del Valle veste uma roupa de seda clara com muitos enfeites, drapeados e colares de pérolas, usa um chapéu monumental, de abas largas, coroado por um monte de plumas que caem cascateando para a frente, e leva uma sombrinha para proteger-se da luz. Seu marido, Frederick Williams, apresenta-se em um terno preto, usando cartola e bengala. Eu estou toda de branco e tenho um laço de organdi na cabeça, como se fosse um presente de aniversário. Baixaram a ponte de embarque do navio, e o comandante em pessoa veio nos convidar para subir a bordo e nos escoltou com muitas cerimônias até o camarote de dom Matías Rodríguez de Santa Cruz.

A última coisa que minha avó esperava era dar de cara com Amanda Lowell. A surpresa de vê-la quase a matou de desgosto; a presença de sua antiga rival impressionou-a muito mais do que o aspecto lamentável do filho. Claro, naquela ocasião eu não estava suficientemente informada para interpretar a reação de minha avó e, por isso, achei que se tratava apenas de um desconforto causado pelo calor. De sua parte, o fleumático Frederick Williams não moveu um cabelo ao ver Lowell; saudou-a com um gesto breve, mas amável, concentrando-se a seguir em acomodar minha avó em uma poltrona e oferecer-lhe um pouco de água, enquanto Matías observava a cena com um ar divertido.

— O que essa mulher está fazendo aqui? — balbuciou minha avó quando conseguiu respirar.

— Suponho que vocês queiram conversar em família e, por isso, vou tomar um pouco de ar — disse a rainha viking, saindo com a dignidade intacta.

— A senhorita Lowell é minha amiga, digamos que é minha única amiga, mãe. Acompanhou-me até aqui, sem ela eu não teria conseguido viajar. Foi ela quem insistiu para que eu retornasse ao Chile, considerando que para mim é melhor morrer no seio da família do que largado em um hospital de Paris — disse Matías em um espanhol arrevesado e com um estranho sotaque franco-saxão.

Então Paulina del Valle olhou-o pela primeira vez, dando-se conta de que de seu filho tudo que restava era um esqueleto coberto por uma pele de cobra; seus olhos, que agora pareciam de vidro, escondiam-se no fundo das órbitas, e as carnes do rosto haviam se adelgaçado tanto, que dava para ver os dentes por baixo da pele. Matías estava deitado em um sofá, apoiado em almofadas, com as pernas cobertas por um xale. Parecia um velhinho, decrépito e melancólico, embora na verdade tivesse apenas uns quarenta anos.

— Meu Deus, Matías, que está acontecendo com você? —minha avó perguntou, horrorizada.

— Nada que a senhora possa fazer para curar, mãe. Vai compreender que tive razões muito fortes para voltar.

— Aquela mulher...

— Sei tudo sobre a história de Amanda Lowell com meu pai; aconteceu há trinta anos, do outro lado do mundo. Se eu não pude esquecer o seu pesar? Ora, todos nós já chegamos à idade de atirar pela borda aqueles sentimentos que não servem para nada e ficar apenas com aqueles que nos ajudam a viver. A tolerância é um deles, mãe. Devo muito à senhorita Lowell, ela vem sendo minha companheira há mais de quinze anos...

— Companheira? O que significa isso?

— O que acaba de ouvir: companheira. Não é minha enfermeira, nem minha mulher, e já não é mais minha amante. Ela me acompanha nas viagens, na vida, e agora, como pode ver, está me acompanhando na morte.

— Não fale assim! Você não vai morrer, filho, aqui será cuidado como deve e dentro em breve estará bem, com saúde... — assegurou Paulina del Valle, mas a sua voz apagou-se e ela não pôde prosseguir.

Haviam se passado três décadas desde que meu avô Feliciano Rodríguez de Santa Cruz estivera de amores com Amanda Lowell, e minha avó a tinha visto apenas duas vezes, e de longe, mas a reconhecera imediatamente. Não por acaso havia dormido todas as noites na cama teatral que mandara fabricar em Florença com o objetivo de desafiá-la, de modo que devia tê-la recordado cada vez que lhe dominara a raiva pelos escândalos da amante de seu marido. Quando surgiu diante de seus olhos aquela mulher envelhecida e sem sinais de vaidade, nem um pouquinho mais parecida com a estupenda potranca que chegava a parar o trânsito de São Francisco quando passava pela rua balançando o traseiro, Paulina não a viu como quem era naquele momento, mas como a perigosa rival que antes tinha sido. A raiva contra Amanda Lowell permanecera adormecida, aguardando a hora de aflorar, mas diante das palavras do filho buscou-a nos desvãos da alma e não conseguiu encontrá-la. Em compensação, encontrou o instinto maternal, que nela nunca fora um traço marcante e que agora a invadia com uma absoluta e insuportável compaixão. E a compaixão alcançou mais do que o filho moribundo, alcançou também a mulher que o havia acompanhado durante anos, que o havia amado com lealdade, que havia cuidado dele na desgraça da doença e que agora acabava de cruzar o mundo para trazê-lo na hora da morte. Paulina del Valle permaneceu em sua poltrona, com os olhos fixos em seu pobre filho, as lágrimas rolando silenciosas pelas suas faces, subitamente apequenada, envelhecida e frágil, enquanto eu lhe dava palmadinhas de consolo nas costas, sem entender quase nada do que estava se passando. Frederick Williams devia conhecer muito bem minha avó, pois, sem uma palavra, saiu em busca de Amanda Lowell e a trouxe de volta ao pequeno salão.

— Perdoe-me, senhorita Lowell — murmurou minha avó, ainda sentada em sua poltrona.

— Perdoe-me a senhora — replicou a outra, aproximando-se com timidez até ficar diante de Paulina del Valle.

Deram-se as mãos, uma de pé, a outra sentada, as duas com os olhos cheios de lágrimas, e assim permaneceram por um momento que me pareceu eterno, até que de repente senti um estremecimento nos ombros de minha avó e percebi, desse modo, que ela estava rindo baixinho. A outra também se pusera a rir, inicialmente escondendo a boca, tomada de surpresa, mas logo depois, ao ver que sua rival estava rindo, deixou escapar uma gargalhada alegre, que se misturou com a de minha avó, e assim, em poucos instantes, estavam as duas dobrando-se de rir, contagiando-se mutuamente com uma alegria desenfreada e histérica, varrendo com aquela risadaria límpida anos e anos de ciúmes inúteis, os rancores que se transformavam em pó, a traição do marido e outras abomináveis lembranças.

A CASA DA rua Ejército Libertador acolheu muitas pessoas nos anos turbulentos da Revolução, mas, para mim, nada foi tão complicado e excitante quanto a chegada de meu pai, que voltou a fim de esperar a morte. A situação política havia se acalmado depois da Guerra Civil, que pôs fim a um longo período de governos liberais. Os revolucionários obtiveram as mudanças pelas quais havia corrido tanto sangue: antes, o governo impunha seu candidato mediante o suborno e a intimidação, com apoio das autoridades civis e militares; agora o suborno era praticado pelos patrões, os padres e os partidos em geral; o sistema era mais justo, porque o suborno de um lado compensava o do outro e a corrupção já não era paga com o dinheiro público. A isso se chamou liberdade eleitoral. Os revolucionários implantaram também um regime parlamentar como o da Grã-Bretanha, que não iria durar muito. "Somos os ingleses da América", disse uma vez minha avó, e Nívea replicou-lhe de imediato que os ingleses eram os chilenos da Europa. De qualquer maneira, a experiência parlamentar não podia viver muito em uma terra de caudilhos; trocavam-se ministros com tanta frequência, que se tornara praticamente impossível seguir-lhes o rastro; em pouco tempo aquela dança de São Guido da política perdeu interesse para todos de nossa família, menos Nívea, que com o objetivo de chamar a atenção para o sufrágio feminino costumava encadear-se diante do Congresso, com duas ou três senhoras tão entusiastas quanto ela, desafiando os risos dos transeuntes, a fúria dos policiais e a vergonha dos maridos.

— Quando as mulheres puderem votar, elas votarão de maneira unânime. Teremos tanta força, que conseguiremos inclinar a balança do poder e mudar este país — dizia Nívea.

— Você se engana, votarão em quem o marido mandar, o marido ou o padre. As mulheres são mais tolas do que você imagina. Por outro lado, algumas de nós reinamos por trás do trono, você bem viu como derrubamos o governo anterior — rebatia minha avó.

— Isso é porque a senhora é rica e educada, tia. Quantas há como a senhora? Devemos lutar pelo voto, é o começo.

— Você perdeu a cabeça, Nívea.

— Não, tia, não perdi...

Instalaram meu pai no andar térreo, em um salão transformado em dormitório, porque ele não podia subir a escada, e puseram à sua disposição uma empregada em tempo integral, uma sombra preparada para atendê-lo a qualquer hora do dia ou da noite. Segundo minha avó, o médico da família diagnosticou poeticamente a enfermidade do filho chamando-a de "turbulência inveterada do sangue", preferindo assim não confrontá-la com a verdade; mas eu acho que para o resto do mundo era evidente que uma doença venérea estava consumindo meu pai. A doença tinha chegado à etapa final, e não havia mais cataplasmas, emplastos nem sublimados corrosivos capazes de ajudá-lo; aquela era a etapa que ele havia se proposto evitar a qualquer preço, mas em cujo sofrimento mergulhara por ter-lhe faltado coragem para suicidar-se antes, como durante anos havia planejado. A dor nos ossos permitia-lhe apenas alguns movimentos; não podia caminhar, e a mente fraquejava. Passava certos dias enredado em pesadelos, sem despertar por completo, murmurando histórias incompreensíveis; tinha, porém, momentos de grande lucidez e, quando a morfina atenuava sua aflição, podia rir e recordar-se. Então mandava me chamar para que sentasse ao seu lado. Passava o dia em uma poltrona de frente para a janela, apoiado em almofadões e rodeado de livros, jornais e bandejas com remédios. A empregada sentava-se a certa distância, tricotando, sempre atenta às suas necessidades, silenciosa e brusca como um inimigo, a única que ele tolerava ao seu lado, porque não o tratava com lástima. Minha avó tinha feito as coisas de modo que o filho sempre estivesse em um ambiente alegre, havia instalado cortinas estampadas de *chintz* e papel de parede em tons amarelos, mantinha sobre as mesas vasos de flores recém-colhidas no jardim, e havia contratado um quarteto de cordas para vir, várias vezes por semana, tocar suas melodias clássicas favoritas; mas nada conseguia dissimular o cheiro dos remédios e a certeza de que naquele salão alguém estava apodrecendo. Nos primeiros dias aquele cadáver vivente me causara repugnância, mas, quando consegui vencer o susto e, obrigada por minha avó, comecei a visitá-lo, minha vida mudou. Matías Rodríguez de Santa Cruz voltou para casa justamente quando a minha adolescência despertava, e me deu aquilo de que eu mais necessitava: memória. Em um de seus momentos de lucidez, embora sob o efeito de drogas que aliviavam suas dores, anunciou que era meu pai. E a revelação foi feita de um modo tão simples, que não chegou a me causar surpresa.

— Lynn Sommers, sua mãe, foi a mulher mais bonita que conheci. Alegra-me que você não tenha herdado a beleza dela — disse.

— Por quê, tio?

— Não me chame de tio, Aurora. Sou seu pai. A beleza pode ser uma verdadeira maldição, porque desperta nos homens as piores paixões. Mulheres excessivamente belas não podem escapar do desejo que provocam.

— O senhor é realmente meu pai?

— Realmente sou.

— Ora! Eu pensava que meu pai era Severo.

— Severo é que devia ter sido seu pai, é um homem muito melhor do que eu. Sua mãe merecia um marido como ele. Eu sempre fui um estouvado, por isso estou nesta situação, convertido em um espantalho. Mas, com certeza, ele poderá contar muito mais coisas sobre ela do que eu — Matías explicou.

— Minha mãe o amava?

— Sim, mas eu não soube o que fazer com aquele amor e fugi dela. Você ainda é muito jovem para entender essas coisas, filha. Basta-lhe saber que sua mãe era maravilhosa, e é uma pena que haja morrido ainda tão jovem.

Eu estava de acordo, gostaria de ter conhecido minha mãe, mas de fato sentia mais curiosidade por outros personagens da minha primeira infância, que me apareciam em sonhos ou em vagas lembranças impossíveis de precisar. Nas conversas com meu pai foi aparecendo a silhueta de meu avô Tao Chi'en, a quem Matías só tinha visto uma vez. Bastou que mencionasse seu nome completo e me dissesse que se tratava de um chinês alto e bem posto, para que minhas lembranças se soltassem, em gotas e gotas, como se fossem chuva. Ao dar nome àquela presença invisível que me acompanhava sempre, meu avô deixou de ser uma invenção de minha fantasia para converter-se em um fantasma tão real como uma pessoa de carne e osso. Senti um alívio imenso ao comprovar que aquele homem suave, com cheiro de mar, que eu imaginava não apenas tinha existido, mas que também me havia amado, e se desaparecera de súbito não fora com a intenção de me abandonar.

— Ouvi dizer que Tao Chi'en morreu — meu pai esclareceu.

— Morreu como?

— Parece que foi um acidente, mas não tenho muita certeza.

— E que aconteceu com minha avó Eliza Sommers?

— Foi para a China. Achou que você estaria melhor com minha família e, nesse ponto, não errou — ele garantiu. — Minha mãe sempre quis ter uma filha e criou você com muito mais carinho do que foi capaz de dar a mim e meus irmãos.

— Que quer dizer Lai-Ming?

— Não tenho ideia. Por quê?

— Porque às vezes tenho a impressão de ouvir essa palavra...

Matías estava com os ossos desfeitos pela enfermidade, cansava-se rapidamente e não era fácil extrair informações dele; às vezes perdia-se em intermináveis divagações que nada tinham a ver com aquilo que me interessava, mas pouco a pouco fui conseguindo juntar os retalhos do passado, um depois do outro, sempre na ausência de minha avó, que se mostrava grata pelo fato de eu visitar o doente, pois a ela faltava ânimo para fazê-lo; entrava nos aposentos do filho duas vezes por dia, dava-lhe um beijo rápido na fronte e saía cambaleando, com os olhos cheios de lágrimas. Nunca perguntou sobre o que falávamos, e, é claro, nós não lhe dissemos. Também não me atrevi a mencionar o assunto diante de Severo e Nívea del Valle; temia que a menor indiscrição de minha parte pudesse representar um ponto final nas conversas com meu pai. Sem que tivéssemos feito nenhum acerto, ambos sabíamos que nossas conversas deviam permanecer em segredo, e isso nos unia em uma extraordinária cumplicidade. Não posso dizer que cheguei a amar meu pai, porque não houve tempo para isso, mas, nos breves meses em que conseguimos conviver, ele pôs um tesouro em minhas mãos ao me proporcionar detalhes de minha história, sobretudo no tocante à minha mãe, Lynn Sommers. Repetiu-me muitas vezes que eu levava nas veias o legítimo sangue dos Del Valle, e isso parecia ser importante para ele. Vim a saber depois que, por sugestão de Frederick Williams, que exercia grande influência sobre todos os membros daquela casa, ele me legou em vida a parte que lhe correspondia na herança familiar, preservada em várias contas bancárias e ações da Bolsa, tudo isso para frustração de um sacerdote que o visitava diariamente, com a esperança de obter algo para a Igreja. Era um padre resmungão, com odor de santidade — fazia vários anos que não tomava banho nem trocava a batina —, famoso pela sua intolerância religiosa e seu talento para farejar moribundos endinheirados e convencê-los a destinar suas fortunas a obras de caridade. As famílias abastadas registravam a sua presença com verdadeiro horror, porque ele era o anúncio da morte, mas ninguém se atrevia a bater-lhe com a porta na cara. Quando meu pai compreendeu que estava chegando ao fim, chamou Severo del Valle — os dois praticamente não se falavam — para que chegassem a um acordo a meu respeito. Trouxeram um notário público, e ambos firmaram um documento no qual Severo renunciava à paternidade e Matías Rodríguez de Santa Cruz me reconhecia como filha. Desse modo me protegia dos outros dois filhos de Paulina, seus irmãos mais novos, que, depois da morte de minha avó, nove anos mais tarde, se apoderaram de tudo que puderam.

MINHA AVÓ APEGOU-SE a Amanda Lowell com um afeto supersticioso, acreditando que, enquanto ela estivesse perto, Matías continuaria vivo. Paulina não se mostrava íntima com ninguém, a não ser comigo às vezes, pois considerava que em sua maioria as pessoas são irremediavelmente idiotas, e dizia isso para quem quisesse ouvir, o que, decerto, não era o melhor método para fazer amigos, mas aquela cortesã escocesa conseguiu rachar a armadura com a qual minha avó se protegia. Era impossível conceber duas mulheres mais diferentes; Amanda Lowell nada ambicionava, vivia o hoje, desapegada, livre, sem medo; não temia a pobreza, a solidão ou a decrepitude, aceitava tudo com a maior calma, para ela a existência era uma viagem divertida, que levava inevitavelmente à velhice e à morte; não tinha motivos para acumular bens, pois — como costumava dizer —, rica ou pobre, nada levaria para a sepultura. Àquela altura, já ficara muito para trás a jovem sedutora que tantos amores havia semeado em São Francisco, para trás ficara a bela que havia conquistado Paris; era, agora, uma cinquentona, sem coqueteria nem remorsos. Minha avó não se cansava de ouvi-la contar o passado, falar das pessoas famosas que havia conhecido, e vê-la folhear os álbuns cheios de recortes de jornais e fotografias, em várias das quais ela aparecia jovem, radiante, com uma jiboia enrolada no corpo. "A coitada morreu de enjoo em uma viagem; as cobras não são boas viajantes", contou-nos. Pela sua cultura cosmopolita e pelo seu atrativo — capaz de derrotar, sem a isso se propor, mulheres bem mais jovens e mais belas — transformou-se na alma das tertúlias de minha avó, amenizando-as com seu péssimo espanhol e seu francês com sotaque da Escócia. Não havia assunto que não fosse capaz de discutir, livro que não tivesse lido, cidade importante da Europa que não houvesse conhecido. Meu pai, que a amava e muito lhe devia, costumava dizer que ela era uma diletante, sabia um pouquinho de tudo, mas lhe sobrava imaginação para suprir aquilo que não tinha em termos de conhecimento e experiência. Para Amanda Lowell não havia cidade mais galante que Paris, nem sociedade mais pretensiosa que a francesa, única onde o socialismo, com sua desastrosa falta de elegância, não tinha a menor oportunidade de triunfar. Nesse ponto, Paulina del Valle concordava plenamente com ela. As duas mulheres descobriram que não apenas riam das mesmas tolices, entre as quais a cama mitológica, mas que também estavam de acordo em quase todos os assuntos fundamentais. Certo dia, quando tomavam o chá diante de uma pequena mesa de mármore na galeria de ferro forjado, as duas lamentaram o fato de não terem se conhecido antes. Com ou sem a presença de Feliciano e Matías, decidiram que teriam sido amigas excelentes. Paulina fez o possível para retê-la em sua casa, cobriu-a de presentes e a apresentou à sociedade como se fosse uma imperatriz, mas a outra era um pássaro incapaz de viver no cativeiro. Ficou dois meses, mas finalmente confessou à minha avó que não tinha coração bastante para presenciar a deterioração de Matías e que, com franqueza, Santiago lhe parecia uma cidade provinciana, apesar do luxo e da ostentação da classe alta, comparável à da nobreza europeia. Aborrecia-se, seu lugar estava em Paris, onde havia transcorrido o melhor de sua existência. Minha avó quis marcar sua despedida com um baile que fizesse história em Santiago, ao qual estaria presente o que de mais elevado houvesse na sociedade, porque ninguém se atreveria a rejeitar um convite seu, apesar dos rumores que circulavam sobre o passado brumoso de sua hóspede, mas Amanda Lowell convenceu-a de que Matías estava doente demais, e uma festa em tais circunstâncias seria de péssimo gosto, sem esquecer que não tinha o que vestir em tal ocasião. Paulina ofereceu-lhe seus vestidos, com a melhor das intenções, sem imaginar o quanto estava ofendendo Lowell ao insinuar que as duas tinham o mesmo talhe.

Três semanas depois da partida de Amanda Lowell, a empregada que cuidava de meu pai deu o alarma. Chamaram imediatamente o médico; em um abrir e fechar de olhos a casa encheu-se de gente, começou o desfile de amigos de minha avó, pessoas do governo, familiares, um sem-número de frades e freiras, entre os quais o malcheiroso sacerdote caçador de fortunas, que agora rondava minha avó, na esperança de que a dor de perder o filho a despachasse mais cedo desta para melhor. Paulina, contudo, não estava pensando em deixar este mundo, já fazia algum tempo que havia se resignado diante da tragédia do filho mais velho e viu com alívio a aproximação do final, porque ser testemunha daquele longo e lento calvário era muito pior do que sepultá-lo. Não me permitiram ver meu pai, pois se considerava que a agonia não era um espetáculo apropriado para meninas, e eu já havia sofrido angústias demais com o assassinato de meu primo e outras violências recentes, mas consegui me despedir brevemente dele graças a Frederick Williams, que me abriu a porta em um momento em que não havia ninguém nas imediações. Levou-me pela mão até a cama onde jazia Matías Rodríguez de Santa Cruz, do qual já nada de tangível restava, ele era apenas um feixe de ossos translúcidos, sepultados entre almofadas e lençóis bordados. Ainda respirava, mas sua alma já viajava por outras dimensões. Disse-lhe: "Adeus, papai." Era a primeira vez que o chamava assim. Agonizou durante mais dois dias e, ao amanhecer do terceiro, morreu como um passarinho.

EU TINHA TREZE anos quando Severo del Valle me presenteou com uma câmara fotográfica moderna, que usava papel em vez das antigas placas de vidro e que deve ter sido uma das primeiras a serem importadas pelo Chile. A morte de meu pai era recente, e os pesadelos me atormentavam tanto, que eu não queria me deitar, passava as noites andando pela casa como um espectro, seguida de perto pelo coitado do *Caramelo*, que sempre foi um cachorro tolo e desprovido de valor, até que minha avó Paulina se compadecia e nos aceitava em sua imensa cama dourada. Ela ocupava a metade com seu corpo grande, tíbio, perfumado, e eu me encolhia no espaço restante, tremendo de medo, com *Caramelo* aos meus pés. "Que irei fazer com vocês dois?", suspirava minha avó, meio adormecida. Era uma pergunta retórica, porque nem o cachorro nem eu tínhamos futuro, havia na família um consenso de que eu "ia terminar mal". Naquela ocasião acabava de formar-se a primeira médica do Chile, e várias outras jovens estavam entrando na Universidade. Isso deu a Nívea a ideia de que eu podia fazer o mesmo, ainda que fosse apenas para desafiar a família e a sociedade, mas era evidente que eu não tinha a menor aptidão para estudar. Então apareceu Severo com a câmara e a deixou em minhas mãos. Era uma bela Kodak, preciosista nos detalhes de cada parafuso, leve, perfeita, produzida para mãos de artista. Continuo a usá-la até hoje; jamais falha. Nenhuma garota de minha idade tinha um brinquedo como aquele. Peguei-a com reverência e fiquei olhando-a, sem ter a mínima ideia de como se usava aquilo. "Vamos ver se agora você consegue fotografar as trevas dos seus pesadelos", disse, brincando, Severo del Valle, sem suspeitar de que durante meses esse seria meu único propósito e que, no afã de elucidar o tal pesadelo, eu acabaria me enamorando pelo mundo. Minha avó me levou à Plaza de Armas, ao estúdio de dom Juan Ribero, o melhor fotógrafo de Santiago, um homem aparentemente seco como pão dormido, mas interiormente generoso e sentimental.

— Estou lhe trazendo minha neta para ser sua aprendiz — disse Paulina, pondo um cheque sobre a escrivaninha do artista, enquanto com uma das mãos eu me agarrava à sua saia e com a outra segurava minha câmara estalando de nova.

Dom Juan Ribero, que media meia cabeça menos e pesava a metade de minha avó, ajeitou os óculos no nariz, leu cuidadosamente a quantia escrita no cheque e em seguida o devolveu, olhando-a dos pés à cabeça com infinito desprezo.

— A quantia não é problema... Diga qual é o seu preço —Minha avó respondeu vacilante.

— Não se trata de preço, senhora, mas de talento — replicou, guiando Paulina del Valle para a porta.

Nesse ínterim eu tinha tido oportunidade de dar uma olhada em tudo que ali me rodeava. O trabalho dele cobria as paredes: eram centenas de retratos de pessoas de todas as idades. Ribero era o favorito da classe alta, o fotógrafo das páginas sociais, e no entanto as pessoas que me olhavam das paredes de seu estúdio não eram ricaços com perucas nem debutantes bonitinhas, mas índios, mineiros, pescadores, lavadeiras, velhos, meninos pobres, muitas mulheres como aquelas que minha avó socorria com os empréstimos do Clube das Damas. Ali estava representado o rosto multifacético e atormentado do Chile. Aquelas caras nos retratos me sacudiram por dentro, quis conhecer a história de cada uma daquelas pessoas, senti uma opressão no peito, como se me tivessem dado um soco, e um incontrolável desejo de chorar, mas engoli a emoção e segui minha avó de cabeça erguida. No coche ela tratou de consolar-me: eu não devia me preocupar, disse, conseguiríamos outra pessoa para me ensinar a maneira de usar a câmara, havia fotógrafos a três por dois; o que teria se passado na cabeça daquele roto malnascido para falar naquele tom arrogante, logo a ela, a ninguém menos que Paulina del Valle? E continuava a discursar, mas eu não a escutava, pois já havia decidido que dom Juan Ribero, e ninguém mais, seria meu mestre. No dia seguinte, saí de casa antes que minha avó se levantasse, ordenei ao cocheiro que me levasse ao estúdio e me instalei no passeio, disposta a esperar por toda a eternidade. Dom Juan Ribero chegou por volta das onze da manhã, encontrou-me diante de sua porta e me ordenou que voltasse para casa. Naquela época eu era tímida — ainda sou —, além de muito orgulhosa, não estava habituada a pedir, porque desde que nasci fui mimada como uma rainha, mas a minha determinação deve ter sido muito forte. Não me afastei um passo da porta. Duas horas mais tarde o fotógrafo saiu, lançou-me um olhar furioso e foi andando rua abaixo. Quando voltou do almoço me encontrou pregada no mesmo lugar, com minha câmara apertada contra o peito. "Está bem", ele murmurou, vencido, "mas aviso, minha jovenzinha, que não terei nenhuma consideração especial com você. Quem vem aqui deve obedecer sem falar e aprender depressa, entendido?" Assenti com a cabeça, porque a voz não teve como sair. Minha avó, acostumada a negociar, aceitou minha paixão pela fotografia, desde que eu investisse o mesmo número de horas no estudo das matérias habitualmente ensinadas nos colégios masculinos, sem esquecer o latim e a teologia, porque no seu entender o que me faltava não era capacidade mental, mas rigor.

— Por que não me manda para uma escola pública? — pedi-lhe, entusiasmada pelos rumores sobre a educação laica para meninas, mas verdadeira causa de espanto entre minhas tias.

— Isso é para pessoas de outra classe, jamais permitirei — determinou minha avó.

Desse modo, voltaram a desfilar pela casa os preceptores, vários dos quais eram sacerdotes dispostos a me instruir em troca de gordas contribuições de minha avó às suas congregações. Tive sorte, em geral me trataram com indulgência, pois não esperavam que o meu cérebro aprendesse como o de um homem. Dom Juan Ribero, ao contrário, exigia muito mais de mim, porque entendia que a mulher deve esforçar-se mil vezes mais do que o homem para alcançar respeito em termos intelectuais ou artísticos. Ele me ensinou tudo que sei de fotografia, da escolha de uma lente até o trabalhoso processo de revelação; jamais tive outro mestre. Quando deixei seu estúdio dois anos mais tarde, éramos amigos. Agora ele tem setenta e quatro anos e já faz algum tempo que não trabalha, porque está cego, mas continua a me ajudar e a guiar meus passos vacilantes. Seu lema é a seriedade. A vida o apaixona, e a cegueira não foi obstáculo para que continue a olhar o mundo. Desenvolveu uma forma de clarividência. Assim como outros cegos têm pessoas que leem para eles, Ribero tem quem veja e lhe conte o que vê. Seus alunos, seus amigos e seus filhos o visitam todos os dias, revezando-se na descrição daquilo que contemplaram: uma paisagem, uma cena, um rosto, um efeito de luz. Devem aprender a observar com muito cuidado para suportar o exaustivo interrogatório de dom Juan Ribero; desse modo, suas vidas mudam, já não podem andar pelo mundo com o descuido habitual, porque devem ver com os olhos do mestre. Eu também o visito com frequência. Ele me recebe na eterna penumbra de seu apartamento, na rua Monjitas, sentado em sua poltrona diante da janela, com seu gato nos joelhos, sempre hospitaleiro e sempre sábio. Mantenho-o informado sobre os avanços técnicos na esfera da fotografia, descrevo-lhe em detalhes cada imagem dos livros que mando trazer de Nova York e Paris, apresento-lhe minhas dúvidas. Ele está sempre a par de tudo que acontece em sua área profissional, apaixona-se pelas diferentes tendências e teorias, conhece os nomes dos mestres mais destacados na Europa e Estados Unidos. Sempre se opôs ferozmente às poses artificiais, às cenas criadas em estúdio, às impressões embusteiras, feitas mediante sobreposição de vários negativos, tão em moda até alguns anos. Ele acredita na fotografia como testemunho pessoal: uma maneira de ver o mundo, e essa maneira deve ser honesta, usando-se a tecnologia como meio de plasmar a realidade, e não de distorcê-la. Quando passei por uma fase que me levou a fotografar meninas dentro de enormes recipientes de vidro, ele me perguntou para que tal desperdício e assim me afastei de tal caminho, mas quando lhe descrevi o retrato que havia feito de uma família de artistas de um circo mambembe, nus e vulneráveis, seu interesse foi imediatamente despertado. Eu já havia feito várias fotos daquela família posando diante de um desconjuntado carro de madeira, grandes rodas, tabuleiro de cordas trançadas, usado tanto para transporte quanto para moradia, quando de repente saiu do veículo uma menininha de quatro ou cinco anos, inteiramente nua. Então tive a ideia de pedir a todos que tirassem a roupa. Atenderam-me, sem malícia, e posaram com a mesma intensa concentração que haviam demonstrado quando estavam vestidos. É uma das minhas melhores fotografias, uma das poucas que chegaram a ser premiadas. Logo foi ficando evidente que eu era atraída mais pelas pessoas do que pelos objetos ou as paisagens. Quando fazemos um retrato estabelecemos uma relação com o modelo, que por mais breve que seja não deixa de ser uma conexão. A placa revela não apenas a imagem, mas também os sentimentos que fluem entre ambos. Dom Juan Ribero gostava dos retratos que eu fazia, bem diferentes dos seus. "Você sente empatia pelos seus modelos, Aurora, não trata de dominá-los, mas de compreendê-los, por isso consegue expor suas almas", ele me dizia. Incitava-me a deixar para trás as paredes seguras do estúdio e sair à rua, deslocar-me com a câmara, olhar com os olhos bem abertos, superar a minha timidez, perder o medo, aproximar-me das pessoas. Percebi que em geral me recebiam bem e posavam com toda a seriedade, embora eu fosse alguém que se intrometia em suas vidas: a câmara inspirava respeito e confiança, as pessoas se abriam e se entregavam. Eu estava limitada pela minha pouca idade, até vários anos mais tarde ainda não podia viajar pelo país, entrar nas galerias das minas, fotografar as greves, os hospitais, os casebres dos pobres, suas miseráveis escolas, suas pensões a quatro pesos, as praças empoeiradas onde os aposentados iam morrendo aos pouquinhos, os campos e as aldeias de pescadores. "A luz é a linguagem da fotografia, a alma do mundo. Não existe luz sem sombra, tal como não existe alegria sem dor", disse-me dom Juan Ribero dezessete anos antes, na primeira aula que tive em seu estúdio da Plaza de Armas. Não me esqueci. Mas não devo antecipar-me. O que me propus foi contar esta história passo a passo, palavra a palavra, como deve ser.

ENQUANTO EU ANDAVA entusiasmada com a fotografia e desarvorada com as mudanças que ocorriam em meu corpo, minha avó Paulina não gastava tempo contemplando o próprio umbigo. Em vez de ficar paralisada, ia tecendo novos negócios em seu cérebro de fenício. Isso a ajudou a recuperar-se da perda do filho Matías e deu-lhe energias em uma idade na qual os outros têm um pé dentro da cova. Rejuvenesceu, seu olhar iluminou-se, o passo voltou a agilizar-se, pouco tempo depois tirou o luto e mandou o marido à Europa em missão estritamente secreta. O fiel Frederick esteve seis meses ausente e voltou carregado de presentes para ela e para mim, além de bons tabacos para ele próprio, o único vício que nele conhecíamos. Em sua bagagem, vinham de contrabando milhares de palitos secos, de uns quinze centímetros de comprimento e aparência de algo que não servia para nada; na verdade eram cepas de vinhas de Bordéus, que minha avó pretendia plantar em solo chileno, a fim de produzir um vinho decente. "Vamos competir com os vinhos franceses", ela dissera ao marido antes da viagem. Foi inútil o argumento de Frederick Williams de que os franceses tinham séculos de vantagem sobre nós, que as condições de lá são paradisíacas, enquanto o Chile é um país de catástrofes atmosféricas e políticas, e que um projeto de tal envergadura exigiria anos de trabalho.

— Nem você nem eu temos idade para esperar os resultados dessa experiência — disse ele com um suspiro.

— Ora, com esse critério não chegamos a lugar nenhum, Frederick. Sabe quantas gerações de artesãos são necessárias para se construir uma catedral?

— Paulina, as catedrais não nos interessam. Qualquer dia desses cairemos mortos.

— Este não seria o século da ciência e da tecnologia se cada inventor ficasse pensando em sua própria mortalidade, não lhe parece? Quero formar uma dinastia, e que o nome Del Valle perdure no mundo, mesmo sendo no fundo do copo de qualquer um dos bêbados que comprarem o meu vinho — minha avó replicou.

Depois dessa conversa, o inglês partiu resignado para aquela aventura de caça na França, enquanto Paulina del Valle tratava de amarrar as pontas da empresa no Chile. As primeiras vinhas chilenas tinham sido plantadas pelos missionários, nos tempos da Colônia, para produzir um vinho que se mostrou bastante bom, tão bom, de fato, que a Espanha resolveu proibi-lo, a fim de evitar que concorresse com os da mãe-pátria. Depois da Independência a indústria do vinho expandiu-se. Paulina não era a única pessoa que tencionava produzir vinhos de qualidade, mas enquanto os outros compravam terras nos arredores de Santiago, por comodismo, para não terem de deslocar-se em viagens que durassem mais de um dia, ela procurou terrenos mais distantes, não apenas porque eram mais baratos, mas também porque eram mais apropriados. Sem dizer a ninguém o que tinha em mente, mandou analisar a força da terra, os caprichos da água, a perseverança dos ventos, começando por aqueles campos que pertenciam à família Del Valle. Pagou uma ninharia por vastas extensões de terras abandonadas, das quais ninguém gostava, porque a única água de que ali se dispunha era a que caía do céu. A uva mais saborosa, a que produz os vinhos de melhor textura e mais vivo aroma, a mais doce e mais generosa, não cresce na abundância, mas em terreno pedregoso; a planta, com teimosia de mãe, vence obstáculos para ir bem fundo com suas raízes e aproveitar cada gota de água, e é assim que os sabores se concentram na uva, minha avó explicou-me.

— As vinhas são como as pessoas, Aurora, quanto mais difíceis são as circunstâncias, melhores são os frutos. É uma pena que eu tenha tardado tanto a fazer essa descoberta, porque, se tivesse sabido antes, teria usado de mão dura com meus filhos e também com você.

— Comigo a senhora usou, vovó.

— Não. Fui muito branda com você. Devia ter mandado você para as freiras.

— Para que eu aprendesse a rezar e bordar? A senhorita Matilde...

— Proíbo que o nome dela seja mencionado nesta casa!

— Bom, vovó, pelo menos estou aprendendo fotografia. Com isso posso ganhar a vida.

— Como pode pensar em semelhante idiotice!? — exclamou Paulina del Valle. — Uma neta minha jamais terá de ganhar a vida. O que está aprendendo com o Ribero é uma diversão, mas não o futuro para uma Del Valle. Teu destino não é se transformar em uma fotógrafa de meio de rua, mas casar-se com alguém de tua classe e botar filhos sadios no mundo.

— A senhora fez mais do que isso, vovó.

— Eu me casei com Feliciano, tive três filhos e uma neta. Tudo que fiz além disso foi mero complemento.

— Pois, francamente, não parece.

Na França, Frederick Williams contratou um especialista, que chegou pouco depois a fim de dar assessoria técnica. Era um homenzinho hipocondríaco, que percorria de bicicleta as terras de minha avó, um lenço atado sobre a boca e o nariz, pois achava que o cheiro de bosta de vaca, juntamente com a poeira chilena, eram capazes de produzir câncer pulmonar, mas não deixou dúvida nenhuma quanto aos seus profundos conhecimentos de viticultura. Os camponeses observavam, pasmos, aquele cavalheiro com roupa de cidade, deslizando de bicicleta por entre os penhascos, detendo-se de vez em quando para cheirar o solo, como um cachorro à procura de um rastro. Como não entendiam nem uma palavra das suas compridas diatribes na língua de Molière, minha avó em pessoa, calçada de chinelos e protegida por uma sombrinha, teve de seguir durante semanas a bicicleta do francês, a fim de traduzir o que ele dizia. O primeiro ponto que chamou a atenção de Paulina foi que nem todas as plantas eram iguais, havia pelo menos três classes diferentes e mescladas. O francês explicou-lhe que umas amadureciam antes das outras, de modo que, se o clima destruísse as mais delicadas, sempre haveria a produção das outras. Confirmou também que o negócio levaria anos, pois não era apenas uma questão de colher uvas melhores, mas também de produzir um vinho fino e comercializá-lo no estrangeiro, onde teria de competir com os da França, Itália e Espanha. Paulina aprendeu tudo que o especialista podia ensinar-lhe e, quando se sentiu segura, despachou-o de volta para seu país. Naquela ocasião sentia-se esgotada e havia compreendido que o empreendimento requeria alguém mais jovem e menos rígido que ela, alguém como Severo del Valle, seu sobrinho favorito, em quem podia confiar. "Se você continuar a pôr filhos no mundo, vai necessitar de muito dinheiro para mantê-los. Como advogado você não conseguirá isso, a menos que roube o dobro dos outros, mas o vinho será capaz de enriquecê-lo", ela o tentou. Justamente naquele ano, Severo e Nívea del Valle tinham recebido um anjo, como as pessoas diziam, uma garotinha linda como uma fada em miniatura, a quem chamaram Rosa. Nívea opinou que todos os filhos anteriores tinham sido uma simples preparação para chegarem finalmente à criação daquela criatura perfeita. Talvez agora Deus se desse por satisfeito e não lhes mandasse mais filhos, pois já eram pais de uma verdadeira manada. Aos olhos de Severo aquela história de plantar vinhas francesas parecia descabelada, mas tinha aprendido a respeitar o faro comercial de sua tia e pensou que certamente valia a pena tirar a prova; não sabia que em poucos meses as parreiras iriam mudar sua vida. Mal comprovou que Severo del Valle estava tão obcecado pelas vinhas quanto ela, decidiu transformá-lo em seu sócio, deixar a plantação sob sua responsabilidade e partir com Williams e comigo para a Europa, porque eu já estava com dezesseis anos e essa era a idade de adquirir um verniz cosmopolita e um enxoval de casamento, segundo as palavras de Paulina.

— Não estou pensando em me casar, vovó.

— Por enquanto, não, mas você terá de pensar nisso antes dos vinte ou então vai ficar para titia — concluiu na sua maneira cortante.

Mas a ninguém ela revelou o verdadeiro motivo da viagem. Estava doente e achava que na Inglaterra poderiam operá-la. Ali a cirurgia tinha se desenvolvido muito desde a descoberta da anestesia e da assepsia. Nos últimos meses tinha perdido o apetite e pela primeira vez na vida sentia náuseas e cólicas intestinais depois de comer alguma coisa pesada. Não comia mais carne, preferia coisas leves, papas, doces, sopas e pastéis, aos quais não renunciava, mesmo que lhe caíssem como pedaços de pedra na barriga. Tinha ouvido falar de uma célebre clínica fundada por um tal de doutor Ebanizer Hobbs, morto havia mais de dez anos, na qual trabalhavam os melhores médicos da Europa, de maneira que, tão logo terminou o inverno e a rota através da cordilheira dos Andes voltou a ser transitável, empreendemos a viagem a Buenos Aires, onde tomaríamos o transatlântico para Londres. Levávamos, como sempre, um cortejo de criados, uma tonelada de bagagens e vários guardas armados para nos protegerem dos bandidos que ficavam a postos naquelas paragens solitárias, mas dessa vez meu cachorro *Caramelo* não pôde me acompanhar, porque suas pernas começavam a fraquejar. A travessia das montanhas em coche, a cavalo e finalmente em mulas, por despenhadeiros que se abriam para um lado e outro, como fauces abismais dispostas a nos devorar, foi realmente inesquecível. O caminho parecia uma cobra sem fim, deslizando por entre aquelas montanhas esmagadoras, a coluna vertebral da América. Entre as pedras cresciam alguns arbustos sacudidos pela inclemência do clima e alimentados por tênues fios de água. Água por toda parte — cascatas, riachos, neve líquida; o único som era o da água e dos cascos dos animais batendo contra a dura crosta dos Andes. Quando parávamos, um silêncio abismal nos envolvia como um manto pesado, éramos intrusos violando a solidão perfeita daquelas alturas. Minha avó, lutando contra a vertigem e os achaques que se abateram sobre ela assim que iniciamos a marcha ascendente, avançava amparada pela sua vontade de ferro e pela solicitude de Frederick Williams, que fazia o possível para ajudá-la. Vestia um pesado abrigo de viagem, luvas de couro, chapéu de explorador e véus espessos, pois nunca um raio de sol, por mais tímido que fosse, havia roçado sua pele, graças ao que ela esperava descer à sepultura sem rugas. Eu ia deslumbrada. Havíamos feito aquela viagem antes, quando voltávamos para o Chile, mas naquela ocasião eu era demasiado jovem para apreciar uma natureza tão majestosa. Os animais avançavam passo a passo, suspensos entre precipícios cortados a pique e altas paredes de pura rocha penteada pelo vento, polida pelo tempo. O ar era delgado como um véu transparente e o céu um mar azul-turquesa, às vezes atravessado por um condor que navegava com suas asas esplêndidas, senhor absoluto daqueles domínios. Tão logo o sol baixou, a paisagem se transformou por completo; a paz azul daquela abrupta e solene natureza desapareceu, dando lugar a um universo de sombras geométricas que se moviam ameaçadoras ao redor de nós, cercando--nos, envolvendo-nos. Um passo em falso e as mulas teriam rolado conosco no mais profundo daqueles barrancos, mas o guia tinha calculado corretamente a distância e a noite nos encontrou em um modesto casebre de tábuas, refúgio de viajantes. Os animais foram descarregados e nos acomodamos sobre montes de peles de ovelhas e mantas, iluminados por lamparinas com pavios untados de breu, embora quase não se necessitasse de luzes, pois reinava na abóbada profunda do céu uma lua incandescente, que havia assomado como um farol sideral por cima das altas massas de rocha. Levávamos lenha, com a qual se acendeu uma fogueira que serviu para nos aquecer e ferver a água destinada ao mate; daí a pouco a infusão de erva verde e amarga circulava de mão em mão, e todos a chupavam no mesmo canudo; isso devolveu o ânimo à minha pobre avó; ela mandou que trouxessem suas cestas, instalou-se como uma vendedora no mercado, e se pôs a distribuir as vitualhas destinadas a enganar a fome. Foram aparecendo as garrafas de aguardente e champanha, os cheirosos queijos do campo, os delicados fiambres de cerdo preparados em casa, os pães e tortas envoltos em brancos guardanapos de linho, mas notei que ela comia muito pouco e não bebia uma gota de álcool. Enquanto isso, os homens, usando habilmente suas facas, matavam duas cabras que levávamos atadas às mulas, tiravam-lhes a pele e botavam-nas para assar, crucificadas entre duas estacas. Não sei como a noite decorreu, caí em um sono de morte e não despertei antes do amanhecer, quando começava a faina de avivar os tições para fazer o café e acondicionar o que restava das cabras. Antes de partirmos, deixamos lenha, um saco de feijão e umas garrafas de aguardente para os próximos viajantes.

Terceira Parte

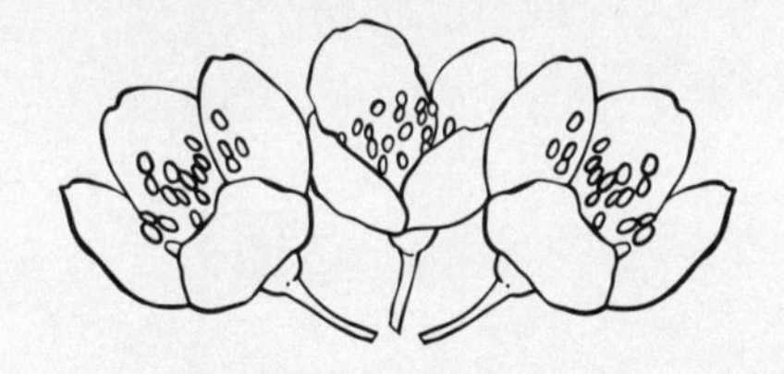

1896-1910

A clínica Hobbs foi fundada pelo célebre cirurgião Ebanizer Hobbs, em sua própria residência, um casarão de aspecto sólido e elegante em pleno bairro de Kensington, do qual foram tirando paredes, fechando janelas e semeando azulejos até transformá-lo em uma coisa feia e absurda. Sua presença naquela rua elegante incomodava tanto os vizinhos, que os sucessores de Hobbs não tiveram dificuldade para comprar as casas adjacentes a fim de aumentar a clínica, mantendo, porém, as fachadas eduardinas, de modo que, vistas de fora, em nada se diferenciava das fileiras de casas da quadra, todas idênticas. Por dentro, o que havia era um labirinto de quartos, escadas, corredores e pequenas janelas internas que não davam para lugar nenhum. Não havia, como nos antigos hospitais daquela cidade, a típica arena de operações, com o aspecto de uma praça de touros — um círculo central, coberto de serragem ou de areia e rodeado de galerias para espectadores —, mas pequenas salas de cirurgia com paredes, teto e piso forrados de azulejos e lâminas metálicas, que uma vez por dia eram lavados com lixívia e sabão, porque o falecido doutor Hobbs tinha sido um dos primeiros a acolher a teoria de Koch sobre a propagação de infecções e a adotar os métodos de assepsia de Lister, que a maior parte do corpo médico havia rejeitado por orgulho ou por preguiça. Não era nada cômodo mudar os velhos hábitos, a higiene era tediosa, complicada, e interferia na rapidez operatória, considerada a marca do bom cirurgião, porque diminuía o risco de choque e a perda de sangue. Ao contrário de muitos dos seus contemporâneos, para quem as infecções surgiam espontaneamente no corpo do enfermo, Ebanizer Hobbs compreendeu de imediato que os germes vinham de fora, das mãos, do solo, dos instrumentos e do ambiente, e por isso protegia, com um chuvisco de fenol, tanto as feridas quanto o ar do quirófano. Tanto fenol respirou o pobre homem, que acabou com a pele ulcerada, coberta de chagas, e morreu antes do tempo, vítima de uma doença renal, o que deu aos seus detratores um pretexto para se aferrarem às suas próprias e antiquadas ideias. Os discípulos de Hobbs, no entanto, analisaram o ar e descobriram que os germes não flutuavam como invisíveis aves de rapina, dispostas ao ataque dissimulado, mas que se concentravam nas superfícies sujas; a infecção se produzia por contato direto, de modo que o básico era limpar a fundo o instrumental, usar curativos esterilizados e levar os cirurgiões a não apenas lavar-se com todo o cuidado, mas também, se possível, a usar luvas de borracha. Não se tratava das toscas luvas empregadas pelos anatomistas para dissecar cadáveres ou por alguns operários para manipular substâncias químicas, mas de um produto delicado e suave como a pele humana, fabricado nos Estados Unidos. Sua origem era romântica: um médico apaixonado por uma enfermeira queria protegê-la dos eczemas produzidos pelos desinfetantes e mandou fazer as primeiras luvas de borracha, que os cirurgiões depois iriam adotar em suas operações. Tudo isso Paulina del Valle tinha lido atentamente em umas revistas científicas emprestadas por seu parente José Francisco Vergara, que havia adoecido do coração e se retirado para seu palácio em Viña del Mar, sem deixar, no entanto, de ser o mesmo estudioso de sempre. Minha avó não apenas escolheu com muito critério o médico que havia de operá-la, pondo-se em contato com ele quando ainda estava no Chile, com meses de antecipação, mas também tinha encomendado a uma firma de Baltimore vários pares daquelas famosas luvas de borracha, que agora levava muito bem protegidas em seu baú de roupas íntimas.

Paulina del Valle mandou Frederick Williams à França com a missão de saber quais eram as madeiras usadas nos tonéis destinados a fermentar o vinho e de investigar a indústria de queijos, pois não havia razão nenhuma para que as vacas chilenas não fossem capazes de produzir queijos tão saborosos quanto os das vacas francesas, que eram igualmente tolas. Durante a travessia da cordilheira dos Andes e, mais tarde, no transatlântico, pude observar de perto minha avó e compreendi que algo fundamental começava a fraquejar nela, algo que não era a vontade, a mente ou a cobiça, mas a ferocidade. Tornou-se uma pessoa suave, branda e muito distraída, capaz de sair a passear pela coberta do barco toda vestida de musselina e de pérolas, mas sem a dentadura postiça. Era evidente que não passava bem as noites, andava com olheiras e parecia sempre sonolenta. Tinha perdido muito peso, sobravam-lhe peles quando tirava o corpete. Queria que eu estivesse sempre por perto, "para não andar seduzindo os marinheiros", brincadeira cruel, pois naquela idade minha timidez era tão categórica, que bastava um inocente olhar masculino em minha direção para que ficasse corada como um caranguejo cozido. Na verdade, Paulina del Valle sentia-se frágil e necessitava de alguém por perto para distraí-la da morte. Não falava de suas doenças, pelo contrário, dizia que estava pensando em passar uns dias em Londres e depois seguir para a França, a fim de tratar dos tonéis e dos queijos, mas adivinhei desde o princípio que seus planos eram outros, o que ficou evidente quando, mal chegamos à Inglaterra, ela começou seu esforço diplomático para convencer Frederick Williams a viajar sozinho, enquanto nós duas faríamos compras antes de deixarmos o país para nos reunir a ele. Não sei se Williams partiu sem suspeitar de que sua mulher estava doente ou se adivinhou a verdade e, compreendendo o pudor dela, deixou-a em paz; o fato é que nos instalou no Hotel Savoy e, uma vez certo de que nada nos faltaria, embarcou, sem muito entusiasmo, a fim de cruzar o Canal.

Minha avó não desejava testemunhos de sua decadência e era especialmente recatada diante de Williams. Isso fazia parte da coqueteria que adquiriu ao casar, inexistente quando ele era seu mordomo. Não tinha, então, inconveniente em mostrar o pior de seu caráter e apresentar-se diante dele de qualquer modo, mas depois tratou sempre de impressioná-lo com a sua melhor plumagem. Aquela relação outonal lhe importava muito e não quis que a saúde em mau estado pusesse abaixo o sólido edifício de sua vaidade; por isso tratou de afastar o marido e, se eu não tivesse me mostrado firme, também me teria excluído; tive de travar uma batalha para que ela me permitisse acompanhá-la em suas visitas a médicos, mas finalmente se rendeu diante de minha teimosia, em contraste com a sua debilidade. Sentia-se dolorida e quase não podia engolir, mas não parecia assustada, e continuava a dizer brincadeiras sobre o tédio do céu e os inconvenientes do inferno. A clínica Hobbs inspirava confiança desde a porta de entrada, com seu *hall* cercado de estantes repletas de livros e retratos a óleo dos cirurgiões que haviam exercido seu ofício entre aquelas paredes. Fomos recebidas por uma senhora de aspecto impecável, que nos conduziu ao consultório do médico, uma sala acolhedora, com uma lareira na qual crepitava o fogo de grandes achas, e elegantes móveis ingleses de couro marrom. O aspecto do doutor Gerald Suffolk era tão impressionante quanto sua fama. Tinha uma pinta de teutão, era alto e corado, com uma grossa cicatriz na face, que, longe de enfeá-lo, tornava-o inesquecível. Em cima da escrivaninha estavam a correspondência trocada com minha avó, os informes dos especialistas chilenos consultados e o pacote com as luvas de borracha que ela lhe havia mandado naquela mesma manhã por um mensageiro. Viemos a saber, mais tarde, que aquela era uma precaução desnecessária, pois havia três anos que as tais luvas eram usadas pela clínica Hobbs. Suffolk nos deu as boas-vindas como se estivéssemos fazendo uma visita de cortesia, oferecendo-nos um café turco aromatizado com sementes de cardamomo. Levou minha avó para uma sala adjacente e, depois de examiná-la, voltou ao consultório e se pôs a folhear um grosso livro enquanto esperava que ela reaparecesse. Logo a paciente voltou e o cirurgião confirmou o prévio diagnóstico dos médicos chilenos: minha avó tinha um tumor no intestino. Acrescentou que a operação era arriscada para a idade dela e porque ainda era um tratamento em etapa experimental; ele, no entanto, havia desenvolvido uma técnica perfeita para tais casos. Expressava-se com tal superioridade, que me veio à mente a opinião de meu mestre dom Juan Ribero, para quem a fatuidade era privilégio dos ignorantes; o sábio é humilde porque sabe quão pouco sabe. Minha avó exigiu que lhe explicasse em detalhes o que pensava fazer por ela, e isso foi uma surpresa para o médico, habituado a ver os doentes se entregarem à inquestionável autoridade de suas mãos com a passividade de galinhas, mas em seguida aproveitou a ocasião para pronunciar uma verdadeira conferência, mais preocupado em nos impressionar com o virtuosismo de seu bisturi do que com o bem-estar de sua infortunada paciente. Fez um desenho de tripas e órgãos adicionais, algo que parecia um maquinismo tresloucado, e nos indicou onde se localizava o tumor e como pensava extirpá-lo, incluindo o tipo de sutura, informação que Paulina del Valle recebeu impassível, mas a mim tanto perturbou, que tive de sair do consultório. Sentei-me no *hall* dos retratos, a rezar entre dentes. Na verdade, sentia mais medo por mim do que por ela, pois a ideia de ficar sozinha no mundo me aterrorizava. Assim estavam as coisas, quando passou por ali um homem, que deve ter visto a minha palidez, pois se deteve para falar comigo. "Está acontecendo alguma coisa, minha jovem?", perguntou em castelhano, com sotaque chileno. Neguei com a cabeça, possuída pela surpresa, sem atrever-me a olhá-lo de frente, mas devo tê-lo examinado com o canto do olho, pois pude ver que era jovem, tinha as faces barbeadas, pômulos altos, mandíbula firme e olhos oblíquos; parecia a ilustração de Gengis Khan do meu livro de história, embora menos feroz. Todo ele era cor de mel, mas nada havia de meloso em seu tom quando me explicou que era chileno como nós e que assistiria o doutor Suffolk na operação.

— A senhora Del Valle está em boas mãos — disse, sem a menor modéstia.

— O que acontecerá se ela não for operada? — perguntei, gaguejando, como sempre me ocorre quando estou muito nervosa.

— O tumor continuará a crescer. Mas não se preocupe, moça, a cirurgia avançou muito, sua avó fez muito bem vindo aqui — concluiu.

Quis averiguar o que fazia um chileno por aqueles lados e por que tinha aquele aspecto de tártaro — não era difícil visualizá-lo coberto de peles, com uma lança na mão —, mas me calei, perturbada. Londres, a clínica, os médicos e o drama de minha avó, tudo era coisa demais para que eu manejasse sozinha, eu sentia dificuldade de entender os pudores de Paulina del Valle acerca de sua saúde e suas razões para mandar Frederick Williams para o outro lado do Canal, justamente quando mais necessitávamos dele. Gengis Khan me deu uma palmadinha condescendente na mão e foi embora.

Contra todas as minhas previsões pessimistas, vovó Paulina sobreviveu à cirurgia e, depois da primeira semana, em que a febre subia e baixava descontroladamente, estabilizou-se, e ela pôde começar a comer alimentos sólidos. Não saí de seu lado, salvo para ir ao hotel uma vez por dia, a fim de tomar banho e trocar de roupa, porque o cheiro de anestésicos, medicamentos e desinfetantes produzia uma espécie de mistura viscosa que se grudava em minha pele. Dormia aos pedaços, sentada em uma poltrona ao lado da enferma. Apesar da terminante proibição de minha avó, mandei um telegrama a Frederick Williams no mesmo dia da operação, e ele chegou a Londres trinta horas mais tarde. Vi-o perder sua proverbial compostura diante da cama onde se achava Paulina, ainda sob o efeito das drogas, gemendo a cada exalação, com quatro pelos na cabeça, sem dentes, uma velhinha pálida como um pergaminho. Ajoelhou-se junto dela, pôs a fronte sobre a mão exangue de Paulina del Valle, murmurando seu nome; quando se levantou, tinha o rosto molhado de lágrimas. Minha avó, em cujo entender a juventude não é uma época da vida, mas um estado de ânimo, e, portanto, a gente tem a saúde que merece, via-se totalmente derrotada naquela sala de hospital. Aquela mulher, cujo apetite pela vida era equivalente à sua gulodice, tinha voltado o rosto para a parede, indiferente ao que havia ao redor dela, sumida em si mesma. Sua enorme força de vontade, seu vigor, sua curiosidade, seu sentido de aventura e até sua cobiça, tudo tinha se apagado diante do sofrimento do corpo.

Naqueles dias tive muitas oportunidades de ver Gengis Khan, que controlava o estado da paciente e, como era de se esperar, tornou-se mais acessível do que o célebre doutor Suffolk ou as severas matronas do estabelecimento. Respondia às inquietações de minha avó não com respostas vagas, mas com explicações racionais, e era o único que procurava aliviar sua aflição, os outros se interessavam pelo estado da ferida, a febre, mas ignoravam os queixumes da paciente. Esperaria ela, por acaso, que aquilo não doesse? O melhor seria calar a boca e dar graças por lhe terem salvo a vida; o jovem doutor chileno, ao contrário, não economizava morfina, porque achava que o sofrimento continuado acaba com a resistência física e moral do enfermo, retardando ou impedindo a cura, como esclareceu a Williams. Soubemos que se chamava Ivan

Radovic e vinha de uma família de médicos, seu pai tinha trocado os Bálcãs pelo Chile em fins dos anos cinquenta, havia se casado com uma professora chilena do norte e gerado três filhos, dos quais dois tinham seguido seus passos na medicina. Seu pai, ele disse, morrera de tifo durante a Guerra do Pacífico, da qual participara como cirurgião durante três anos, e sua mãe tivera, daí em diante, de cuidar sozinha da família. Pude observar à vontade o pessoal da clínica, da mesma maneira que escutei conversas não destinadas aos meus ouvidos, pois nenhum deles, salvo o doutor Radovic, jamais deu o menor sinal de ter percebido minha presença naquele lugar. Eu ia fazer dezesseis anos e continuava com o cabelo atado por uma fita, vestindo roupa escolhida por minha avó, que mandava fazer para mim ridículos vestidos de menina, com o fim de prolongar minha infância pelo máximo de tempo possível. A primeira vez que usei algo adequado à minha idade foi quando Frederick Williams me levou à Whiteney's, sem pedir licença à minha avó, e pôs a loja à minha disposição. Quando voltamos ao hotel e me apresentei com um penteado adulto e um vestido de senhorita, ela não me reconheceu, mas isso foi semanas mais tarde. Paulina del Valle devia ser forte como um touro, pois, embora lhe houvessem aberto o estômago, extraído de dentro um tumor do tamanho de uma laranja e tivessem fechado o ferimento como quem costurava um sapato, passados menos de dois meses voltara a ser a mesma de sempre. Dessa tremenda aventura só lhe restava uma cicatriz de flibusteiro na barriga e um apetite voraz pela vida e, claro, pela comida. Assim que pôde dispensar a bengala para andar, partimos para a França. Descartou por completo a dieta indicada pelo doutor Suffolk, pois, como declarou, não tinha vindo do cu do mundo para chegar a Paris pedindo papinha de recém-nascido. A pretexto de estudar a manufatura de queijos e a tradição culinária da França, fartou-se de quanta delícia aquele país lhe pudesse oferecer.

Uma vez acomodados no hotelzinho que Frederick Williams escolheu para nós no Boulevard Haussman, fizemos contato com a inefável Amanda Lowell, que continuava com o mesmo ar de rainha dos vikings no desterro. Paris era o seu ambiente, vivia em um desvão antiquado, porém confortável, com janelinhas que lhe permitiam apreciar os pombos nos tetos do bairro e os céus impecáveis da cidade. Comprovamos que suas histórias sobre a vida boêmia e sua amizade com artistas célebres eram rigorosamente verdadeiras; graças a ela pudemos visitar os ateliês de Cézanne, Sisley, Degas, Monet e vários outros. Lowell teve de ensinar-nos a apreciar as telas daqueles pintores, pois não tínhamos o olho treinado para o impressionismo, mas logo estávamos completamente seduzidos por ele. Minha avó comprou uma boa coleção de quadros que produziram ataques de riso quando os pendurou nas paredes de sua casa no Chile; ninguém gostou dos céus centrífugos de Van Gogh ou das dançarinas cansadas de Lautrec, e acharam que em Paris tinham finalmente conseguido enganar Paulina del Valle. Quando Amanda Lowell notou que eu não me separava de minha câmara fotográfica e passava horas fechada no quarto escuro que improvisei no hotelzinho, ofereceu-se para me apresentar aos fotógrafos mais célebres de Paris. Como meu mestre Juan Ribero, ela considerava que a fotografia não compete com a pintura, que as duas são totalmente diferentes; o pintor interpreta a realidade, e a câmara plasma-a. Tudo na primeira é ficção, enquanto a segunda é a soma do real com a sensibilidade do fotógrafo. Ribero não me permitia truques sentimentais ou exibicionistas, nada de acomodar os objetos ou modelos para que parecessem pinturas; era inimigo da composição artificial; também não me deixava manipular os negativos ou as impressões e em geral desprezava os efeitos de luzes ou os focos difusos, queria a imagem honesta e simples, embora clara em seus mais ínfimos detalhes. "Se o que você pretende é o efeito de um quadro, pinte, Aurora. Se o que você deseja é a verdade, aprenda a usar sua câmara", repetia. Amanda Lowell jamais me tratou como uma menina, desde o início me levou a sério. Ela também era fascinada pela fotografia, que naquela época ninguém chamava de arte, e para muitos era apenas um instrumento a mais dos muitos caprichos extravagantes daquele século frívolo. "Estou muito gasta para aprender fotografia, mas você tem os olhos jovens, Aurora, você pode ver o mundo e obrigar os outros a vê-lo à sua maneira. Uma boa fotografia conta uma história, revela um lugar, um evento, um estado de ânimo, é mais poderosa que páginas e páginas de escrita", ela me dizia. Paulina del Valle, ao contrário, tratava minha paixão pela câmara como um capricho de adolescente, e estava muito mais interessada em me preparar para o casamento e escolher meu enxoval. Mandou-me para uma escola de senhoritas, na qual eu recebia aulas diárias sobre como subir e descer graciosamente uma escada, dobrar guardanapos para um banquete, escolher cardápios conforme as ocasiões, organizar jogos de salão e fazer arranjos de flores, talentos que minha avó considerava suficientes para o triunfo na vida de casada. Paulina del Valle gostava de comprar, e passávamos tardes inteiras nas butiques, escolhendo tecidos, tardes aquelas que eu teria aproveitado melhor se estivesse percorrendo Paris com minha câmara na mão.

NÃO SEI COMO aquele ano passou. Quando, aparentemente, Paulina del Valle estava refeita de suas mazelas e Frederick Williams transformado em um especialista em madeira para tonéis de vinho e também no fabrico de queijos, dos mais hediondos aos mais esburacados, conhecemos Diego Domínguez em um baile na Embaixada do Chile, em comemoração ao 18 de setembro, dia da Independência do país. Passei horas intermináveis nas mãos de um cabeleireiro, que construiu sobre minha cabeça uma torre de rolos e trancinhas enfeitadas com pérolas, uma verdadeira proeza, tendo em vista que meu cabelo costuma se comportar como a crina de um cavalo. Meu vestido era uma espécie de criação espumosa, salpicada de lantejoulas, que ao longo da noite foram se desprendendo e semeando de pontos brilhantes o assoalho da Embaixada. "Se teu pai pudesse te ver neste momento!", exclamou minha avó, admirada, quando terminei de me arrumar. Ela estava ataviada dos pés à cabeça com tecidos malva, sua cor preferida, além de um verdadeiro escândalo de pérolas rosadas no pescoço, tufos sobrepostos de cabelos postiços, em suspeitíssimo tom acaju, impecáveis dentes de porcelana e uma capa de veludo negro, com o rebordo coberto, do pescoço aos pés, de berloques de azeviche. Entrou no baile pelo braço de Frederick Williams, e eu pelo de um oficial de um navio da esquadra chilena que realizava uma visita de cortesia à França, um jovem anódino, cujo rosto e cujo nome não consigo recordar, que assumiu por iniciativa própria a tarefa de me instruir no uso do sextante para fins de navegação. Foi um alívio imenso quando Diego Domínguez se plantou diante de minha avó, a fim de apresentar-se com todos os seus nomes de família e perguntar se podia dançar comigo. Diego Domínguez não é o seu verdadeiro nome; mudei-o porque penso que devo preservar tudo que se refere a ele e à sua família. Basta saber que existiu, que sua história é verdadeira e que o perdoei. Os olhos de Paulina del Valle brilharam de entusiasmo quando viram Diego Domínguez, pois afinal tinha um potencial e aceitável pretendente à minha mão, filho de gente conhecida, certamente rico, bem-educado e até mesmo um tanto bonito. Ela consentiu, ele me estendeu a mão e saímos a deslizar pelo salão. Depois da primeira valsa, o senhor Domínguez tomou meu cartão de baile e, do próprio punho, eliminou com uma canetada o especialista em sextantes e outros candidatos a dançarem comigo. Então o olhei com mais atenção e tive de admitir que ele possuía uma aparência agradável, irradiava saúde e força, tinha um rosto simpático, olhos azuis e um porte viril. Parecia sentir incômodo em seu fraque, porém se movimentava com segurança e dançava razoavelmente, de qualquer forma bem melhor do que eu, que ao dançar pareço uma gansa, apesar do ano de aulas intensivas na escola para senhoritas; isso sem esquecer que a perturbação aumentava a lentidão dos meus movimentos. Naquela noite me enamorei com toda a paixão e imprudência do primeiro amor. Diego Domínguez me guiava com mão firme pela pista de dança, olhando-me com intensidade e quase sempre em silêncio, porque suas tentativas de estabelecer uma conversa batiam de frente com as minhas respostas monossilábicas. Minha timidez era uma tortura, eu não sabia onde pôr meus olhos quando ele olhava fixamente para mim; ao sentir o calor de seu hálito em meu rosto, minhas pernas enfraqueciam; eu tinha de lutar desesperadamente contra a tentação de sair correndo e me esconder embaixo de alguma daquelas mesas. Sem dúvida, fiz um papel triste, mas o infortunado jovem cravou-se ao meu lado, por causa da fanfarronice de ter preenchido meu cartão de baile com seu nome. Em algum momento disse-lhe que, se não quisesse, não estava obrigado a dançar comigo. Respondeu-me com uma gargalhada, a única da noite, e perguntou-me quantos anos eu tinha. Eu jamais estivera nos braços de um homem, jamais havia sentido a pressão de uma palma masculina no vale da minha cintura. Uma de minhas mãos descansava em seu ombro e a outra em sua mão enluvada, mas sem a leveza de toque que a minha professora de dança exigia, porque ele me apertava com determinação. Em algumas breves pausas ele me oferecia taças de champanha, que eu bebia porque não me atrevia a rejeitar, com o resultado previsível de pisar cada vez com mais frequência em seus pés. Quando no final da festa o embaixador do Chile tomou a palavra a fim de brindar pela sua pátria distante e pela bela França, Diego Domínguez se pôs atrás de mim, tão perto quanto a roda do meu vestido de baile permitia, e sussurrou em minha nuca que eu era "deliciosa" ou algo equivalente.

Nos dias seguintes, Paulina del Valle saiu à procura de seus amigos diplomatas para, sem a menor dissimulação, informar-se de tudo que fosse possível sobre a família e os antecedentes de Diego Domínguez, antes de autorizá-lo a levar-me para um passeio a cavalo pelos Campos Elíseos, vigiada a prudente distância por ela e tio Frederick, que nos seguiam em um coche. Depois nos reunimos os quatro, tomamos sorvetes embaixo de guarda-sóis, atiramos migalhas de pães aos patos e acertamos ir à ópera naquela mesma semana. De passeio em passeio e de sorvete em sorvete, chegamos a outubro. Diego tinha vindo à Europa por ordem de seu pai, cumprindo a aventura que quase todos os jovens chilenos de classe alta realizavam uma vez na vida, para adquirir um verniz de civilização. Depois de percorrer várias cidades, visitar alguns museus e catedrais e empanturrar-se de vida noturna e diabruras galantes, que supostamente o curariam para sempre de tal vício e lhe proporcionariam material para fanfarronar-se diante dos colegas, estava pronto para voltar ao Chile, sentar a cabeça, trabalhar, casar-se, fundar sua própria família. Comparado com Severo del Valle, por quem sempre estive enamorada em minha infância, Diego Domínguez era feio e, com a senhorita Matilde Pineda, era um tolo, mas eu não estava em condições de comparar; tinha certeza de que acabava de encontrar o homem perfeito e mal podia acreditar no milagre de que ele houvesse me correspondido. Frederick Williams opinou que não era prudente apegar-me ao primeiro que passasse, que eu era ainda muito jovem e, finalmente, que me sobravam pretendentes para escolher com calma, mas minha avó garantiu que aquele jovem era o melhor que me oferecia o mercado matrimonial, apesar dos inconvenientes de ser agricultor e viver no campo, muito longe da capital.

— De navio ou de trem pode-se ir até lá sem problema — minha avó respondeu.

— Vovó, não se apresse tanto, o senhor Domínguez não me insinuou nada do que você imagina — esclareci, corando até as orelhas.

— Pois é melhor que o faça logo, se não terei de apertá-lo entre a espada e a parede.

— Não! — exclamei, espantada.

— Não vou permitir que minha neta fique a espantar moscas. Não podemos perder tempo. Se esse rapaz não tem intenções sérias, deve sair de campo agora mesmo.

— Mas, vovó, qual é o problema? Acabamos de nos conhecer...

— Sabe quantos anos tenho, Aurora? Setenta e seis. Poucos vivem tanto. Antes de morrer quero deixar você bem casada.

— A senhora é imortal, vovó.

— Não, filha, apenas pareço — ela replicou.

Não sei se ela deu o planejado apertão em Diego Domínguez ou se ele captou as indiretas e tomou a decisão por si mesmo. Agora que posso ver aquele episódio com certo distanciamento e humor, compreendo que ele nunca esteve enamorado de mim, simplesmente se sentiu afagado pelo meu amor incondicional e deve ter posto na balança as vantagens daquela união. Talvez me desejasse, já que éramos jovens e estávamos disponíveis; talvez tenha acreditado que com o tempo chegaria a me amar; talvez tenha se casado comigo por preguiça e conveniência. Diego era um bom partido, mas eu também era: dispunha da renda deixada por meu pai e supunha que ia herdar uma fortuna de minha avó. Quaisquer que fossem suas razões, o fato é que pediu minha mão e me pôs no dedo um anel de diamantes. Os sinais de perigo eram evidentes para qualquer um que andasse de olhos abertos, mas não para minha avó, cega pelo medo de deixar-me só, e para mim, que estava louca de amor, mas não para o tio Frederick, que desde o início foi capaz de afirmar que Diego Domínguez não era o homem destinado a mim. Como não havia gostado de ninguém que houvesse se aproximado de mim durante os últimos dois anos, não prestamos atenção ao que ele disse, acreditamos que aquilo não passava de ciúme paterno. "Já percebi que esse jovem é de temperamento um bocado frio", comentou mais de uma vez, porém minha avó o rebatia dizendo que não se tratava de frieza, mas de respeito, como era de se esperar de um perfeito cavalheiro chileno.

Paulina del Valle entrou em um frenesi de compras. Na pressa, os pacotes iam parar no fundo dos baús, sem serem devidamente examinados, de modo que, quando os abrimos em Santiago, verificamos que havia dois de cada coisa e que a metade não me servia. Quando soube que Diego Domínguez estava prestes a regressar ao Chile, acertou com ele que voltaríamos no mesmo vapor, o que nos dava algumas semanas para nos conhecermos melhor, disseram. Frederick Williams torceu a cara e fez o possível para desfazer tais planos, mas não havia poder neste mundo capaz de confrontar aquela senhora quando algo se metia entre suas orelhas, e no momento a obsessão dela era casar a neta. Pouco me lembro da viagem, transcorrida em uma nebulosa de passeios pela coberta, jogos de pelota e de cartas, coquetéis e bailes até Buenos Aires, onde nos separamos, porque ele tinha de comprar uns touros que deviam ser levados pelas estradas andinas do sul até a propriedade onde iriam reproduzir-se. Tivemos pouquíssimas oportunidades de ficar a sós ou de conversar sem testemunhas, aprendi o essencial sobre os vinte e três anos de seu passado e sua família, mas quase nada sobre seus gostos, crenças e ambições. Minha avó disse-lhe que meu pai, Matías Rodriguez de Santa Cruz, tinha falecido e que minha mãe era uma americana que não conhecíamos, porque morrera ao dar-me à luz, o que de certo modo se ajustava à verdade. Diego não demonstrou curiosidade, não quis saber mais sobre mim; também não lhe interessou minha paixão pela fotografia, e, quando adverti que não pensava em renunciar a ela, respondeu-me que não via nenhum inconveniente naquilo, pois sua irmã pintava aquarelas e sua cunhada bordava em ponto de cruz. Na longa travessia do

Atlântico não chegamos realmente a nos conhecer, mas fomos nos enredando na teia que minha avó, com a melhor das intenções, teceu ao nosso redor.

Como na primeira classe do transatlântico havia pouco para fotografar, salvo os trajes das damas e os arranjos de flores do refeitório, eu descia frequentemente às cobertas inferiores para fazer retratos, sobretudo dos viajantes da última classe, que se amontoavam no ventre do navio: trabalhadores e imigrantes que haviam tomado o rumo da América para tentar fortuna, russos, alemães, italianos, judeus, pessoas que quase nada tinham no bolso, mas levavam o coração repleto de esperanças. Pareceu-me que, apesar da falta de comodidade e de recursos, eles se sentiam melhor do que os passageiros da classe superior, onde tudo era demorado, cerimonioso e aborrecido. Entre os imigrantes havia uma camaradagem fácil, os homens jogavam cartas e dominós, as mulheres formavam grupos para contar suas vidas, os meninos improvisavam varas de pescar e brincavam de esconde-esconde; às tardes, tocavam suas guitarras, seus acordeões, suas flautas e violinos, armavam festas alegres, com cantos, danças e rodadas de cerveja. Ninguém parecia importar-se com a minha presença, não me faziam perguntas e, passados alguns dias, me aceitavam como se eu fosse uma deles, e isso me permitia fotografá-los à vontade. No navio eu não tinha como revelar os negativos, porém fui classificando-os cuidadosamente para fazê-lo mais tarde em Santiago. Em uma daquelas excursões pelas cobertas inferiores topei com a última pessoa que esperava encontrar ali.

— Gengis Khan! — exclamei ao vê-lo.

— Creio que está me confundindo, senhorita...

— Desculpe, doutor Radovic — supliquei, sentindo-me uma verdadeira idiota.

— Nós nos conhecemos? — ele perguntou com estranheza.

— Não se lembra de mim? Sou a neta de Paulina del Valle.

— Aurora? Puxa! Eu jamais poderia reconhecê-la. Como você mudou!

Era certo que eu havia mudado. Ele me conhecera um ano e meio antes, vestida como uma menina, e agora tinha diante dos olhos uma mulher feita, com uma câmara fotográfica pendurada no pescoço e uma aliança de noivado no dedo. No decorrer daquela viagem começou uma amizade entre nós que haveria de mudar a minha vida. O doutor Ivan Radovic, passageiro da segunda classe, só podia subir à coberta da primeira se fosse convidado, mas eu podia descer e visitá-lo, o que fiz com muita frequência. Ele me falava a respeito de seu trabalho com a mesma paixão que eu lhe confessava pela fotografia; via-me usar a câmara, mas não lhe pude mostrar nada do que havia fotografado antes porque estava tudo no fundo dos baús, mas prometi-lhe que o faria quando chegasse a Santiago. Mas isso acabou não ocorrendo, pois senti vergonha de chamá-lo para tal fim; pareceu-me que aquilo seria uma exposição de vaidade, e não quis roubar o tempo de um homem ocupado em salvar vidas. Ao inteirar-se de sua presença a bordo minha avó o convidou de imediato para tomar chá no balcão de nossa suíte. "Com o senhor aqui me sinto segura neste alto mar, doutor. Se me aparecer outra laranja na barriga, você vem e a extirpa com uma faca de cozinha", brincou. Os convites para tomar chá se repetiram muitas vezes, seguidos por jogos de cartas. Ivan Radovic nos contou que havia terminado seu estágio na clínica Hobbs e voltava ao Chile para trabalhar em um hospital.

— Por que não abre uma clínica particular, doutor? — sugeriu minha avó, que havia adquirido afeto pelo médico.

— Eu jamais teria o capital e as relações que isso requer, senhora Del Valle.

— Pois, se quiser, estou disposta a fazer esse investimento.

— Não poderia permitir, de maneira nenhuma, que...

— Não o faria por você, mas porque seria um bom investimento, doutor Radovic — minha avó o interrompeu. — Todo mundo adoece, a medicina é um grande negócio.

— Creio que a medicina não é um negócio, mas um direito, senhora. Como médico, estou obrigado a servir e espero que algum dia a saúde esteja ao alcance de todos os chilenos.

— Você é socialista? — minha avó perguntou, com uma careta de repugnância, porque depois da "traição" da senhorita Matilde Pineda passara a desconfiar do socialismo.

— Sou médico, senhora Del Valle. Curar é tudo que me interessa.

VOLTAMOS AO CHILE em fins de dezembro de 1898 e deparamos com um país em plena crise moral. Ninguém, dos ricos latifundiários aos professores das escolas primárias, passando pelos operários do salitre, estava contente com a sorte e com o governo. Os chilenos pareciam resignados às suas falhas de caráter, como a embriaguez, o ócio e o roubo, e as mazelas sociais, como a burocracia implacável, o desemprego, a ineficiência da justiça e a pobreza, que contrastava com a descarada ostentação dos ricos e ia produzindo uma raiva crescente e surda, que se espalhava de norte a sul. Jamais tínhamos visto antes uma Santiago tão suja, com tantas pessoas miseráveis, tantos cortiços infectados pelas baratas, tantas crianças mortas antes de dar o primeiro passo. A imprensa assegurava que o índice de mortalidade na capital era equivalente ao de Calcutá. Nossa casa na rua Ejército Libertador havia permanecido sob os cuidados de duas tias afastadas e pobretonas, dos muitos agregados que tem qualquer família chilena e de alguns empregados. Fazia mais de dois anos que minhas tias reinavam sobre aquele domínio e nos receberam sem muito entusiasmo, acompanhadas de *Caramelo*, já tão velhinho, que nem sequer me reconheceu. O jardim havia se convertido em um matagal, as fontes mouriscas estavam sedentas, os salões cheiravam a sepulcro, as cozinhas pareciam chiqueiros e havia cocô de rato embaixo das camas; mas nada disso desanimou Paulina del Valle, que chegava com a disposição de realizar o casamento do século e não ia permitir que nada impedisse, nem sua idade, nem o calor de Santiago, nem tampouco meu caráter reprimido. Aproveitaria os meses de verão, durante os quais todo mundo procurava as praias ou o campo, para botar a casa em ordem, pois no outono a vida social recomeçaria intensa, e era necessário que a casa ficasse pronta para o meu casamento em setembro, o começo da primavera, o mês das festas patrióticas e ao mesmo tempo das noivas, exatamente um ano depois do meu primeiro encontro com Diego. Frederick Williams encarregou-se de contratar um regimento de pedreiros, marceneiros, jardineiros e criadas, que assumiram a tarefa de refazer aquela ruína, em ritmo chileno, quer dizer, sem pressa demasiada. O verão chegou, poeirento e tórrido, com seu aroma de pêssego e os gritos dos vendedores ambulantes apregoando as delícias da estação. Os que podiam, gozavam suas férias no campo ou na praia; a cidade parecia morta. Severo del Valle veio nos visitar, trazendo sacos de verduras, cestos de frutas e boas notícias sobre as vinhas; sua pele estava tostada, ele estava mais corpulento e mais bonito do que nunca. Olhou-me boquiaberto, surpreso pelo fato de eu não ser mais a mesma garotinha de quem havia se despedido dois anos antes, fez-me girar como um pião, a fim de me observar por todos os ângulos, e seu generoso juízo foi o de que eu tinha um ar parecido com o de minha mãe. Paulina recebeu de cara fechada aquele comentário, meu passado não era para ser mencionado em sua presença, para ela minha vida tinha começado aos cinco anos, quando cruzei o umbral de seu palacete em São Francisco, o anterior não existia. Nívea tinha ficado na propriedade com os meninos, porque estava às vésperas de dar novamente à luz, excessivamente pesada para fazer a viagem até Santiago. Tudo indicava que a produção das vinhas naquele ano seria muito boa; ele estava pensando que em março poderia colher aquelas das quais sairia o vinho branco, as do tinto seriam colhidas em abril, anunciou Severo del Valle; ele acrescentou que havia umas parreiras de tinto muitíssimo diferentes, cresciam misturando-se com as outras, eram mais delicadas, mais fáceis de serem atacadas pelas pragas, e amadureciam mais tarde. Apesar de darem frutos excelentes, estava pensando em arrancá-las, para evitar problemas. Percebi que naquele justo momento o ouvido de Paulina del Valle parava de ouvir e vi acender-se nas suas pupilas aquela luzinha cobiçosa, que geralmente anunciava uma ideia rentável.

— Assim que começar o outono, transplante essas vinhas para algum lugar isolado. Tome todos os cuidados e no próximo ano extrairemos delas um vinho especial — disse minha avó.

— Para que nos metermos com isso? — Severo perguntou.

— Se essas uvas amadurecem mais tarde, devem ser mais finas e mais concentradas. Certamente o vinho será muito melhor.

— Estamos produzindo um dos melhores vinhos do país, tia.

— Ah, sobrinho, por favor me dê esse gosto, faça o que estou lhe pedindo... — rogou minha avó, naquele tom meio lisonjeiro que costumava empregar antes de dar uma ordem.

Só pude ver Nívea no dia do meu casamento, quando ela chegou com um novo recém-nascido e se pôs a cochichar ao meu ouvido, apressada, a informação básica que qualquer noiva devia saber antes da lua de mel, mas que ninguém tinha se dado ao trabalho de me dar. Minha condição virginal, no entanto, não me preservava dos sobressaltos de uma paixão instintiva à qual eu não sabia que nome dar; pensava em Diego todos os dias e todas as noites, e nem sempre aqueles pensamentos eram castos. Desejava-o, mas não sabia muito bem para quê. Queria estar em seus braços, queria que me beijasse, como havia feito em tantas ocasiões, e queria vê-lo nu. Jamais tinha visto um homem nu e, confesso, a curiosidade me mantinha insone. Isso era tudo, o resto do caminho, um mistério. Nívea, com sua desinibida honestidade, era a única em condições de me instruir, mas isso só iria acontecer vários anos mais tarde, quando houve tempo e oportunidade para aprofundar nossa amizade e ela me revelaria os segredos de sua intimidade com Severo del Valle, descrevendo em detalhe, morta de riso, as posições aprendidas na coleção de seu tio José Francisco Vergara. Naquela ocasião eu já havia deixado para trás a inocência, mas era muito ignorante em matéria de erotismo, como são quase todas as mulheres e também os homens em sua maioria, segundo Nívea me garantiu. "Sem os livros de meu tio eu teria tido quinze filhos sem saber como", ela me disse. Seus conselhos, que teriam posto em pé os cabelos de minhas tias, serviram muito para o meu segundo amor, mas de nada para o primeiro.

Durante três longos meses vivemos, como que acampados, em quatro aposentos da casa da rua Ejército Libertador, arquejando com o calor da estação. Não tive tempo para me aborrecer, porque minha avó tratou imediatamente de recomeçar suas atividades caritativas, embora todas as outras integrantes do Clube das Damas andassem veraneando. Na ausência de Paulina a disciplina do clube havia se tornado frouxa e coube a ela empunhar novamente as rédeas da compaixão compulsiva; voltamos a visitar enfermos, viúvas e loucos, a repartir alimentos e supervisionar os empréstimos às mulheres pobres. Essa ideia, da qual até os jornais zombaram, pois ninguém achava que as beneficiárias — todas no mais baixo degrau da indigência — fossem devolver o dinheiro, mostrou-se tão boa, que o próprio governo resolveu copiá-la. As mulheres não apenas pagavam escrupulosamente os empréstimos em quotas mensais, como também apoiavam umas às outras; assim, quando alguma não podia pagar, as outras pagavam por ela. Lembro-me de que Paulina del Valle chegou a pensar que podia lhes cobrar algum juro e, assim, transformar a caridade em negócio, mas eu a detive sem meias-palavras. "Tudo tem seu limite, vovó, até a cobiça", critiquei-a. Minha apaixonada correspondência com Diego Domínguez me mantinha pendente do correio. Descobri que por carta sou capaz de expressar aquilo que jamais me atreveria a dizer cara a cara; a palavra escrita é profundamente liberadora. Surpreendi-me lendo poesia amorosa em vez dos romances de que antes tanto gostava; se um poeta morto do outro lado do mundo podia descrever meus sentimentos com tal precisão, devia aceitar com humildade que meu amor não era excepcional, eu nada tinha inventado, todo mundo se enamora igualmente. Imaginava meu noivo a cavalo, galopando por suas terras como um herói legendário de ombros largos e poderosos, nobre, firme e elegante, um homenzarrão em cujas mãos eu estaria segura; ele me faria feliz, me daria proteção, filhos, um amor eterno. Visualizava um futuro de flocos macios e doces, no qual flutuaríamos abraçados para sempre. A que cheirava o corpo daquele homem a quem eu amava? A humo, como os bosques de onde vinha, ao doce aroma das pradarias ou talvez à água do mar, como aquele cheiro fugidio que, desde criança, me assaltava em sonhos? De repente, a necessidade de cheirar Diego se tornava tão imperiosa como um ataque de sede, e eu lhe pedia, em minhas cartas, que me enviasse um daqueles lenços que usava no pescoço ou uma de suas camisas sem lavar. As respostas de meu noivo a essas cartas apaixonadas eram tranquilas crônicas da vida no campo — as vacas, o trigo, a uva, o céu estival sem sombra de chuva — e sóbrios comentários sobre sua família. Claro, jamais me mandou nenhum dos seus lenços ou alguma de suas camisas. Lembrava-me, nas últimas linhas, o quanto me amava e quão felizes seríamos na ventilada casa de adobe e telhas de cerâmica que seu pai estava construindo para nós na herdade, tal como havia feito quando seu irmão Eduardo desposara Susana e tal como faria para sua irmã Adela, quando esta se casasse. Durante gerações os Domínguez tinham vivido sempre juntos; o amor a Cristo, a união entre irmãos, o respeito aos pais e o trabalho duro, dizia ele, eram os alicerces de sua família.

Por mais que escrevesse e suspirasse com a leitura de poesias, sobrava-me tempo, e assim voltei ao estúdio de dom Juan Ribero; fazia voltas e voltas pela cidade tomando fotos, e às noites trabalhava no quarto escuro que havia instalado em casa. Vinha fazendo experiências com o uso de platina no processo de cópia, uma técnica criada havia pouco, com a qual produzia imagens muito belas. O procedimento era simples, embora mais caro, mas minha avó arcava com o gasto. Com o auxílio de um pincel, passava-se no papel uma solução de platina, e o resultado eram imagens em sutis gradações de tons, luminosas, claras, com grande profundidade, destinadas a se manterem inalteráveis. Dez anos são passados, e aquelas continuam sendo as mais extraordinárias fotografias de minha coleção. Ao vê-las, muitas lembranças surgem diante de mim, com a mesma impecável nitidez daquelas cópias em platina. Posso ver minha avó Paulina, Severo, Nívea, amigos e parentes, também posso observar a mim mesma, em alguns autorretratos, tal como era então, bem pouco antes dos acontecimentos que iriam mudar minha existência.

Quando o sol nasceu na segunda terça-feira de março a casa estava engalanada, passara a ser servida por um moderno sistema de uso de gás, tinha telefone e um elevador para minha avó, paredes revestidas com papéis trazidos de Nova York e belas tapeçarias; os marchetes dos móveis estavam encerados, os bronzes polidos, os cristais lavados e a coleção de quadros de autores impressionistas distribuída pelos salões. Havia um novo contingente de criados de uniforme, comandados por um mordomo argentino que deixara o Hotel Crillon para ficar a serviço de Paulina del Valle, recebendo o dobro do que ganhava lá.

— Vamos ser criticados, vovó. Ninguém aqui tem mordomo, isso é exibicionismo — adverti.

— Que importa! Não quero lidar com índias mapuches que andam pela casa arrastando chinelos, deixando cair cabelos na sopa e atirando os pratos em cima da mesa — replicou, decidida a impressionar a sociedade de Santiago em geral e a família de Diego Domínguez em particular.

Desse modo, os novos empregados somaram-se às antigas criadas, que havia anos estavam na casa e não podiam mais ser simplesmente despedidas. Havia gente demais no serviço da casa, muitas ociosas, tropeçando umas nas outras, e foram tantas as intrigas e baixarias, que em certo momento Frederick Williams teve de intervir a fim de restabelecer a ordem, já que o argentino não sabia por onde começar. Isso produziu uma grande comoção, pois jamais se tinha visto o chefe da casa descer ao nível do trabalho doméstico, mas o fato é que ele agiu com perfeição; para alguma coisa havia de servir sua longa experiência no ofício. Não creio que Diego Domínguez e sua família, os primeiros a nos visitarem, tenham apreciado a elegância do serviço, pelo contrário, sentiram-se inibidos diante de tal esplendor. Pertenciam a uma antiga dinastia de latifundiários sulistas, mas ao contrário da maioria dos grandes proprietários chilenos, que passam dois meses em suas terras e vivem o resto do ano gastando os rendimentos em Santiago ou na Europa, eles nasciam, cresciam e morriam no campo. Era uma gente com sólida tradição familiar, profundamente católica e de vida muito simples, sem nenhum dos refinamentos impostos por minha avó, que certamente os viu como pessoas meio decadentes e não muito cristãs. Chamou-me a atenção o fato de todos terem olhos azuis, menos Susana, a cunhada de Diego, uma beldade morena de ar lânguido, como uma pintura espanhola. À mesa, confundiram-se com as fileiras de talheres e os seis copos de tamanhos diferentes, nenhum provou o pato com laranja e todos pareceram um pouco assustados quando a sobremesa chegou ardendo em chamas. Ao ver o desfile de criados de uniforme, a mãe de Diego, dona Elvira, perguntou por que havia tantos militares na casa. Diante dos quadros impressionistas ficaram pasmos, convencidos de que eu havia pintado aquelas figuras deformadas e que minha avó, por puro divertimento, pendurava-as na parede, mas gostaram do breve concerto de harpa e piano que oferecemos no salão de música. A conversa morria na segunda frase, até que os touros comprados na Argentina deram ocasião de falar-se da reprodução do gado, o que interessou muitíssimo a Paulina del Valle, que sem dúvida estava pensando em estabelecer sua indústria de queijos em sociedade com eles, dado o número de vacas que possuíam. Se até aquele momento eu tinha algumas dúvidas a respeito da minha futura vida no campo junto à tribo de meu noivo, aquela visita serviu para dissipá-las. Enamorei-me daqueles camponeses de velha estirpe, bondosos e despretensiosos, do pai sanguíneo e risonho, da mãe inocente, do irmão mais velho tão amável e tão viril, da misteriosa cunhada e da irmã mais nova, alegre como um canário, que tinham feito uma viagem de vários dias para me conhecer. Aceitaram-me com naturalidade e tenho certeza de que foram embora um tanto perturbados diante do nosso estilo de vida, mas sem nos criticar, porque pareciam incapazes de um mau pensamento. Já que Diego me havia escolhido, consideravam-me parte de sua família, e isso lhes bastava. Sua simplicidade me permitiu relaxar, coisa que raramente ocorria em presença de estranhos, um pouco depois eu estava conversando com cada um deles, falando-lhes da viagem à Europa e de minha paixão pela fotografia. "Mostre-me suas fotos, Aurora", pediu dona Elvira, e quando o fiz ela não soube dissimular sua decepção. Acho que esperava algo mais reconfortante do que piquetes de operários em greve, cortiços, meninos andrajosos brincando nas valas, violentas revoltas populares, sofridos emigrantes sentados sobre suas bagagens no ventre de um navio. "Mas, filhinha, por que não fotografa coisas bonitas? Para que se mete nesses lugares horríveis? Há tantas paisagens bonitas no Chile...", murmurou a santa senhora. Eu ia explicar-lhe que não me interessavam as coisas bonitas, e sim aqueles rostos curtidos pelo esforço e pelo sofrimento, mas compreendi que aquele não era o momento adequado. Mais adiante haveria tempo para que eu me desse a conhecer à minha futura sogra e ao restante de sua família.

— Para que você lhes mostrou aquelas fotografias? Os Domínguez são antiquados, você não devia tê-los assustado com suas ideias modernas, Aurora — Paulina del Valle me recriminou, depois que eles se tinham ido.

— De qualquer maneira eles já estavam assustados com o luxo da casa e com seus quadros impressionistas, não acredita, vovó? Além disso, Diego e sua família devem saber desde logo que espécie de mulher sou eu — repliquei.

— Você ainda não é uma mulher de verdade, não passa de uma garota. Mudará, terá filhos, deverá amoldar-se ao ambiente de seu marido.

— Serei sempre a mesma pessoa e não quero renunciar à fotografia. Isso não é o mesmo que as aquarelas da irmã de Diego, nem o bordado de sua cunhada, a fotografia é parte fundamental de minha vida.

— Bom, então primeiro se case e depois faça o que lhe der na veneta — concluiu minha avó.

Não esperamos até setembro, como estava planejado, mas tivemos de nos casar em meados de abril, porque dona Elvira Domínguez teve um ataque do coração, e uma semana depois, quando se refez o bastante para dar uns passos sozinha, manifestou o desejo de ver-me transformada na esposa de seu filho Diego antes de partir para o outro mundo. O resto da família concordou, pois, caso a senhora se fosse, o casamento teria de ser adiado pelo menos por um ano, tempo do luto regulamentar. Minha avó resignou-se, tratou de simplificar as coisas e esquecer a principesca cerimônia que havia planejado, e eu suspirei aliviada, porque a ideia de me expor aos olhos da metade de Santiago, entrando na catedral de braço com Frederick Williams ou Severo del Valle, embaixo de uma verdadeira montanha de organdi branco, como pretendia minha avó, me deixava muito inquieta.

QUE POSSO DIZER do meu primeiro encontro de amor com Diego Domínguez? Pouco, já que a memória costuma imprimir em preto e branco; os tons de cinza se perdem pelo caminho. Talvez não tenha sido tão ruim como recordo, mas esqueci os matizes, guardei apenas uma sensação geral de frustração e raiva. Depois da cerimônia privada na casa da rua Ejército Libertador, fomos para um hotel passar aquela noite, antes de partir para uma lua de mel de duas semanas em Buenos Aires, porque a precária saúde de dona Elvira não permitia que nos afastássemos muito. Quando me despedi de minha avó, senti que uma parte de minha vida estava terminando em definitivo. Ao abraçá-la tive a confirmação do quanto a amava e também do quanto ela havia diminuído, sua roupa estava folgada e agora eu já era quase um palmo mais alta do que ela; pressenti que não lhe restava muito tempo, ela parecia pequenina e vulnerável, era uma velhinha de voz trêmula e joelhos de lã. Pouco restava da matriarca formidável que durante mais de setenta anos havia feito das tripas coração e manejado a seu bel-prazer os destinos da família. Ao lado dela, Frederick Williams parecia seu filho, pois os anos pareciam não afetá-lo, como se fosse imune àquilo que desgasta os mortais. Até o dia anterior, meu bom tio Frederick me rogou, longe dos ouvidos de minha avó, que não me casasse se não estivesse me sentindo segura, e todas as vezes respondi que nunca havia me sentido mais segura em relação a alguma coisa. Não tinha dúvida de que amava Diego Domínguez. À medida que se aproximava o dia do casamento, minha impaciência crescia. Olhava-me no espelho, nua ou apenas coberta com as finas camisas de dormir que minha avó comprara na França, e me perguntava, ansiosa, se ele me acharia bonita. Um lunar no pescoço e os mamilos escuros me pareciam defeitos horríveis. Ele me desejaria tanto quanto eu o desejava? Tive a resposta naquela primeira noite no hotel. Estávamos cansados, tínhamos comido muito, ele havia bebido além da conta e eu também tinha três taças de champanha dentro do corpo. Entramos no hotel aparentando indiferença, mas o rastro de arroz que fomos deixando no piso delatou nossa condição de recém-casados. Foi tal a minha vergonha de estar sozinha com Diego e supor que lá fora alguém nos imaginava fazendo amor, que me tranquei no banheiro sentindo náuseas, até que, muito tempo depois, meu lindo marido bateu suavemente à porta para ver se eu ainda vivia. Levou-me ao quarto pela mão, ajudou-me a tirar o complicado chapéu, retirou os grampos que sustentavam meu cabelo, livrou-me do casaquinho de camurça, desabotoou os mil botõezinhos de pérolas da blusa, livrou-me da pesada saia e das várias anáguas, até me deixar vestida apenas com a fina camisa de cambraia que levava por baixo do corpete. À medida que ele me despojava da roupa, eu tinha a sensação de que me dissolvia como água, de que me esfumava, de que aos poucos me reduzia a esqueleto e finalmente a ar. Diego me beijou os lábios, mas não como eu tinha tantas vezes imaginado nos meses anteriores, e sim com força e urgência; não demorou para que o beijo se tornasse algo como uma dominação, enquanto suas mãos puxavam com força minha camisa, que eu tratava de segurar, porque me horrorizava a perspectiva de que ele me visse nua. As carícias apressadas e a revelação de seu corpo contra o meu me levaram para a defensiva, deixando-me tão tensa, que eu tremia como se estivesse com frio. Perguntou-me, aborrecido, o que se passava comigo e me ordenou que tratasse de relaxar, mas, ao perceber que tal método só piorava as coisas, mudou de tom, acrescentou que eu não tivesse medo, que ele trataria de ser cuidadoso. Soprou a lamparina e de algum modo conseguiu levar-me até a cama, o resto aconteceu depressa. Não fiz nada para ajudá-lo. Permaneci imóvel como uma galinha hipnotizada, tentando inutilmente recordar os conselhos de Nívea. Em algum momento sua espada me trespassou, consegui reter um grito e senti gosto de sangue na boca. A lembrança mais nítida daquela noite foi a do desencanto. Era aquilo a paixão com a qual os poetas gastavam tanta tinta? Diego me consolou, dizendo que era sempre assim na primeira vez, com o tempo aprenderíamos a nos conhecer e tudo andaria melhor, em seguida me deu um beijo casto na fronte, virou-me as costas e dormiu como um bebê, enquanto eu o vigiava na obscuridade, com um pano entre as pernas e uma dor que me queimava o ventre e a alma. Eu era demasiado ignorante para adivinhar a causa de minha frustração, nem sequer conhecia a palavra orgasmo, mas já havia explorado meu corpo e sabia que em algum lugar escondia-se aquele sísmico prazer, capaz de nos transtornar a vida. Diego o havia sentido dentro de mim, isso era evidente, mas eu só havia experimentado aflição. Senti-me vítima de uma tremenda injustiça biológica: para o homem o sexo era fácil — podia obtê-lo até mesmo com a força —, ao passo que para nós era desprovido de deleite e carregado de graves consequências. Seria necessário acrescentar à maldição divina de parir com dor, a de amar sem gozo?

Quando Diego despertou na manhã seguinte, fazia muito que eu tinha me vestido e também que havia decidido voltar para minha casa a fim de me refugiar nos braços seguros de minha avó, mas o ar fresco e a caminhada pelas ruas do centro, quase vazias naquela hora do domingo, foram me deixando mais calma. Minha vagina ardia, ainda sentia nela a presença de Diego, mas pouco a pouco minha raiva foi se dissipando e eu me dispus a enfrentar o futuro como uma verdadeira mulher, e não como uma idiota malcriada. Estava consciente do quanto tinha sido mimada nos dezenove anos de minha existência, mas aquela etapa estava terminada; a noite anterior havia me iniciado na condição de casada, e eu devia agir e pensar com maturidade, concluí, engolindo as lágrimas. A responsabilidade de ser feliz era exclusivamente minha. Meu marido não me traria a felicidade eterna como um presente embrulhado em papel de seda, eu é que deveria esculpi-la dia a dia, com inteligência e esforço. Por sorte amava aquele homem e acreditava que, tal como ele havia me assegurado, com o tempo e a prática as coisas melhorariam entre nós. Pobre Diego, pensei, deve estar tão decepcionado quanto eu. Regressei ao hotel a tempo de fechar as maletas e partir em viagem de lua de mel.

A HERDADE *CALEUFÚ*, incrustada na zona mais bela do Chile, um paraíso selvagem de selva fria, vulcões, lagos e rios, pertencia aos Domínguez desde os tempos da Colônia, quando as terras foram repartidas entre os fidalgos que haviam se distinguido na conquista. A família tinha aumentado sua riqueza comprando mais terras dos índios, ao preço de algumas garrafas de aguardente, até formar um dos latifúndios mais prósperos da região. A propriedade nunca fora dividida; por tradição, era herdada, inteira, pelo filho mais velho, a quem cabia a obrigação de dar trabalho ou ajudar os irmãos, manter e dar dote às irmãs, e finalmente cuidar dos colonos que moravam nas terras da herdade. Meu sogro, dom Sebastián Domínguez, era uma dessas pessoas que se mostram capazes de cumprir tudo aquilo que se espera delas; envelhecia com a consciência em paz e agradecido pelas recompensas que a vida lhe havia oferecido, sobretudo o carinho de sua mulher, dona Elvira. Em sua juventude tinha sido um tremendo caçador de saias, ele mesmo dizia rindo, e a prova eram os vários camponeses que haviam nascido na propriedade com olhos azuis, mas a mão suave e firme de dona Elvira o fora domando aos poucos, sem que ele mesmo notasse. Assumia com bondade seu papel de patriarca; antes de recorrerem a qualquer outro, os colonos iam procurá-lo para expor seus problemas, porque seus dois filhos, Eduardo e Diego, eram mais rigorosos, e dona Elvira não abria a boca fora das paredes de casa. A paciência que dom Sebastián manifestava no tocante aos colonos, a quem tratava como crianças um pouco retardadas, transformava-se em severidade quando tinha de enfrentar os filhos varões. "Somos muito privilegiados e, por isso, temos mais responsabilidades. Para nós não há desculpas nem pretextos, nosso dever é cumprir o que Deus manda, é ajudar nossa gente, e disso nos pedirão contas no céu", ele costumava dizer. Devia andar então pelos cinquenta anos, mas parecia mais moço, devido ao fato de levar uma vida muito saudável, passava o dia a cavalo, percorrendo suas terras, era o primeiro a levantar-se e o último a ir para a cama, estava presente nas colheitas, nas domas de cavalos, nos rodeios do gado, e ele mesmo ajudava a marcar as reses e a castrar os garrotes. Começava o dia com uma xícara de café preto e bem forte, adoçado com seis colherinhas de açúcar e temperado com um pouco de conhaque; isso lhe dava forças para realizar suas tarefas no campo até as duas horas da tarde, quando almoçava quatro pratos e três sobremesas, tudo abundantemente regado a vinho, em companhia da família. Não éramos muitos em seu imenso casarão; a tristeza maior de meus sogros era a de terem tido só três filhos. Essa fora a vontade de Deus, diziam. Na hora do jantar nos reuníamos todos os que durante o dia tínhamos andado dispersos em variadas ocupações; ninguém podia faltar. Eduardo e Susana viviam com seus filhos em outra casa, construída para eles a duzentos metros da casa-grande, mas lá só preparavam mesmo o desjejum, as outras refeições eram feitas na mesa dos meus sogros. Pelo fato de nosso casamento ter sido antecipado, a casa destinada a Diego e a mim ainda não estava pronta, e vivíamos em uma ala da casa de meus sogros. Dom Sebastián sentava-se à cabeceira, em uma cadeira mais alta e com o espaldar ornamentado; à outra extremidade sentava-se dona Elvira, e dos dois lados se distribuíam os filhos com suas mulheres, duas tias viúvas, alguns primos ou parentes agregados, uma avó anciã, que tinha de ser alimentada a mamadeira, e os convidados, que nunca faltavam. Na mesa havia alguns pratos de sobra, destinados aos hóspedes que podiam chegar sem aviso e às vezes ficavam durante várias semanas. Eram sempre bem-vindos, porque no isolamento do campo as visitas eram a maior diversão. Mais ao sul viviam algumas famílias chilenas encravadas em territórios índios, além de colonos alemães, sem os quais a região teria permanecido quase selvagem. Eram necessários alguns dias para percorrer a cavalo as propriedades dos Domínguez, que chegavam até os limites com a Argentina. Às noites, rezava-se; e o calendário do ano era regido pelas datas religiosas, observadas com rigor e alegria. Meus sogros perceberam que eu fora criada com pouquíssima instrução católica, mas sobre isso não tivemos problemas, pois eu soube ser muito respeitosa com suas crenças, que eles, por sua vez, não se propuseram a me impor. Dona Elvira me explicou que recebemos a fé como um presente divino: "Deus chama a gente pelo nome, escolhe a pessoa." Isso me livrava de culpa a seus olhos, Deus ainda não havia chamado meu nome, mas, se havia me integrado àquela família tão cristã, era porque logo o faria. O entusiasmo com o qual eu a ajudava em suas tarefas caritativas entre os colonos compensava meu escasso fervor religioso; a seu ver, aquilo era mostra do meu espírito compassivo, sinal da minha boa índole, ela não sabia que era fruto do treinamento recebido no Clube das Damas, criado pela minha avó, e um prosaico interesse de conhecer os trabalhadores do campo e fotografá-los. Excetuando-se dom Sebastián, Eduardo e Diego, que tinham estudado em um bom colégio interno e haviam empreendido a obrigatória viagem à Europa, ninguém mais por ali suspeitava de que tamanho era o mundo. Naquela casa não entravam os romances, creio que faltava ânimo a dom Sebastián para censurá-los, e a fim de evitar que alguém lesse um incluído na lista negra da Igreja, preferia cortar o mal pela raiz e eliminar todos eles. Os jornais chegavam com tanto atraso, que não traziam notícias, mas história. Dona Elvira lia seus livros de orações, e Adela, a irmã mais nova de Diego, possuía uns quantos volumes de poesia, umas biografias de personagens históricos e crônicas de viagens, que lia e relia constantemente. Mais tarde descobri que ela conseguia adquirir romances policiais, arrancava suas capas e as substituía pelos livros que seu pai autorizava. Quando meus baús chegaram, trazendo centenas de livros, dona Elvira pediu-me, com sua doçura habitual, que não os exibisse diante do resto da família. Todas as semanas minha avó e Nívea me enviavam material de leitura, que eu guardava em meu quarto. Meus sogros nada diziam, confiantes, suponho, de que aquele mau hábito desapareceria quando me nascessem filhos e não me sobrassem tantas horas ociosas, como era o caso de minha cunhada Susana, com suas três lindas e malcriadas crianças. Não se opuseram, contudo, à fotografia, talvez adivinhando que nesse ponto seria muito difícil me dobrar, e, embora nunca demonstrassem curiosidade pelo meu trabalho, deram-me um quarto nos fundos da casa, no qual pude instalar meu laboratório.

Cresci em uma cidade, naquele ambiente confortável e cosmopolita da casa de minha avó, muito mais livre do que qualquer outra chilena daquela época e de hoje, pois, embora já estejamos terminando a primeira década do século vinte, as coisas não se modernizaram muito para as jovens deste lado. A mudança de estilo que sofri quando aterrissei no meio dos Domínguez foi brutal, embora eles tenham feito o possível para que eu me sentisse à vontade. Comportaram-se muito bem comigo, e por isso foi fácil aprender a amá-los; o carinho deles compensou o caráter reservado e muitas vezes intratável de Diego, que em público se comportava como se eu fosse sua irmã e na intimidade mal me dirigia a palavra. As primeiras semanas, com as minhas tentativas de adaptação, foram muito interessantes. Dom Sebastián me deu de presente uma égua negra com uma estrela branca na testa, e Diego mandou um capataz para me acompanhar em minhas andanças pela propriedade, com o fim de conhecer os trabalhadores e os vizinhos, cujas casas estavam a muitos quilômetros de distância, de modo que cada visita tomava de três a quatro dias. Pouco depois, Diego me deixou livre. Ele saía com seu irmão e seu pai a fim de realizar as tarefas que lhe eram destinadas no campo, ou então para caçar, às vezes acampavam e durante vários dias ficavam fora. Eu não suportava o aborrecimento que aquela casa era para mim, com sua interminável faina de ninar os meninos de Susana, fazer doces e conservas, limpar e ventilar, tecer e coser; quando terminava meu trabalho na escola ou no dispensário da herdade, vestia umas calças de Diego e saía a galopar. Minha sogra tinha me advertido para não montar à maneira dos homens, pois isso me traria "problemas femininos", eufemismo que nunca cheguei a elucidar totalmente, mas ninguém poderia montar de lado naquele mundo de colinas e penhascos sem cair e quebrar a cabeça. A paisagem me deixava sem fôlego, surpreendendo-me a cada volta do caminho. Eu me sentia maravilhada. Cavalgava colina acima e vale abaixo, até chegar aos bosques fechados, um paraíso de lariços, loureiros, murtas e araucárias com milhares de anos, madeiras finas que os Domínguez exploravam em sua serraria. Sentia-me embriagada pelo perfume da selva molhada, aquele aroma sensual de terra vermelha, de seivas e raízes; a paz daquele mundo fechado, vigiado por silenciosos gigantes verdes; o murmúrio misterioso da floresta; o canto de águas invisíveis, a dança do ar enredado nas ramas, rumor de raízes e de insetos, trinar de suaves pombas-torcazes e gritos de gaviões escandalosos. As veredas terminavam na serraria, e a partir dali eu tinha de abrir caminho na mata cerrada, confiando no instinto de minha égua, cujas patas afundavam em um lodo cor de petróleo, que era espesso e cheirava a sangue vegetal. A luz filtrava-se pela imensa cúpula das árvores, em claros raios oblíquos, mas havia áreas glaciais onde se escondiam os pumas, que me espiavam com seus olhos em chamas. Eu levava uma escopeta amarrada à sela, mas em caso de emergência não teria tempo de sacá-la; de qualquer maneira, jamais dei um tiro com ela. Fotografei os bosques antigos, os lagos de areias negras, os rios impetuosos que corriam sobre pedras cantantes e os vulcões que coroavam o horizonte como dragões adormecidos sobre torres de cinza. Também fiz fotos de colonos da propriedade, que depois lhes dava de presente e eles recebiam perturbados, sem saber o que fazer com aquelas imagens deles mesmos, que nem haviam pedido para serem feitas. Eu ficava fascinada com seus rostos curtidos, mas eles próprios não gostavam de ver-se tal qual eram, com seus andrajos e pesos nas costas, queriam retratos coloridos à mão, para os quais posavam com a única roupa que guardavam, a do casamento, bem-banhados e penteados, com seus filhos sem ranho escorrendo do nariz.

Aos domingos suspendia-se o trabalho, e havia missa — quando podíamos contar com um sacerdote — ou "missões", que as mulheres da família realizavam, visitando os colonos em suas casas a fim de catequizá-los. Assim combatiam, com tenacidade e à custa de pequenos presentes, as divindades indígenas que ainda se emaranhavam com os santos cristãos. Eu não participava das prédicas religiosas, mas aproveitava para me tornar conhecida dos camponeses. Muitos eram índios puros, que ainda utilizavam palavras de suas línguas e mantinham vivas as suas tradições; outros eram mestiços; todos se comportavam com humildade e timidez nas ocasiões normais, porém se tornavam briguentos e ruidosos quando bebiam. O álcool era o bálsamo amargo que, por algumas horas, aliviava-os da faina pesada de todos os dias, ao mesmo tempo que lhes roía as entranhas como uma ratazana inimiga. As bebedeiras e as lutas com armas brancas eram multadas, e a mesma pena era aplicada a outras faltas, como cortar uma árvore sem permissão ou deixar seus próprios animais soltos fora dos limites da meia quadra que cada um recebia para o cultivo familiar. O roubo a insolência contra os superiores eram castigados a pauladas, mas dom Sebastián detestava o castigo corporal; também havia eliminado o direito de "pernada", velha tradição oriunda dos tempos coloniais, que permitia aos patrões deflorarem as filhas dos camponeses antes que estas se casassem com outros. Ele mesmo havia exercido esse direito na juventude, mas depois que dona Elvira entrara para a família essas liberdades tinham terminado. Também não aprovava as visitas aos prostíbulos dos povoados vizinhos e insistia para que seus próprios filhos se casassem jovens a fim de evitar as tentações. Eduardo e Susana tinham se casado seis anos antes, quando ambos estavam com vinte, e para Diego, então com dezessete, haviam escolhido uma jovem aparentada com a família, que, no entanto, morreu afogada no lago antes do noivado se concretizar. Eduardo, o irmão mais velho, era mais jovial do que Diego, tinha talento para contar anedotas e cantar, conhecia todas as lendas e histórias da região, gostava de conversar e sabia ouvir. Continuava apaixonado por Susana, seus olhos se iluminavam quando a via e jamais se impacientava com os seus estados de ânimo. Minha cunhada sofria de dores de cabeça que costumavam deixá-la de péssimo humor, então se fechava à chave em seu aposento, não comia e em casa havia ordem para que nessas ocasiões ninguém a molestasse por motivo nenhum, mas quando seu sofrimento passava ela emergia totalmente recuperada, sorridente e carinhosa; parecia outra mulher. Descobri que Susana dormia só, que nem o marido nem os filhos entravam em seu quarto sem serem convidados, a porta se mantinha sempre trancada. A família estava habituada às suas enxaquecas e depressões, mas seu desejo de privacidade lhes parecia quase uma ofensa, do mesmo modo que lhes parecia estranho o fato de eu não permitir a ninguém entrar sem minha licença no quartinho escuro onde revelava as fotografias, apesar de eu lhes ter explicado o dano que um mínimo raio de luz podia causar aos negativos. Em *Caleufú* não havia portas nem escritórios com chave, as exceções eram somente a adega e o cofre da administração. Pequenos roubos aconteciam decerto na propriedade, mas não traziam maiores consequências, porque em geral Sebastián fazia vista grossa. "Essa gente é muito ignorante, não rouba por vício nem por necessidade, mas apenas por estar mal acostumada", ele sempre dizia, embora na verdade os colonos tivessem mais necessidades do que admitia o patrão. Os camponeses eram livres, mas na prática vinham vivendo havia gerações naquela terra e não pensavam que pudesse ser de outro modo, não tinham para onde ir. Poucos chegavam à velhice. Muitos morriam nos primeiros anos da infância, vitimados por infecções intestinais, mordidas de ratos e pneumonia; as mulheres morriam de parto e de fraqueza; os homens, de acidentes, ferimentos infectados e intoxicação alcoólica. O hospital mais próximo pertencia aos alemães, lá havia um médico bávaro muito renomado, mas só se fazia a viagem até aquele lugar em caso de grave emergência, as doenças menores eram tratadas com remédios naturais, rezas e o auxílio das *meicas*, curandeiras indígenas, que conheciam o poder das plantas regionais melhor do que ninguém.

Em finais de maio desabou um inverno pesado e sem trégua, com sua cortina de chuva lavando a paisagem como uma lavadeira paciente; a escuridão que chegava cedo exigia que nos recolhêssemos às quatro da tarde e convertia as noites em uma eternidade. Eu não podia mais sair em minhas longas cavalgadas ou fotografar as pessoas da herdade. Estávamos isolados, os caminhos eram lodaçais, ninguém nos visitava. Eu matava o tempo experimentando no quarto escuro diversas técnicas de revelação e fazendo fotos da família. Fui descobrindo que tudo que existe tem relação com alguma coisa, faz parte de um apertado tecido; o que à primeira vista parece um emaranhado de casualidades, quando exposto à minuciosa observação da câmara vai se revelando com suas simetrias perfeitas. Nada é casual, nada é banal. É assim que ocorre no aparente caos vegetal de uma floresta, onde em tudo se manifesta uma estreita relação de causa e efeito, para cada árvore há centenas de pássaros, para cada pássaro há milhares de insetos, para cada inseto há milhões de partículas orgânicas; de igual modo, os camponeses em seus trabalhos ou a família que se resguarda do inverno dentro de casa são partes imprescindíveis de um imenso afresco. O essencial é quase sempre invisível; o olho não o capta, só o coração, mas a câmara às vezes consegue vislumbres dessa substância. Era isso que o mestre Ribero tentava com sua arte e que procurava ensinar-me: superar o meramente documental e chegar à medula, à própria alma da realidade. Aquelas sutis conexões que surgiam sobre o papel fotográfico me comoviam profundamente e me animavam a prosseguir em minhas experiências. Com a reclusão do inverno, minha curiosidade aumentou; à medida que o entorno se tornava mais sufocante e estreito, hibernando entre aquelas grossas paredes de adobe, minha mente se tornava mais inquieta. Comecei a explorar obsessivamente o conteúdo da casa e os segredos dos seus habitantes. Examinei com olhos novos o ambiente familiar, como se eu o visse pela primeira vez, sem dar nada por sabido ou definitivo. Deixava-me guiar pela intuição, pondo abaixo ideias preconcebidas, "só vemos aquilo que queremos ver", dizia dom Juan Ribero, e acrescentava que meu trabalho devia ser o de mostrar o que ninguém tinha visto antes. No início os Domínguez posavam com sorrisos forçados, mas logo se habituaram à minha sigilosa presença e acabaram por ignorar a câmara, me permitindo então captá-los descuidados, tal como eram. A chuva levou as flores e as folhas, a casa com seus pesados móveis e seus grandes espaços vazios se fechou para o exterior e nós nos tornamos prisioneiros de um estranho cativeiro doméstico. Andávamos pelos aposentos iluminados por velas, evitando as geladas correntes de ar; as madeiras rangiam de um modo que parecia gemido de viúva, e podíamos ouvir os leves e furtivos passos dos ratos em seus diligentes quefazeres; cheirava a lodo, a barro molhado, a roupa mofada. Os criados acendiam fogareiros e lareiras, as empregadas nos traziam garrafas de água quente, cobertores e grandes xícaras de chocolate fumegante, mas não havia maneira de enganar o longo inverno. Foi naquele momento que sucumbi à solidão.

Diego era um fantasma. Tento, agora, lembrar-me de algum momento por nós compartido, mas só posso vê-lo como um mero objeto dentro de um cenário, sem voz, separado de mim por um largo fosso. Tenho na mente — e na coleção de fotos daquele inverno — muitas imagens dele nas atividades do campo e no interior da casa, sempre ocupado com os outros, jamais comigo, distante e alheio. Foi impossível ter intimidade com ele, havia um silencioso abismo entre nós, e minhas tentativas de trocar ideias ou averiguar algo de seus sentimentos iam chocar-se contra sua obstinada vocação para a ausência. Costumava me responder que tudo já estava dito entre nós, se havíamos nos casado era porque nos amávamos, que necessidade havia de afundar no evidente? No princípio o seu mutismo me ofendia, mas logo compreendi que era assim que ele se comportava, menos com os sobrinhos; podia ser alegre e carinhoso com os meninos, talvez desejasse ter filhos tanto quanto eu, mas cada mês era uma nova decepção para nós. Também disso não falávamos, era mais um daqueles muitos assuntos relacionados com o corpo ou o amor sobre os quais o pudor nos impedia de falar. Em algumas oportunidades tentei dizer-lhe o quanto gostaria de ser acariciada, mas imediatamente ele se punha na defensiva, aos seus olhos mulher decente não devia sentir esse tipo de necessidade e muito menos manifestá-la. Assim, em pouco tempo sua reticência, minha vergonha e o orgulho de ambos erigiram uma verdadeira muralha chinesa entre nós. Eu teria dado qualquer coisa para falar com alguém acerca do que ocorria atrás de nossa porta trancada, mas minha sogra era etérea como um anjo, e com Susana eu não tinha uma autêntica amizade; Adela mal havia completado dezesseis anos, Nívea estava demasiado longe e eu não me atrevia a registrar aquelas inquietudes no papel. Diego e eu continuávamos a fazer amor — já que é preciso dar um nome ao que fazíamos —, de longe em longe, sempre como da primeira vez, a convivência não nos aproximou, mas eu era a única que sofria, ele se sentia muito satisfeito com o estado das nossas relações. Não discutíamos e nos tratávamos com uma forçada cortesia, embora eu tivesse preferido mil vezes uma guerra declarada aos nossos silêncios carregados de dissimulações. Meu marido evitava as ocasiões de estar sozinho comigo; à noite esticava o jogo de cartas até que, vencida pelo cansaço, eu ia dormir; de manhã saltava da cama com o canto do galo, e mesmo nos domingos, quando o resto da família se levantava tarde, ele encontrava pretextos para sair cedo de casa. Em troca, eu vivia pendente dos seus estados de ânimo, tomava a iniciativa de servi-lo em mil detalhes, fazendo o possível para atraí-lo e tornar-lhe a vida agradável; o coração me galopava no peito quando eu ouvia seus passos ou sua voz. Não me cansava de olhá-lo, pois ele me parecia belo como os heróis das histórias lendárias; na cama, apalpava suas costas largas e fortes, mas de modo a não despertá-lo, seu cabelo abundante e ondulado, os músculos das pernas, o pescoço. Gostava do seu cheiro a suor, terra e cavalo quando voltava do campo, a sabonete inglês quando saía do banho. Eu mergulhava o rosto em sua roupa, a fim de aspirar-lhe o odor masculino, já que não me atrevia a fazer o mesmo em seu corpo. Agora, com a perspectiva do tempo e da liberdade que adquiri nos últimos anos, percebo o quanto me humilhei por amor. Deixei tudo de lado, da minha personalidade até o meu trabalho, a fim de sonhar com um paraíso doméstico que não era para mim.

Durante o prolongado e ocioso inverno, a família teve de utilizar variados recursos de imaginação a fim de combater o tédio. Todos tinham bom ouvido para a música, tocavam uma variedade de instrumentos, e assim as tardes eram preenchidas com aqueles concertos improvisados. Susana costumava nos divertir envolvendo-se em uma andrajosa túnica de veludo, com um turbante turco na cabeça, as pálpebras enegrecidas com carvão e cantando com uma voz rouca de cigana. Dona Elvira e Adela organizaram aulas de costura para as mulheres e procuraram manter ativa a escolinha, mas só os filhos dos colonos que viviam mais perto conseguiam desafiar o clima e receber suas lições; todos os dias eram rezados rosários hibernais, que atraíam grandes e pequenos, porque depois serviam chocolates e tortas. Susana teve a ideia de preparar uma peça de teatro para celebrarmos o final do século; isso nos manteve ocupadas durante várias semanas, escrevendo os diálogos, aprendendo nossos papéis, armando o cenário em um dos celeiros, costurando trajes e ensaiando. O tema, claro, era uma previsível alegoria sobre os vícios e os infortúnios do passado, derrotados pela incandescente cimitarra da ciência, da tecnologia e do progresso do século vinte. Além do teatro, organizamos concursos de tiro ao alvo e de palavras do dicionário, campeonatos de todos os tipos, de xadrez até criação de bonecos e construção de aldeias com palitos de fósforo — mas ainda assim me sobravam horas. Fiz de Adela minha ajudante no laboratório fotográfico e trocamos livros às escondidas — eu lhe emprestava os que me eram enviados de Santiago, e ela seus romances policiais, que eu devorava apaixonadamente. Acabei me transformando em uma fina detetive, em geral conseguia adivinhar a identidade do assassino antes da página oitenta. O repertório era limitado, e por mais que fizéssemos demorar a leitura, os livros logo terminavam, então eu e Adela nos divertíamos trocando histórias ou inventando crimes complicadíssimos, que a outra devia resolver. "E vocês duas, andam cochichando o quê?", minha sogra nos perguntava com frequência. "Nada, mãe, andamos planejando uns assassinatos", Adela respondia com seu inocente sorriso de coelho. Dona Elvira ria, incapaz de supor o quanto era correta a resposta de sua filha.

Eduardo, na qualidade de primogênito, devia herdar a propriedade após a morte de dom Sebastián, mas havia feito uma sociedade com seu irmão para administrarem-na juntos. Eu gostava de meu cunhado, era uma pessoa suave e bem-humorada, costumava fazer brincadeiras comigo e me oferecer pequenos presentes, ágatas translúcidas colhidas no leito do rio, um modesto colar feito pelos índios da reserva mapuche, flores silvestres, uma revista de moda que encomendava no povoado, procurando assim compensar a indiferença de Diego em relação a mim, evidente para toda a família. Costumava tomar minha mão e me perguntar se eu estava bem, se necessitava de algo, se sentia muita saudade de minha avó, se me aborrecia em *Caleufú*. Já Susana, sumida em sua languidez de odalisca, bastante parecida com a preguiça, me ignorava a maior parte do tempo e tinha um modo impertinente de me virar as costas, deixando-me com a palavra na ponta da língua. Opulenta, pele dourada, grandes olhos sombrios, era uma beldade, mas não creio que tivesse consciência de sua beleza. Não tinha diante de quem se exibir, só a família, e por isso cuidava pouco de sua aparência pessoal, às vezes nem mesmo se penteava e passava o dia envolta em um roupão de banho, com chinelos de pele de ovelha, sonolenta e triste. Mas em algumas ocasiões aparecia resplandecente como uma princesa moura, a longa cabeleira escura presa no alto com um pente curvo de casco de tartaruga e uma gargantilha de ouro, que marcava o contorno perfeito de seu pescoço. Quando estava de bom humor gostava de posar para mim; uma vez sugeriu, à mesa de refeições, que a fotografasse nua. A provocação caiu como uma bomba na cabeça daquela família tão conservadora; dona Elvira quase sofreu um novo infarto, e Diego, escandalizado, levantou-se tão abruptamente, que derrubou a cadeira. Se não fosse Eduardo sair-se com uma piada, o drama estaria armado. Adela, a menos agraciada dos irmãos Domínguez, com sua cara de coelho e seus olhos azuis perdidos em um mar de sardas, era sem dúvida a mais simpática. Sua alegria era tão certa quanto a luz de cada manhã; podíamos contar com ela para melhorar o ânimo das pessoas, mesmo nas horas mais escuras do inverno, quando o vento uivava entre as telhas e todos já se sentiam fartos de jogar cartas à luz de uma vela. Seu pai, dom Sebastián, adorava-a, ninguém podia negar, e costumava pedir-lhe, meio de brincadeira, meio a sério, que ficasse solteirona para cuidar dele na velhice.

O inverno veio e se foi, deixando entre os colonos duas crianças e um velho mortos por pneumonia; também morreu a avó que morava na casa-grande e que, segundo calculavam, tinha vivido mais de um século, pois já havia feito a primeira comunhão em 1810, quando o Chile havia se declarado independente da Espanha. Todos foram enterrados com poucas cerimônias no cemitério de *Caleufú*, transformado em um lodaçal pelos aguaceiros torrenciais. Só parou de chover em setembro, quando a primavera começou a brotar por todos os lados e pudemos finalmente sair para o pátio e expor ao sol as roupas e os colchões cobertos de mofo. Dona Elvira havia passado aqueles meses envolta em xales, entre a cama e a poltrona, cada dia mais debilitada. Uma vez por mês, muito discretamente, ela me perguntava se "não havia novidade", e, como não havia, aumentavam suas orações para que Diego e eu lhe déssemos mais netos. Apesar das longuíssimas noites de inverno, em nada melhorou a intimidade com meu marido. Nossos encontros se davam no escuro, em silêncio, quase como se fôssemos inimigos, e eu sempre ficava com o mesmo sentimento de frustração e angústia da primeira vez.

Tinha a impressão de que só nos abraçávamos quando eu tomava a iniciativa, mas posso estar errada, talvez não fosse sempre assim. Com a chegada da primavera voltei a excursionar sozinha pelos bosques e proximidades dos vulcões; galopar por aquelas imensidões apaziguava um pouco minha fome de amor; o cansaço e o desconforto das nádegas machucadas pela sela eram maiores do que os meus desejos reprimidos. Voltava ao entardecer, úmida de bosque e suor de cavalo, mandava que me preparassem um banho quente e ficava horas de molho na água perfumada com folhas de laranjeira. "Cuidado, filhinha, essas cavalgadas e esses banhos são ruins para o ventre, causam esterilidade", advertia minha atribulada sogra. Dona Elvira era uma pessoa simples, de pura bondade e desejo de servir, uma alma translúcida que se refletia na água mansa de seus olhos azuis, a mãe que eu gostaria de ter tido. Passava horas a seu lado, ela tricotando para os netos e me contando e recontando as mesmas pequenas histórias de sua vida e da vida de *Caleufú*, e eu escutando-a, possuída pela tristeza de saber que ela não tinha mais muito tempo neste mundo. Àquela altura eu começava a suspeitar que um filho não iria encurtar a distância entre mim e Diego, mas o desejava unicamente para oferecê-lo a dona Elvira, como se fosse um presente. Ao imaginar minha vida na herdade sem ela, sentia uma insuportável tristeza.

O século terminava, e os chilenos faziam esforços para se incorporar ao progresso industrial da Europa e dos Estados Unidos, mas os Domínguez, como tantas outras famílias conservadoras, viam com espanto o abandono dos costumes tradicionais e a tendência a imitar o estrangeiro. "São puros maquinismos do diabo", dizia dom Sebastián quando lia algo sobre avanços tecnológicos em seus jornais atrasados. Seu filho Eduardo era o único interessado no futuro, Diego vivia ensimesmado, Susana passava dias com enxaqueca e Adela ainda não tinha acabado de sair da casca. Mas, por muito longe que estivéssemos, éramos alcançados pelos ecos do progresso e não podíamos ignorar as mudanças na sociedade. Em Santiago havia começado um frenesi de esportes, jogos e passeios ao ar livre, mais próprios de ingleses excêntricos do que de acomodados descendentes dos fidalgos de Castela e León. Uma brisa de arte e cultura vinha da França, refrescava o ambiente, e um forte ranger de maquinaria alemã interrompia a longa sesta colonial do Chile. Estava começando a surgir uma classe média arrivista e educada, que pretendia viver como os ricos. A crise social que revolvia os fundamentos do país, com suas greves, seus desmandos, seu desemprego, suas cargas de polícia montada com sabres desembainhados, era um rumor distante, que não alterava o ritmo de nossa existência em *Caleufú*, mas, embora na herdade continuássemos a viver como os tataravós que haviam dormido naquelas mesmas camas cem anos antes, o século vinte também caía sobre as nossas cabeças.

Minha avó Paulina havia declinado muito, segundo me contaram por carta Frederick Williams e Nívea del Valle; estava sucumbindo aos muitos achaques da velhice e à premonição da morte. Compreenderam o quanto ela envelhecera no dia em que Severo del Valle levou-lhe as primeiras garrafas do vinho produzido pelas parreiras que amadureciam depois das outras e que, conforme tinham sabido, eram conhecidas pelo nome de *carmenere*; era um vinho tinto suave e voluptuoso, com pouquíssimo tanino, tão bom quanto os melhores da França, e que Severo batizara com o nome de *Viña Paulina*. Tinham em mãos, finalmente, o produto que lhes daria fama e dinheiro. Minha avó provou-o delicadamente. “É uma pena que eu não possa desfrutá-lo, outros irão bebê-lo”, disse, e nunca mais voltou a mencioná-lo. Não houve a explosão de alegria nem os comentários arrogantes que habitualmente acompanhavam os seus triunfos empresariais; depois de uma vida orgulhosa, estava se tornando humilde. O sinal mais claro de seu enfraquecimento era a presença diária de um conhecido sacerdote de batina sebosa, que rondava os agonizantes a fim de lhes arrebatar a fortuna. Não sei se por iniciativa própria ou por sugestão daquele velho agourento, minha avó desterrou para o fundo de um sótão a cama mitológica, sobre a qual havia passado boa parte da vida, e em seu lugar instalou um catre de soldado, guarnecido por um colchão de crina de cavalo. Isso me pareceu um sintoma por demais alarmante, e assim que o barro das estradas secou, anunciei a Diego que viajaria para Santiago, a fim de ver minha avó. Esperava alguma oposição, mas ocorreu exatamente o contrário, em menos de vinte e quatro horas Diego organizou meu traslado, de carreta, até o porto mais próximo, onde eu tomaria um navio para Valparaíso, e dali seguiria de trem para Santiago. Adela ardia de vontade de me acompanhar, e era tanto o desejo, que se sentou na perna do pai, deu-lhe mordidinhas nas orelhas, puxou-lhe as suíças, e de tanto que rogou, dom Sebastián finalmente acedeu ao novo capricho da filha, embora nem dona Elvira, nem Eduardo, nem Diego estivessem de acordo. Não tiveram de esclarecer suas razões, mas adivinhei que não consideravam apropriado para ela o ambiente que haviam registrado na casa de minha avó e pensavam que eu carecia de maturidade para cuidar corretamente da menina. Partimos, pois, para Santiago, na companhia de dois amigos alemães que viajavam no mesmo vapor. Levávamos no peito um escapulário do Sagrado Coração de Jesus para nos proteger de todo o mal, amém, o dinheiro cosido em uma bolsinha por baixo do corpete, ordens rigorosas de não falar com desconhecidos e uma bagagem de dar volta ao mundo.

Adela e eu passamos dois meses em Santiago, um período que teria sido estupendo se minha avó não estivesse doente. Ela nos recebeu com fingido entusiasmo, uma porção de planos de passeios, ir ao teatro, ir de trem a Viña del Mar, a fim de respirarmos o ar da praia, mas na última hora nos mandava sempre em companhia de Frederick Williams, enquanto ela ficava em casa. Assim foi também quando empreendemos a viagem de coche para visitar Severo e Nívea del Valle nos vinhedos, que naquele momento produziam as primeiras garrafas de vinho tipo exportação. Minha avó considerou que *Viña Paulina* era um nome demasiado provinciano e quis trocá-lo por algo em francês, a fim de vendê-lo nos Estados Unidos, onde, a seu ver, pessoa nenhuma entendia de vinhos, porém Severo se opôs a tal artifício. Encontrei Nívea com a cabeça salpicada de fios brancos e um pouco mais pesada, mas como sempre ágil, insolente e travessa, rodeada de filhos pequenos. "Acho que finalmente estou chegando à menopausa, agora poderemos fazer amor sem medo de ter outro filho", cochichou-me, sem imaginar que alguns anos mais tarde traria ao mundo Clara, clarividente, a mais estranha das criaturas nascidas naquele numeroso e extravagante clã dos Del Valle. A pequena Rosa, cuja beleza tantos comentários provocava, tinha cinco anos. Lamento que a fotografia não possa captar seu colorido, ela parece uma criatura do mar, com seus olhos amarelos e seu cabelo esverdeado, como bronze envelhecido. Já então era um ser angélico, algo atrasada para a sua idade, que passava flutuando como uma aparição. "De onde saiu? Deve ser filha do Espírito Santo", brincava sua mãe. Aquela bela menina viera consolar Nívea da perda de dois dos seus pequenos, que tinham morrido de difteria, e da longa enfermidade que estava minando os pulmões de um terceiro. Procurei falar com Nívea sobre isso — dizem que não há sofrimento mais horrível do que a perda de um filho —, mas logo ela mudava de assunto. O mais que chegou a dizer foi que por séculos e séculos as mulheres sofreram com a dor de dar à luz e enterrar os filhos, e ela não era uma exceção. "Seria muita arrogância de minha parte supor que Deus me abençoe enviando-me muitos filhos e que todos vivam mais do que eu", disse Nívea.

Paulina del Valle não era mais nem a sombra do que fora; havia perdido o interesse pela comida e pelos negócios, e mal podia caminhar, porque os joelhos falhavam, porém estava mais lúcida do que nunca. Em cima de sua mesinha de cabeceira alinhavam--se os remédios que devia tomar, e três freiras revezavam-se para cuidar dela. Minha avó adivinhava que não teríamos muitas outras oportunidades de estar juntas e, então, pela primeira vez em nosso relacionamento se dispôs a responder às minhas perguntas. Folheamos os álbuns de fotografias, que ela foi explicando uma a uma; contou-me as origens da cama encomendada em Florença e sua rivalidade com Amanda Lowell, que, vista da perspectiva de sua idade, era uma história mais cômica do que qualquer outra coisa, e me falou também de meu pai e do papel de Severo del Valle em minha infância, mas eludiu decididamente o tema dos meus avós maternos e de Chinatown, disse que minha mãe tinha sido uma modelo norte-americana, muito bela, nada mais. Em algumas tardes nos sentávamos na galeria de cristal a conversar com Severo e Nívea del Valle. Enquanto ele falava dos anos passados em São Francisco e de suas experiências posteriores na guerra, ela me lembrou em detalhes o que havia sucedido na época da Revolução, quando eu tinha apenas onze anos. Minha avó não se queixava, mas o tio Frederick me advertiu que ela sofria dores agudas no estômago e lhe custava um esforço enorme vestir-se a cada manhã. Fiel à sua crença de que cada um de nós tem a idade que demonstra, ela continuava a pintar os poucos cabelos que ainda havia em sua cabeça, mas já não se pavoneava com joias de imperatriz, como fazia antes, "restam-lhe poucas", o marido me sussurrou em tom de mistério. A casa parecia em tão mau estado quanto a dona, os quadros que faltavam tinham deixado espaços claros no papel de parede, havia menos móveis e menos tapetes, as plantas tropicais da galeria eram agora um poeirento e triste emaranhado de folhas, e os pássaros calavam-se em suas gaiolas. Comprovei a exatidão daquilo que o tio Frederick me havia contado em carta sobre o catre de soldado em que agora dormia minha avó. Ela sempre havia ocupado o maior aposento da casa, o leito mitológico se erguia no centro como um trono papal e dali Paulina dirigia seu império. Passava as manhãs entre os lençóis, cercada de figuras aquáticas policrômicas, que um artífice florentino havia talhado quarenta anos antes, estudando seus livros de contabilidade, ditando cartas, inventando negócios. Sob os lençóis a gordura desaparecia, e ela conseguia criar uma ilusão de fragilidade e beleza. Eu tinha feito inúmeras fotografias de minha avó naquele leito de ouro e tive a ideia de fotografá-la agora em sua modesta camisola de algodão e seu xale de vovozinha, em um catre de peregrino, mas recusou-se terminantemente. Notei que de seu aposento haviam desaparecido os belos móveis franceses, os acolchoados de seda capitonê, a grande escrivaninha de pau-rosa com incrustações de nácar trazida da Índia, as alfombras e os quadros, restando como único adorno um grande Cristo crucificado. "Ela está doando à igreja os móveis e as joias", explicou Frederick Williams, diante do que resolvemos trocar as freiras por enfermeiras e procurar um meio de impedir, mesmo que fosse pela força, as visitas do padre apocalíptico, porque, além de levar coisas, contribuía para semear o pavor. Ivan Radovic, único médico em quem Paulina del Valle confiava, deu pleno apoio a tais medidas. Foi bom rever aquele velho amigo — a verdadeira amizade resiste ao tempo, à distância e ao silêncio, como ele próprio dizia — e confessar-lhe, entre risos, que em minha memória ele sempre aparecia disfarçado de Gengis Khan. "São meus pômulos eslavos", ele explicou com alegre franqueza. Tinha, de fato, uma leve aparência de chefe tártaro, mas o contato com os enfermos no hospital de pobres em que trabalhava havia suavizado aquele traço, sem esquecer o fato de que no Chile ele não se sentia tão exótico quanto na Inglaterra; poderia ter sido um *toqui* araucano, apenas um pouco mais alto e mais limpo. Era um homem silencioso, que escutava, com intensa atenção, até mesmo o falatório incessante de Adela, que imediatamente se enamorou dele e, habituada que estava a seduzir seu próprio pai, tratou de usar os mesmos métodos a fim de envolver Ivan Radovic. Infelizmente, para ela, o médico só conseguia vê-la como uma garotinha inocente e graciosa, mas de qualquer modo apenas uma garotinha. A incultura abismal de Adela e a petulância com que fazia as mais tolas afirmações não o perturbavam, penso até que o divertiam, embora seus ingênuos ataques de coquetismo fossem capazes de enrubescê-lo. O médico era uma pessoa que inspirava confiança, e por isso eu me sentia à vontade para falar-lhe de assuntos que raras vezes mencionava diante de outras pessoas, pelo temor de aborrecê-las: era o caso, por exemplo, da fotografia. Mas a ele este assunto interessava, porque a fotografia vinha sendo empregada, fazia anos, por médicos da Europa e dos Estados Unidos; pediu-me que lhe ensinasse a usar a câmara, a fim de fazer um registro de suas operações e dos sintomas externos dos pacientes, de que se valeria para ilustrar suas aulas e conferências. Com esse pretexto, fomos visitar dom Juan Ribero, mas encontramos o estúdio fechado, com um cartaz anunciando a venda. O barbeiro do lado nos informou que o mestre não conseguia mais trabalhar porque tinha cataratas em ambos os olhos, mas nos deu seu endereço e fomos visitá-lo. Morava em um edifício da rua Monjitas, que havia conhecido tempos melhores, grande, antiquado, vazio e cruzado por fantasmas. Uma empregada nos guiou através de vários quartos conjugados, com as paredes cobertas, do chão ao teto, de fotografias de Ribero, e finalmente chegamos a um salão guarnecido com velhos móveis de acaju e poltronas cobertas de felpa, já meio desconjuntadas. Não havia lâmpadas acesas, e necessitamos de alguns segundos para acomodar os olhos à meia-luz e vislumbrar o mestre sentado com um gato nas pernas, junto à janela pela qual entravam os últimos reflexos da tarde. Ribero levantou-se e veio andando, de modo perfeitamente seguro, a fim de nos saudar; nada em seus passos denunciava a cegueira.

— Senhorita Del Valle! Perdão, agora se trata da senhora Domínguez, não é verdade? — saudou estendendo-me as duas mãos.

— Aurora, mestre, a mesma Aurora de sempre — repliquei, abraçando-o. Em seguida apresentei-lhe o doutor Radovic e falei do seu desejo de aprender fotografia para fins médicos.

— Não posso mais ensinar nada, meu amigo. O céu me castigou onde mais me dói, a vista. Imagine, um fotógrafo cego, que ironia!

— Não vê mais nada, mestre? — perguntei, alarmada.

— Com os olhos não vejo nada, mas continuo a olhar para o mundo. Diga, Aurora, você mudou? Como é agora? A imagem mais nítida que tenho de você é a de uma garotinha de treze anos plantada diante da porta do meu estúdio, com uma teimosia de mula.

— Continuo sendo a mesma, dom Juan, tímida, tola e cabeçuda.

— Não, não, quero que me diga, por exemplo, como está penteada e de que cor está vestida.

— A senhora se apresenta em um vestido branco, leve, com rendas no decote, o tecido não sei qual é, não entendo dessas coisas — disse Radovic. — O cinto é amarelo, a mesma cor do laço no chapéu. Garanto-lhe que está muito bonita.

— Não me faça passar vergonha, doutor, eu lhe suplico — interrompi.

— E neste momento a senhora tem as faces muito enrubescidas... — acrescentou Radovic, e os dois riram em uníssono.

O mestre acionou uma campainha, e logo a empregada entrou com a bandeja do café. Passamos uma hora muito agradável, falando das novas técnicas e de câmaras que começavam a ser usadas em outros países, bem como sobre os grandes avanços da fotografia científica. Dom Juan Ribero estava em dia com tudo.

— Aurora tem a intensidade, a concentração e a paciência que todo artista deve ter. Suponho que um bom médico necessite do mesmo, estou certo? Peça-lhe que mostre o trabalho dela, doutor.

Ela é modesta e só mostrará se o senhor insistir — o mestre sugeriu a Ivan Radovic na hora de nos despedirmos.

Dias mais tarde a ocasião surgiu. Minha avó tinha amanhecido com terríveis dores no estômago; seus calmantes habituais não conseguiram acalmá-la, e assim tivemos de chamar Radovic, que veio imediatamente e administrou-lhe um forte composto de láudano. Deixamos vovó descansando em sua cama, saímos do quarto e lá fora ele me explicou que se tratava de outro tumor, mas minha avó já estava demasiado idosa para ser novamente operada, não resistiria aos anestésicos; tudo que podia fazer era controlar a dor e assisti-la para que morresse em paz. Perguntei quanto tempo ainda lhe restava, mas isso não era fácil de determinar, porque apesar de sua idade minha avó era muito forte e o tumor crescia com muita lentidão. "Prepare-se, Aurora, porque o desenlace pode acontecer dentro de poucos meses", disse o médico. Não pude evitar as lágrimas. Paulina del Valle representava a minha única raiz, sem ela eu ficava à deriva, e o fato de ter Diego como marido não aliviava minha sensação de naufrágio, só fazia aumentá-la. Radovic passou-me seu lenço e permaneceu mudo, sem olhar para mim, perturbado com meu choro. Obriguei-o a prometer que me avisaria com tempo para vir do campo, a fim de acompanhar minha avó em seus últimos momentos. O láudano fez efeito e imediatamente ela se acalmou; assim que adormeceu, acompanhei Ivan Radovic à saída. À porta ele me perguntou se podia ficar um pouco mais, dispunha de uma hora livre e na rua o calor era forte. Adela dormia a sesta, Frederick Williams tinha ido nadar no clube e a imensa casa da rua Ejército Libertador parecia um navio imóvel. Ofereci-lhe um copo de refresco e nos instalamos na galeria das samambaias e das gaiolas dos pássaros.

— Dê um assobio, doutor Radovic — sugeri.

— Assobiar, para quê?

— Segundo os índios, é assobiando que se chama o vento. Necessitamos de um sopro de brisa para aliviar o calor.

— Enquanto eu assobio, por que não me traz suas fotografias? — o médico pediu. — Gostaria muito de vê-las.

Apanhei várias caixas e me sentei ao seu lado, a fim de lhe explicar meu trabalho. Mostrei-lhe primeiro algumas fotografias tiradas na Europa, quando ainda me sentia mais interessada pela estética do que pelo conteúdo; em seguida mostrei as fotos de Santiago fixadas com platina, as dos índios e colonos da herdade, e finalmente as dos Domínguez. Ele as observou com o mesmo cuidado que demonstrava ao examinar minha avó, de vez em quando fazendo perguntas. Deteve-se nas fotos da família de Diego.

— Quem é essa mulher tão bonita? — Quis saber.

— Susana, a esposa de Eduardo, meu cunhado.

— E suponho que este seja Eduardo, estou certo? — disse, apontando para Diego.

— Não, esse é Diego. Por que imaginou que fosse o marido de Susana?

— Não sei, pareceu-me...

Naquela noite espalhei as fotografias pelo chão e fiquei examinando-as durante várias horas. Fui muito tarde para a cama, possuída pela ansiedade.

TIVE DE ME despedir de minha avó, pois havia chegado a hora de voltar para *Caleufú*. No ensolarado dezembro de Santiago, Paulina del Valle sentiu-se melhor — o inverno também tinha sido muito comprido e solitário para ela — e prometeu que iria me visitar, em companhia de Frederick Williams, depois do ano-novo, deixando assim de veranear na praia, como faziam todos os que podiam escapar da canícula de Santiago. Sentia-se tão bem, que nos acompanhou na viagem de trem a Valparaíso, onde Adela e eu tomamos um navio para o sul. Chegamos de volta ao campo antes do Natal, pois não podíamos estar ausentes da festa mais importante do ano para os Domínguez. Com meses de antecipação, dona Elvira supervisionava os presentes para os camponeses, produzidos em casa ou comprados na cidade: roupas e brinquedos para os meninos, ferramentas para os homens, tecidos para saias e blusas e fios de lã para os teares das mulheres. Naquela data fazia-se a distribuição de animais, sacos de farinha, batatas, *chancaca* ou açúcar mascavo, feijão e milho, *charqui* ou carne-seca, erva-mate, sal e barras de doce de marmelo, preparado em grandes tachos de cobre, aquecidos em fogueiras ao ar livre. Os colonos da herdade vieram dos quatro pontos cardeais; alguns tinham andado vários dias com suas mulheres e filhos para chegar a tempo de participar da festa. Mataram bois e cabras, cozinharam batatas e espigas de milho verde, prepararam grandes panelas de feijão. Coube a mim decorar com flores e ramos de pinheiro as grandes mesas armadas no pátio e dispor as jarras cheias de vinho misturado com água e açúcar, que não chegava a embriagar os adultos e que os meninos bebiam engrossando com farinha tostada. Contamos com a presença de um sacerdote, que permaneceu três dias na herdade, batizando crianças, confessando pecadores, recriminando adúlteros e casando os que viviam juntos sem formalidades. À meia-noite do vinte e quatro de dezembro celebrou-se a missa do galo diante de um altar improvisado ao ar livre, porque não caberia toda aquela gente na pequena capela da casa, e, ao amanhecer, depois de um suculento desjejum à base de café com leite, pão sovado, nata, marmelada e frutas estivais, levaram o Menino Deus em alegre procissão, para que cada um pudesse beijar seus pés de cerâmica. Dom Sebastián designava a família mais destacada pela sua conduta moral para ficar com o Menino Deus. Durante um ano, até o próximo Natal, a urna de vidro com a pequena escultura ocuparia um lugar de honra no casebre daquela família camponesa, proporcionando-lhe bênçãos. Enquanto ali estivesse, nada de mau podia ocorrer-lhes. Dom Sebastián ajeitava as coisas de modo que cada família tivesse uma oportunidade de abrigar Jesus embaixo de seu teto. Naquele ano, tínhamos ainda a peça alegórica sobre a chegada do século vinte, da qual participavam todos os membros da família, exceto dona Elvira, que estava muito debilitada, e Diego, que preferiu encarregar-se dos aspectos técnicos, como as luzes e a pintura do pano de fundo. Com muito bom humor, dom Sebastián aceitou o triste papel do ano velho que se retirava e um dos meninos de Susana — ainda em cueiros — representava o ano-novo.

Ao saberem que haveria comida gratuita, apareceram também alguns índios pehuenches. Eram muito pobres — tinham perdido suas terras e eram ignorados pelos planos governamentais de fomento —, mas, por orgulho, não chegaram com as mãos vazias: traziam umas poucas maçãs embaixo das capas, que nos ofereceram cobertas de suor e sujeira, um coelho morto cheirando a carniça e umas cabaças com *muchi*, uma bebida preparada com um pequeno fruto de cor violácea, que é mastigado e cuspido em um vaso, no qual a mistura de suco e saliva fica fermentando. O velho cacique vinha à frente, com suas três mulheres e seus cães, seguido de uns vinte membros da tribo; os homens não soltavam as lanças e, apesar de quatro séculos de abusos e derrotas, não tinham perdido seu ar de valentia. As mulheres nada tinham de tímidas, eram tão independentes e poderosas quanto os homens, entre eles havia uma igualdade de sexos que Nívea del Valle teria aplaudido. Saudavam em sua língua, tratando cerimoniosamente de "irmão" tanto dom Sebastián quanto cada um de seus filhos, que lhes deram as boas-vindas e os convidaram a participar da comilança, embora os vigiassem de perto, pois ao primeiro descuido eram capazes de roubar alguma coisa. Meu sogro dizia que eles não possuíam senso de propriedade porque estavam habituados a viver em comum e a compartir o que tinham, mas Diego alegava que os índios, tão rápidos na hora de tomar o alheio, não permitiam que ninguém tocasse no que era deles. Temendo que se embriagassem e se tornassem violentos, dom Sebastián ofereceu ao cacique um barril de aguardente como incentivo para que se fossem, pois não podiam abri-lo em sua propriedade. Sentaram-se em um grande círculo a comer, beber, fumar todos no mesmo cachimbo e fazer longos discursos que ninguém escutava, sem misturar-se com os colonos de *Caleufú*, à exceção dos meninos, que corriam todos juntos. Aquela festa me deu oportunidade para fotografar os índios como bem quis, e cheguei a fazer amizade com algumas mulheres da tribo, pensando em obter permissão para visitá-las em seu acampamento do outro lado do lago, onde haviam se instalado a fim de passar o verão. Quando os pastos se esgotavam ou a paisagem lhes cansava, eles arrancavam do chão as madeiras que sustentavam seus tetos, enrolavam os panos das tendas e partiam em busca de lugar para um novo assentamento. Se eu pudesse passar algum tempo com eles, talvez se habituassem à minha presença e à câmara fotográfica. Desejava fotografá-los em seus trabalhos cotidianos, ideia que horrorizou meus sogros, pois circulavam muitas e arrepiantes histórias sobre os costumes daquelas tribos, nas quais o paciente labor dos missionários havia deixado apenas uma leve camada de verniz.

Minha avó Paulina não foi me visitar naquele verão, como havia prometido. As viagens de trem e navio eram suportáveis, mas lhe davam medo os dois dias de carreta puxada a boi, do porto até *Caleufú*. Suas cartas semanais representavam meu principal contato com o mundo exterior; à medida que as semanas passavam, crescia também a minha nostalgia. Meu ânimo foi mudando, tornei-me insociável, andava mais calada que de hábito, arrastando minha frustração como uma pesada cauda de noiva. A solidão me aproximou de minha sogra, aquela mulher suave e discreta, que vivia em inteira dependência do marido, sem ideias próprias, incapaz de lidar com as mínimas dificuldades da existência, mas que sabia compensar sua falta de luzes com uma imensa bondade. Meus silenciosos chiliques se tornavam pó em sua presença; dona Elvira tinha a virtude de centrar-me e de aplacar a ansiedade que às vezes me estrangulava.

Durante aqueles meses de verão estivemos ocupados com as colheitas, os animais recém-nascidos e a fabricação de conservas; o sol se punha às nove da noite e os dias pareciam intermináveis. A essa altura ficou pronta a casa que meu sogro havia construído para mim e Diego; era sólida, fresca, bonita, com alpendre pelos quatro lados, cheirava a barro fresco, a madeira recém-cortada e também a manjericão, que os colonos haviam plantado ao longo dos muros, a fim de espantar a má sorte e as feitiçarias. Meus sogros nos deram alguns móveis que há muito estavam com a família, o que faltava Diego comprou no povoado, sem perguntar qual era minha opinião. Em vez de uma cama larga, como aquela em que até então havíamos dormido, comprou duas estreitas camas de bronze e uma pequena mesa de cabeceira para separá-las. Depois do almoço a família se recolhia aos seus aposentos até as cinco da tarde, em repouso obrigatório, pois se supunha que o calor paralisava a digestão. Diego se deitava em uma rede, embaixo da latada de parreiras, fumava durante algum tempo e depois ia ao rio a fim de nadar; gostava de ir sozinho, e as poucas vezes em que me propus a acompanhá-lo mostrou-se descontente, de modo que resolvi não insistir. Já que não compartilhávamos aquelas horas de sesta na intimidade de nosso aposento, eu as destinava à leitura ou ao trabalho em meu pequeno laboratório, pois não pude me habituar a dormir no meio da tarde. Diego nada me pedia, nada me perguntava, demonstrava pelos meus sentimentos ou atividades apenas um interesse de criança bem-comportada, nunca se impacientava com meus variáveis estados de espírito, com meus pesadelos, que tinham voltado com mais frequência e intensidade, ou com os meus mal-humorados silêncios. Passavam-se dias sem que trocássemos uma palavra, mas isso ele nem parecia notar. Eu me encerrava no mutismo como em uma armadura, contando as horas para ver até quando poderíamos esticar aquela situação, mas sempre acabava cedendo, pois o silêncio pesava muito mais em mim do que nele. Antes, quando compartilhávamos a mesma cama, eu me aproximava dele, fingindo estar adormecida, abraçava-lhe as costas e enlaçava minhas pernas nas dele, e assim às vezes cruzava o abismo que ia se abrindo, inexorável, entre nós. Com aqueles raros abraços eu não buscava prazer, pois não achava que isso fosse possível; buscava apenas consolo e companhia. Durante algumas horas vivia a ilusão de tê-lo reconquistado, mas logo chegava o amanhecer e tudo voltava a ser como sempre. Ao nos mudarmos para a casa nova, até aquela precária intimidade desapareceu, pois a distância entre as duas camas era maior e mais hostil do que a torrente de um rio encachoeirado. Às vezes, no entanto, quando eu despertava gritando, acossada pelos meninos de pijamas negros dos meus pesadelos, ele se levantava, vinha e me abraçava com firmeza até que eu me acalmasse; esses eram talvez os únicos encontros espontâneos entre nós. Preocupava-se com aqueles sonhos ruins, acreditava que podiam degenerar em loucura, por isso conseguiu um frasco de ópio e às vezes me dava algumas gotas dissolvidas em licor de laranja, para me ajudar a dormir e ter sonhos felizes. Salvo as atividades compartilhadas com o resto da família, eu e Diego passávamos pouquíssimo tempo juntos. Frequentemente ele saía em excursões, cruzava a cordilheira para chegar à Patagônia argentina, ou ia ao povoado comprar provisões e às vezes permanecia dois ou três dias fora sem nenhuma explicação, enquanto eu mergulhava na angústia, imaginando um acidente, mas Eduardo me tranquilizava com o argumento de que seu irmão sempre tinha sido daquele jeito, um solitário criado na magnitude daquela natureza agreste, habituado ao silêncio, desde pequeno sentia necessidade de grandes espaços, tinha alma de vagabundo e, se não houvesse nascido na estreita rede daquela família, talvez tivesse optado por ser marinheiro. Fazíamos um ano de casados e eu me sentia em débito, não apenas tinha sido incapaz de dar-lhe um filho, como também não havia chegado a interessá-lo por mim, e muito menos a conseguir que me amasse: alguma coisa fundamental devia faltar em minha feminilidade. Eu supunha que ele me havia escolhido por estar em idade de casar-se, a pressão dos pais o obrigara a procurar uma noiva; eu fui a primeira, talvez a única, que apareceu diante dele. Diego não me amava. Eu soube disso desde o início, mas a arrogância do primeiro amor e dos dezenove anos não me pareceram um obstáculo intransponível, achava possível seduzi-lo por meio da tenacidade, da virtude e do coquetismo, como nas histórias românticas. Na angústia de averiguar o que estava errado em mim, dediquei horas e horas a fazer autorretratos, alguns diante de um grande espelho que levei para minha sala de trabalho, outros pondo-me diante da câmara. Fiz centenas de fotografias, em umas estou vestida, em outras, nua, examinei-me de todos os ângulos e tudo que descobri foi uma tristeza crepuscular.

De sua poltrona de enferma, dona Elvira observava a vida da família sem perder um só detalhe e assim acabou por perceber as prolongadas ausências de Diego e a minha desolação, somou dois mais dois e chegou a algumas conclusões. Sua delicadeza e o costume, tão chileno, de não falar de sentimentos impediam-na de enfrentar o problema de maneira direta, mas nas muitas horas que passamos juntas e sem nenhuma companhia foi se produzindo uma aproximação íntima entre nós duas, chegamos a ser como mãe e filha. Assim, discretamente e aos poucos, ela me contou suas próprias dificuldades iniciais com o marido. Havia casado muito jovem e só iria ter seu primeiro filho cinco anos mais tarde, depois de vários abortos, que lhe deixaram corpo e alma por demais maltratados. Naquela época Sebastián Domínguez ainda não havia amadurecido e lhe faltava o senso de responsabilidade exigido pela vida matrimonial; era impetuoso, pândego e fornicador, ela não usou essa palavra, claro, não acredito sequer que a conhecesse. Dona Elvira sentia-se isolada, muito longe de sua família, sozinha e assustada, convencida de que seu casamento fora um terrível erro, para o qual a única saída era a morte. "Mas Deus ouviu minhas súplicas, tivemos Eduardo, e da noite para o dia Sebastián mudou completamente; não há melhor pai nem melhor marido que ele, já estamos juntos há mais de trinta anos e a cada dia dou graças aos céus pela felicidade que compartimos. É preciso rezar, filhinha, isso ajuda muito", aconselhou-me. Rezei, mas certamente sem a intensidade e a perseverança devidas, pois nada mudou.

As suspeitas começaram meses antes, mas eu as descartei, enojada de mim mesma; não podia aceitá-las sem pôr em evidência algo de mau em minha própria natureza. Repetia a mim mesma que tais conjecturas só podiam ser ideias diabólicas, que se enraizavam em meu cérebro e das quais brotavam como tumores mortais, ideias que eu devia combater sem piedade, mas o caruncho do rancor pôde mais do que os meus bons propósitos. Primeiro foram as fotografias da família que mostrei a Ivan Radovic. O que não foi evidente à primeira vista — pelo hábito de só vermos o que queremos ver, como dizia meu mestre Juan Ribero — saiu refletido em preto e branco no papel. A inequívoca linguagem do corpo, dos gestos e dos olhares, foi aparecendo ali. A partir daquelas primeiras suspeitas passei a recorrer cada vez mais à câmara; sob pretexto de fazer um álbum para dona Elvira toda hora colhia instantâneos da família, que em seguida revelava na privacidade do meu quarto escuro e estudava com perversa atenção. Assim cheguei a ter uma desgraçada coleção de minúsculas provas, algumas tão sutis, que só eu, envenenada pelo despeito, podia perceber. Com a câmara diante do rosto, como uma espécie de máscara que me fazia invisível, eu podia focalizar a cena e ao mesmo tempo manter um distanciamento glacial. Pelo final de abril, quando o calor diminuiu, os cumes dos vulcões se coroaram de nuvens e a natureza começou a recolher-se para o outono, os sinais revelados pelas fotografias me pareceram suficientes, e então comecei a odiosa tarefa de vigiar Diego, como qualquer esposa enciumada. Quando tomei consciência, finalmente, daquela garra que me apertava a garganta e pude chamá-la pelo nome que lhe dá o dicionário, senti que estava afundando em um pântano. Ciúmes. Quem não os sentiu não pode saber o quanto doem, nem imaginar as loucuras que são cometidas em seu nome. Em meus trinta anos de vida conheci tal sofrimento apenas naquela ocasião, mas a queimadura foi tão brutal, que as cicatrizes não chegaram a se fechar e espero que não se fechem nunca, para que sirvam como algo que se recorda a fim de se evitar no futuro. Diego não era meu — ninguém pode jamais pertencer a outro — e o fato de ser sua esposa não me dava direitos sobre ele ou seus sentimentos, o amor é um contrato livre, que se inicia com uma faísca e pode terminar do mesmo modo. Mil perigos o ameaçam, e se o casal o defende poderá salvar-se, mas isso ocorre apenas quando ambos participam. Diego nunca participou, nossa relação estava condenada desde o começo. Hoje o entendo, mas naquela época estava cega, inicialmente de pura raiva e depois de aflição.

Ao espioná-lo de relógio na mão, fui percebendo que as ausências de meu marido não coincidiam com suas explicações. Quando aparentemente havia saído para caçar com Eduardo, estava de volta muitas horas antes ou depois de seu irmão; quando os outros homens da família estavam na serraria ou marcando as reses a ferro, ele surgia repentinamente no pátio, e, mais tarde, se eu levantava o assunto na hora da refeição, ficava sabendo que não estivera com eles durante o dia todo; quando saía para fazer compras no povoado podia voltar sem nada, porque supostamente não havia encontrado o que queria, embora fosse algo tão banal quanto um machado ou um serrote. Durante as muitas horas que a família passava reunida, evitava a todo custo entrar na conversa, era sempre ele quem organizava as partidas de cartas ou pedia a Susana que cantasse. Se ela caía com uma de suas enxaquecas, ele se mostrava imediatamente aborrecido e saía a cavalo com a escopeta no ombro. Eu não podia segui-lo em suas excursões sem que ele notasse e sem levantar suspeitas na família, mas me mantive alerta para vigiá-lo quando estava perto. Notei, desse modo, que às vezes ele se levantava no meio da noite e não ia à cozinha comer algo, como eu pensava, mas se vestia, saía para o pátio, desaparecia por uma ou duas horas, e depois voltava silenciosamente para a cama. Segui-lo no escuro era mais fácil do que durante o dia, quando uma dúzia de olhos se voltavam para nós, tudo era questão de me manter acordada, evitando o vinho no jantar e as gotas noturnas de ópio. Uma noite, em meados de maio, notei que ele deslizava da cama e, à tênue luz da lâmpada de azeite que sempre mantínhamos acesa diante da Cruz, pude ver que vestia as calças e atava os cordões das botas, apanhava a camisa, o casaco, e saía. Esperei uns instantes, levantei-me depressa e o segui com o coração a ponto de rebentar no peito. Não podia vê-lo muito bem na casa mergulhada em sombras, mas quando saiu ao pátio sua silhueta se recortou claramente sob a luz da lua, que por alguns momentos se mostrava inteira lá no alto. O céu estava parcialmente coberto e de vez em quando as nuvens ocultavam a lua, envolvendo-nos na escuridão. Ouvi cães ladrando e pensei que, se eu chegasse mais perto deles, delatariam minha presença, mas ficaram onde estavam, e então compreendi que Diego os havia amarrado mais cedo. Meu marido deu a volta completa à casa e se dirigiu rapidamente para um dos estábulos, onde estavam os cavalos que a família montava, e que não eram usados para o trabalho do campo, retirou a tranca do portão e entrou. Fiquei à espera, protegida pela sombra densa de um olmo, a poucos metros da estrebaria, descalça e coberta apenas por uma fina camisola de dormir, sem coragem de dar mais um passo, convencida de que Diego reapareceria a cavalo e eu não poderia segui-lo. Sem que nada acontecesse, transcorreu um tempo que me pareceu muito longo. De repente vislumbrei uma luz pela brecha do portão aberto, talvez de uma vela, ou de uma pequena lâmpada de azeite. Meus dentes rangiam, eu tremia convulsivamente de frio e de medo. Estava a ponto de me dar por vencida e voltar para casa, quando vi outra figura que se aproximava, pelo lado do nascente — era óbvio que não vinha da casa-grande —, e também entrava no estábulo, fechando a porta atrás de si. Deixei passar quase um quarto de hora antes de me decidir, em seguida obriguei-me a dar alguns passos, estava entorpecida e mal podia me mover. Aproximei-me do estábulo, aterrorizada, sem saber como Diego reagiria se me descobrisse espionando-o, mas mesmo assim não pude recuar. Empurrei suavemente o portão, que cedeu sem resistência, porque a tranca era pelo lado de fora, não podia ser aferrolhado por dentro, e deslizei como um ladrão pela estreita abertura. Dentro estava escuro, mas no fundo crepitava uma pequenina luz, em cuja direção avancei, nas pontas dos pés, mal respirando, precauções aliás inúteis, pois a palha amortecia meus passos e vários animais estavam despertos, podia ouvi-los movimentando-se e resfolegando em suas baias.

Na tênue luz de um farol pendurado de uma viga, que oscilava ao sopro de uma brisa que coleava por entre as madeiras do telhado, eu os vi. Tinham estendido cobertores sobre um amontoado de palha, como um ninho, sobre o qual, vestida com um pesado abrigo desabotoado, ela estava estendida de costas, totalmente nua. Tinha os braços e as pernas abertos, a cabeça caída sobre um ombro, o cabelo negro cobrindo-lhe o rosto e sua pele brilhando como madeira vermelha na delicada claridade alaranjada do farol. Diego, coberto apenas pela camisa, estava ajoelhado diante dela e lambia seu sexo. Havia um absoluto abandono na atitude de Susana e uma contida paixão nos gestos de Diego, o que me fez compreender em um instante o quanto eu era alheia a tudo aquilo. Na verdade eu não existia, como não existiam Eduardo e os três meninos, ninguém mais, só eles dois, amando-se de modo inevitável. Jamais meu marido me havia acariciado daquela maneira. Era fácil compreender que eles tinham feito aquilo muitas vezes antes, que se amavam desde muito tempo; entendi, finalmente, que Diego tinha se casado comigo porque necessitava de um biombo para esconder seus amores com Susana. Em um instante, as peças daquele penoso quebra-cabeça ocuparam seus lugares, soube a razão da sua indiferença para comigo, suas ausências, que coincidiam com as enxaquecas de Susana, sua relação tensa com o irmão Eduardo, a forma dissimulada de seu comportamento perante o resto da família e como ele ajeitava as coisas para estar sempre perto dela, tocando-a, os pés se roçando, a mão dele em seu cotovelo ou seu ombro, e às vezes, como se fosse por casualidade, em seu pescoço ou na parte descoberta de suas costas, sinais inconfundíveis que as fotos me haviam revelado. Lembrei-me de quanto Diego amava os meninos e me perguntei se eles eram realmente seus sobrinhos, se não eram seus filhos, os três de olhos azuis, a marca dos Domínguez. Permaneci imóvel, quase gelada, enquanto eles faziam amor voluptuosamente, saboreando cada toque, cada gemido, sem pressa, como se tivessem o resto da vida pela frente. Não pareciam um casal de amantes em precipitado encontro clandestino, mas um par de recém-casados na segunda semana de lua de mel, quando a paixão ainda está intacta, mas já existe a confiança e o conhecimento mútuo da carne. Eu jamais havia experimentado uma intimidade assim com meu marido, nem fora capaz de forjá-la nem mesmo nas minhas mais audaciosas fantasias. A língua de Diego percorria a parte interior das coxas de Susana, subindo a partir dos tornozelos, detendo-se no alto e baixando novamente, enquanto as mãos subiam acima de sua cintura e iam amassar seus seios redondos e opulentos, brincavam com os mamilos endurecidos e lustrosos como uvas. O corpo de Susana, brando e suave, estremecia e ondulava, era um peixe no rio, a cabeça girava de um lado para outro em uma espécie de desespero do prazer, o cabelo sempre cobrindo-lhe o rosto, os lábios abertos em um longo queixume, as mãos procurando Diego a fim de atraí-lo para a bela topografia de seu corpo, até que sua língua a fez estalar de gozo. Susana arqueou as costas em resposta ao prazer que lhe atravessava o corpo como um relâmpago e soltou um grito rouco que ele sufocou, esmagando sua boca contra a dela. Depois Diego susteve-a em seus braços, balançando-a, acariciando-a como se ela fosse um gato, sussurrando-lhe um rosário de palavras secretas, com uma delicadeza e uma ternura que nunca imaginara possíveis nele. Em certo momento ela sentou-se na palha, tirou o abrigo e começou a beijá-lo, primeiro na fronte, depois nas pálpebras, nas faces, longamente na boca, em seguida sua língua explorou travessamente as orelhas de Diego, delas saltando para o pomo-de-adão, roçando o pescoço, seus dentes bicando os mamilos viris, seus dedos enredados nos pelos do peito. Então foi a vez de ele abandonar-se às carícias; Diego estendeu-se de bruços sobre a manta e ela escarranchou-se em suas costas, mordendo-lhe a nuca e o pescoço, passeando por seus ombros com beijos breves e brincalhões, descendo até as nádegas, explorando-o, cheirando-o, saboreando-o e deixando um rastro de saliva em seu caminho. Diego virou-se e a boca de Susana envolveu seu pênis levantado e pulsante, em uma interminável faina de prazer, de dar e tomar na mais recôndita intimidade, até que ele não pôde mais resistir e se jogou sobre ela, penetrando-a, e juntos rolaram como lutadores, em um enredo de braços e pernas e beijos e arquejos e suspiros e expressões de amor que nunca eu tinha ouvido. Depois cochilaram em um cálido abraço, cobertos com as mantas e o abrigo de Susana, como um par de meninos inocentes. Recuei em silêncio e tratei de regressar à casa, enquanto o frio glacial da noite se apoderava inexorável de minha alma.

Então um abismo abriu-se diante de mim, senti a vertigem arrastando-me para o fundo, a tentação de saltar e perder-me na profundidade do sofrimento e do terror. A traição de Diego e o medo do futuro me deixaram flutuando, sem apoio, perdida e desconsolada; a fúria que a princípio me sacudiu não chegou a durar muito, mas depois fui abatida por um sentimento de morte, de dor absoluta. Eu tinha entregue minha vida a Diego, havia confiado na sua proteção de marido, acreditado ao pé da letra nas palavras rituais do casamento: estávamos unidos até a morte. Não havia escapatória. A cena do estábulo me pôs diante de uma realidade que eu vinha percebendo havia algum tempo, mas que me recusava a enfrentar. Meu primeiro impulso foi correr para a casa-grande, plantar-me no meio do pátio e uivar como uma louca, acordar a família, os colonos, tomando-os como testemunhas do adultério e do incesto. Minha timidez, contudo, pôde mais que o desespero, arrastei-me calada, às apalpadelas, até o aposento que compartia com Diego e me sentei na cama tiritando, enquanto as lágrimas desciam pelas minhas faces, empapando-me o peito e a camisola. Nos minutos ou horas que se seguiram tive tempo de pensar no ocorrido e aceitar a minha impotência. Não se tratava de uma aventura da carne; o que unia Diego e Susana era um amor provado, disposto a correr todos os riscos e afastar em sua passagem todos os obstáculos que encontrasse diante de si, como um inexorável rio de lava incandescente. Nem Eduardo nem eu tínhamos a menor importância para eles, éramos descartáveis, meros insetos na imensidade da aventura passional daqueles dois. Antes de qualquer outro, eu devia falar com meu cunhado, decidi, mas, ao imaginar o golpe que a revelação produziria na vida daquele bom homem, compreendi que não teria coragem de fazê-lo. Eduardo mesmo iria descobrir algum dia, ou, se a sorte o ajudasse, jamais saberia de nada. Talvez suspeitasse, como eu, mas não desejava obter a confirmação, mantendo assim o frágil equilíbrio de suas ilusões; entre eles havia três crianças, seu amor por Susana e a coesão monolítica do clã familiar.

Diego voltou em algum momento da noite, pouco antes do amanhecer. À luz da pequena lâmpada de azeite viu-me sentada na cama, o rosto inchado de chorar, incapaz de dizer uma palavra, e então imaginou que eu fora despertada por outro daqueles pesadelos. Sentou-se ao meu lado e tratou de atrair-me para o seu peito, como fazia em tais ocasiões, mas me encolhi em um gesto instintivo e devo ter mostrado uma terrível expressão de rancor, pois imediatamente ele retrocedeu. Ficamos nos olhando, ele surpreendido e eu o abominando, até que a verdade se instalou entre as duas camas, inapelável e contundente como um dragão.

— Que vamos fazer agora? — foi tudo o que pude balbuciar.

Ele não tentou negar nem justificar-se, desafiou-me com um olhar de aço, disposto a defender seu amor de qualquer maneira, ainda que tivesse de me matar. Então o dique de orgulho, educação e bons modos que me havia contido durante meses de frustração rompeu-se em pedaços, e as reprovações silenciosas transformaram-se em uma interminável avalancha de recriminações, que ele recebeu impassível e silencioso, porém atento a cada palavra. Acusei-o de tudo que me passou pela mente e, por último, lhe supliquei que reconsiderasse, disse-lhe que estava disposta a perdoar e esquecer, que fôssemos embora para onde ninguém nos conhecesse, que podíamos muito bem recomeçar. Já era dia claro quando se acabou minha reserva de palavras e lágrimas. Diego venceu a distância que separava nossas camas, sentou-se a meu lado, tomou-me as mãos e, com calma e seriedade, explicou que havia muitos anos amava Susana e que tal amor era a coisa mais importante em sua vida, muito mais que a honra, que o resto da família, que a salvação de sua própria alma; poderia, para me tranquilizar, prometer que se separaria dela, mas seria uma promessa falsa. Acrescentou que havia tentado esquecê-la quando viajara para a Europa, afastando-se dela durante seis meses, mas o resultado fora negativo. E havia se casado comigo para ver se conseguia romper o terrível laço com a cunhada, mas o casamento, longe de ajudá-lo na decisão de afastar-se dela, só havia lhe facilitado as coisas, porque atenuara as suspeitas de Eduardo e do resto da família. No entanto, estava contente por eu ter finalmente descoberto a verdade, pois tinha pena de me enganar; não podia me acusar de nada, garantiu, eu era uma ótima esposa e lamentava muito não poder me dar o amor que eu merecia. Sentia-se um infame cada vez que fugia de mim para encontrar-se com Susana, seria um alívio não ter mais de mentir-me.

Agora tudo estava esclarecido.

— E Eduardo, por acaso não conta? — perguntei.

— O que acontece entre ele e Susana não é assunto meu. O que temos de decidir agora é a nossa relação.

— Você já decidiu, Diego — respondi. — Não tenho mais nada que fazer aqui, vou voltar para minha casa.

— Esta é a sua casa, Aurora, estamos casados. Aquilo que Deus uniu não pode ser separado.

— Foi você que violou vários preceitos divinos de uma vez — lembrei-lhe.

— Poderíamos viver como irmãos. Estando a meu lado, nada faltaria a você. Eu sempre a respeitaria, você teria proteção e liberdade para se dedicar à fotografia ou àquilo que quiser. Tudo que peço é que não arme um escândalo.

— Não pode mais me pedir coisa alguma, Diego.

— Não estou pedindo para mim. Tenho o couro duro e posso aguentar as coisas como um homem. Peço por causa de minha mãe. Ela não resistiria...

Fiquei, pois, pelo bem de dona Elvira. Não sei como pude me vestir, lavar o rosto, passar o pente no cabelo, tomar café e sair de casa para os meus afazeres diários. Não sei como encarei Susana durante o almoço, nem como expliquei a dom Sebastián e dona Elvira os meus olhos inchados. Aquele foi o pior de todos os dias, eu me sentia como se tivesse levado uma surra; e estava aturdida, a ponto de cair no choro à primeira pergunta que me fizeram. Tive febre à noite, os ossos me doíam, mas no dia seguinte estava mais tranquila, selei a égua e galopei para as colinas. Daí a pouco a chuva começou, mas eu continuei a trote, até que a pobre égua não teve mais forças, então desmontei e fui em frente, abrindo caminho a pé pelo mato e pelo barro, por baixo das árvores, escorregando e caindo e me levantando e gritando a plenos pulmões, enquanto a água me encharcava. O poncho ensopado pesava tanto, que o joguei fora e prossegui tremendo de frio, embora queimasse por dentro. Voltei na hora do crepúsculo, sem voz, ardendo em febre, bebi uma tisana bem quente e meti-me na cama. Do resto pouco me lembro, porque nas semanas que se seguiram andei por demais ocupada, duelando com a morte, e não tive tempo nem ânimo para pensar na tragédia do meu casamento. A noite que passei no estábulo, descalça e quase nua, e depois o galope embaixo da chuva resultaram em uma pneumonia que por pouco não me despachou para o outro mundo. Levaram-me de carreta para o hospital dos alemães, onde fui cuidada por uma enfermeira teutônica de tranças louras, que me salvou a vida com sua tenacidade. Aquela nobre valquíria era capaz de me erguer como um bebê em seus poderosos braços de lenhador e capaz também de me dar caldo de galinha em pequeninas colheradas, com uma paciência de nutriz.

Em inícios de julho, quando o inverno já havia se instalado em definitivo e a paisagem era pura água — rios caudalosos, inundações, lamaçais, chuvas e mais chuvas —, Diego e uma dupla de colonos foram me buscar no hospital e me levaram de volta a *Caleufú*, empacotada embaixo de um bocado de mantas e peles. Tinham instalado um toldo de lona encerada na carreta, uma cama e até um braseiro, sempre aceso, para combater a umidade. Suando em meu envoltório de cobertores fiz o vagaroso trajeto para casa, com Diego cavalgando ao lado. Várias vezes as rodas se atolaram; não bastava, então, a força dos bois para arrancar a carreta do atoleiro, os homens tinham de pôr pranchas de madeira sobre o barro, diante das rodas, e empurrar. Eu e Diego não trocamos uma única palavra durante aquele comprido dia de viagem. Em *Caleufú* dona Elvira saiu para receber-me chorando de alegria, nervosa, insistindo com as empregadas para que não se descuidassem dos braseiros, das garrafas de água quente, das sopas com sangue de novilha que deviam me devolver a cor e a vontade de viver. Tinha rezado tanto por mim, disse, que Deus acabara por apiedar-se. Pretextando sentir-me ainda muito vulnerável, pedi-lhe que me deixasse dormir na casa-grande e ela me instalou em um aposento junto ao seu. Pela primeira vez na vida alguém me cuidou como mãe. Minha avó Paulina del Valle, que tanto me amava e tanto havia feito por mim, não era inclinada a manifestações de carinho, embora no fundo fosse uma grande sentimental. Dizia que a ternura, essa mescla açucarada de afeto e compaixão que habitualmente é representada nos calendários por mães extasiadas diante do berço de seus bebês, era perdoável apenas quando se cuidava de animais indefesos, como gatos recém-nascidos, por exemplo, mas entre seres humanos não passava de uma rematada bobagem. Em nossa relação houve sempre um tom irônico e meio cínico; pouco nos tocávamos, a não ser na minha infância, quando dormíamos juntas, e em geral nos tratávamos com uma certa secura, aliás muito cômoda para ambas. Eu recorria a uma ternura zombeteira quando queria dobrá-la, e sempre conseguia, porque minha portentosa avó se abrandava com grande facilidade, mais para escapar às demonstrações de afeto do que por fraqueza de caráter. Dona Elvira, ao contrário, era uma criatura simples, que se sentiria ofendida por um sarcasmo como aqueles que eu e minha avó costumávamos empregar. Era naturalmente afetuosa, tomava minha mão para retê-la entre as suas, beijava-me, abraçava-me, gostava de me pentear, administrava pessoalmente os tônicos de tutano e bacalhau, me aplicava cataplasmas de cânfora para a tosse e me fazia suar a febre massageando-me com óleo de eucalipto e me envolvendo em cobertores quentes. Queria que eu me alimentasse bem e repousasse, à noite me dava as gotas de ópio e quando eu dormia ela continuava ao meu lado, rezando. Todas as manhãs me perguntava se eu tivera pesadelos e me pedia que os descrevesse em detalhes, porque, como dizia, "é falando dessas coisas que se perde o medo". Sua saúde não era boa, mas retirava forças não sei de onde para me atender e me acompanhar, enquanto eu me fingia mais frágil do que realmente estava, a fim de prolongar aquele idílio com minha sogra. "Melhore logo, filhinha, seu marido necessita de você ao lado dele", estava sempre me repetindo, preocupada, enquanto Diego insistia na conveniência de eu passar o resto do inverno na casa-grande. Aquelas semanas sob o teto de dona Elvira me recuperaram da pneumonia e foram para mim uma estranha experiência. Minha sogra me tratou com cuidados que eu jamais receberia de Diego. Aquele amor suave e incondicional atuou como um bálsamo e foi me curando lentamente do desejo de morrer e do rancor que eu sentia de meu marido. Pude compreender os sentimentos de Diego e Susana e a fatalidade, o inexorável do que havia acontecido; a paixão deles devia ser uma força telúrica, um terremoto que os arrastara de modo irremediável. Imaginei como haviam lutado contra aquela atração, antes de a ela sucumbirem, quantos tabus tiveram de vencer para estar juntos, quão terrível devia ser o tormento de cada dia, fingindo diante do mundo uma relação de irmãos, enquanto ardiam de desejo por dentro. Deixei de me perguntar como era possível que não fossem capazes de vencer a luxúria, que seu egoísmo lhes impedisse de ver o desastre que podiam provocar entre os seres mais próximos, porque eu adivinhava o quanto deviam estar dilacerados. Eu tinha amado desesperadamente Diego, podia entender, portanto, o que Susana sentia por ele; nas mesmas circunstâncias, poderia eu ter agido tal como Susana? Supunha que não, mas era impossível garantir. Embora a sensação de fracasso não houvesse diminuído nem um pouco, pude me desprender do ódio, distanciar-me e tentar vestir a pele dos outros protagonistas daquele infortúnio, passei a sentir mais compaixão por Eduardo do que pena por mim mesma, ele tinha três filhos e estava apaixonado pela sua mulher, o drama daquela infidelidade incestuosa seria pior para ele do que para mim. Também por causa de meu cunhado eu devia me manter em silêncio, mas o fato é que o segredo já não me pesava como uma mó de moinho nas costas, porque o horror que eu sentia de Diego havia se atenuado, ao ser lavado pelas mãos de dona Elvira. Minha gratidão por aquela mulher somou-se ao respeito e afeto que eu lhe havia dedicado desde o início, eu tinha me apegado a ela como um cão fraldiqueiro; necessitava de sua presença, de sua voz, dos seus lábios em minha fronte. Sentia-me obrigada a protegê-la do cataclismo que se gestava no seio de sua família; estava disposta a permanecer em *Caleufú*, dissimulando minha humilhação de esposa rejeitada, porque, se eu fosse embora e ela descobrisse a verdade, morreria de dor e de vergonha. Sua existência girava em torno daquela família, das necessidades de cada uma das pessoas que viviam entre as paredes de sua casa, aquele era todo o seu universo. Segundo o acordo com Diego, eu faria minha parte enquanto dona Elvira vivesse, depois estaria livre, ele me deixaria ir e não voltaria a fazer contato comigo. Deveria suportar a condição — infamante para muitos — de "mulher separada" e não poderia me casar novamente, mas pelo menos já não teria de viver ao lado de um homem que não me amasse.

Em meados de setembro, quando não tinha mais pretextos para permanecer na casa de meus sogros e havia chegado o momento de viver novamente com Diego, recebi o telegrama de Ivan Radovic. Em duas linhas o médico me comunicava que eu devia regressar a Santiago, porque se aproximava o fim de minha avó. Fazia meses que eu esperava aquela notícia, mas quando chegou o telegrama a surpresa e o sofrimento foram como uma bordoada, fiquei aturdida. Minha avó era imortal. Não podia visualizá-la como a pequena anciã calva e frágil que agora realmente era, mas como a amazona de peruca dupla, gulosa e astuta que havia sido antes. Dona Elvira me acolheu em seus braços e disse que não me sentisse só, pois agora tinha outra família, eu pertencia a *Caleufú* e ela trataria de cuidar de mim, de me proteger, como antes fizera Paulina del Valle. Ajudou-me a arrumar minhas duas malas, pendurou novamente em meu pescoço o escapulário do Sagrado Coração de Jesus e se pôs a me sobrecarregar com mil recomendações; para ela, Santiago era um antro de perdição, e a viagem uma perigosíssima aventura. Era a época de reabrir a serraria, paralisada durante o inverno, e isso foi uma boa desculpa para que Diego não me acompanhasse a Santiago, embora sua mãe tivesse insistido que devia fazê-lo. Eduardo me levou ao navio. Na porta da casa-grande de *Caleufú*, todos acenavam adeuses: Diego, meus sogros, Adela, Susana, as crianças e alguns colonos. Eu ignorava que não voltaria a vê-los.

Antes de partir examinei meu laboratório, onde não havia posto os pés desde a infausta noite do estábulo, e descobri que alguém tinha subtraído as fotografias de Diego e Susana, mas, como certamente ignorava o processo de revelação, deixou de levar os negativos. Mas de nada me serviam aquelas provas mesquinhas, por isso as destruí. Guardei na mala os negativos dos índios, dos habitantes de *Caleufú* e do resto da família, pois não sabia quanto tempo ficaria ausente e não desejava que se deteriorassem. Com Eduardo, a viagem foi feita a cavalo, a bagagem transportada em lombo de mula; parávamos nas aldeias dos camponeses, para comer e descansar. Meu cunhado, aquele homenzarrão com aspecto de urso, tinha o mesmo caráter suave da mãe, a mesma ingenuidade quase infantil. Pelo caminho tivemos tempo de conversar sem testemunhas, como nunca havíamos feito antes. Confessou-me que desde menino escrevia poemas — "como não fazê-lo quando se vive no meio de tanta beleza?", acrescentou, assinalando a paisagem de floresta e água que nos rodeava. Contou-me que nada ambicionava, não sentia curiosidade por outros horizontes, como Diego, que lhe bastava *Caleufú*. Quando viajara pela Europa, em sua juventude, sentira-se perdido e profundamente infeliz, não podia viver longe daquela terra que amava. Deus tinha sido muito generoso com ele, disse, dando-lhe, para viver, o paraíso terrestre. No porto nos despedimos com um apertado abraço, "que Deus te proteja sempre, Eduardo", disse-lhe no ouvido. Essa despedida solene deixou-o um pouco desconcertado.

Frederick Williams me esperava na estação e me levou no coche para a casa da rua Ejército Libertador. Estranhou minha aparência consumida e não se deu por satisfeito com a minha explicação de que estivera muito doente, ia me observando pelo canto do olho, perguntando insistentemente por Diego, perguntando se eu era feliz, como era a família dos meus sogros e se eu tinha conseguido me adaptar ao campo. Antes a mais esplêndida naquele bairro de palacetes, a mansão de minha avó parecia tão decrépita quanto sua proprietária. Várias janelas pendiam dos gonzos, as paredes não tinham cor, e o jardim, de tão abandonado, parecia ignorar a primavera e permanecer submerso em um triste inverno. Dentro a desolação era ainda maior, os belos salões de outrora estavam quase vazios, móveis, tapetes e quadros tinham desaparecido; não restava nenhuma das famosas pinturas impressionistas, que tanto escândalo haviam causado alguns anos antes. Tio Frederick explicou que minha avó, preparando-se para a morte, havia doado quase tudo à igreja. "Mas acho que seu dinheiro está intacto, Aurora, porque ainda conta cada centavo e guarda os livros de contabilidade embaixo da cama", ele acrescentou, piscando o olho de modo travesso. Ela, que só entrava em uma igreja para ser vista, que detestava aquele enxame de padres pedintes e monjas obsequiosas que voejavam ao redor do restante da família, tinha destinado em seu testamento uma boa quantia para a igreja católica. Sempre astuta nos negócios, procurava comprar na morte aquilo que de pouco lhe servira em vida. Williams conhecia minha avó melhor do que ninguém, e creio que a amava quase tanto quanto eu, e contra todas as predições dos invejosos não roubou sua fortuna para abandoná-la na velhice, mas defendeu os interesses da família durante anos, foi um marido digno dela, estava disposto a acompanhá-la até o último suspiro e iria fazer muito mais por mim, como ficou demonstrado nos anos seguintes. Restava pouquíssima lucidez a Paulina, as drogas que ingeria para acalmar as dores mantinham-na em uma espécie de limbo sem lembranças nem desejos. Naqueles últimos meses ficara reduzida a pele e osso, porque não podia engolir, e tinha de ser alimentada com um pouco de leite que descia por um tubo de borracha introduzido no nariz. Na cabeça restavam-lhe apenas umas poucas mechas brancas, e seus grandes olhos escuros tinham decrescido, eram como pontinhos em meio a um mapa de rugas. Inclinei-me para beijá-la, mas Paulina del Valle não me reconheceu e desviou o rosto; sua mão, entretanto, buscava no ar a mão do marido, e quando a encontrou uma expressão de paz distendeu-lhe as feições.

— Ela não está sofrendo, Aurora, vem tomando muita morfina— tio Frederick informou.

— Os filhos já foram avisados?

— Sim, há dois meses telegrafei para eles, mas não recebi resposta e acredito que não chegarão a tempo. Não resta muito a Paulina — disse, comovido.

Estava certo. Paulina morreu silenciosamente no dia seguinte. Ao seu lado estavam seu marido, o doutor Radovic, Severo, Nívea e eu; seus filhos só apareceram muito depois, com os advogados, para lutar pela herança que ninguém ali disputava. O médico havia tirado o tubo de alimentação de minha avó, e Williams calçara-lhe luvas, porque suas mãos estavam geladas. Os lábios foram adquirindo um tom azulado, ela ia respirando de maneira cada vez mais imperceptível, mas sem angústia, e em dado momento simplesmente parou. Radovic tomou-lhe o pulso, esperou um minuto, talvez dois, e então anunciou que ela havia partido. Havia uma doce quietude no aposento, algo misterioso acontecia, talvez o espírito de minha avó já houvesse se desprendido e, como um pássaro possuído pela surpresa, desse voltas em cima do corpo, despedindo-se. Sua partida me causou uma imensa desolação, um sentimento antigo que eu já conhecia, mas ao qual só poderia dar nome e explicar dois anos mais tarde, quando o mistério do meu passado finalmente se desvendou, e compreendi que a morte de meu avô Tao Chi'en, muitos anos antes, tinha me submergido em uma angústia semelhante. A ferida permanecia latente e agora se abria, com a mesma dor que queimava. A sensação de orfandade que minha avó me deixava era idêntica à que me havia paralisado aos cinco anos de idade, quando Tao Chi'en saíra de minha vida. Penso que as dores antigas de minha infância — uma perda após a outra —, enterradas durante anos nos estratos mais profundos da memória, levantavam agora sua ameaçadora cabeça de Medusa a fim de devorar-me: minha mãe morta ao me dar à luz, meu pai ignorante de minha existência, minha avó materna que me abandonara, sem explicações, nas mãos de Paulina del Valle e, sobretudo, a súbita falta do ser que eu mais amava, meu avô Tao Chi'en.

Nove anos se passaram desde esse dia de setembro em que Paulina del Valle partiu; essas e outras desgraças tinham ficado para trás, e agora eu podia recordar minha grandiosa avó com o coração tranquilo. Ela não desapareceu no imenso negror da morte definitiva, como a princípio me pareceu, uma parte sua permaneceu do lado de cá e anda sempre me rondando em companhia de Tao Chi'en, dois espíritos muito diferentes que me acompanham e me ajudam, o primeiro para as coisas práticas da existência e o segundo para resolver os assuntos sentimentais; mas quando minha avó deixou de respirar no catre de soldado sobre o qual passara seus últimos meses, eu não suspeitava que pudesse voltar, e o sofrimento começou a me envolver. Se fosse capaz de exteriorizar meus sentimentos, talvez sofresse menos, mas eles permaneciam obstruídos dentro de mim, como um imenso bloco de gelo, e podiam se passar anos antes que o gelo começasse a derreter. Não chorei quando ela se foi. O silêncio no aposento parecia uma falha protocolar, porque uma personagem que tinha vivido como Paulina del Valle devia morrer cantando com orquestra, como na ópera, mas o fato é que sua despedida foi silenciosa, o único ato discreto em toda a sua existência. Os homens saíram do quarto, Nívea e eu, delicadamente, cobrimos o corpo de Paulina, para sua última viagem, com o hábito das carmelitas, que um ano atrás ela havia pendurado no armário, mas não resistimos à tentação de vesti-la com a sua melhor roupa íntima francesa, de seda cor de malva. Ao levantar seu corpo notei o quanto tinha se tornado leve, tudo que havia restado dela era um esqueleto quebradiço e uma porção de pele solta. Em silêncio, agradeci-lhe por tudo que havia feito por mim, disse-lhe as palavras carinhosas que jamais me atreveria a articular se ela pudesse me ouvir, beijei suas formosas mãos, suas pálpebras de tartaruga, sua nobre fronte e lhe pedi perdão pelos chiliques da minha infância, por ter chegado tão tarde para nos despedirmos, pela lagartixa seca que cuspi em um falso acesso de tosse e por outras brincadeiras pesadas que a fiz suportar, enquanto Nívea aproveitava o bom pretexto que lhe proporcionava Paulina del Valle para chorar pelos seus filhos mortos. Depois de vestirmos minha avó, aspergimos sobre seu corpo colônia de gardênia, seu perfume preferido, e abrimos cortinas e janelas, para que a primavera entrasse no aposento, como seria do seu gosto. Nada de carpideiras, nem de panos negros, nem de espelhos cobertos; Paulina del Valle tinha vivido como uma imperatriz estabanada e merecia que a celebrássemos com a luz de setembro. Assim também pensava Williams, que foi pessoalmente ao mercado e encheu o coche de flores frescas para decorar a casa.

Quando chegaram de luto e lenço na mão, parentes e amigos se escandalizaram, pois nunca tinham visto um velório iluminado pelos raios do sol, flores de casamento e ausência de lágrimas. Foram embora murmurando insídias, e passados todos esses anos ainda há os que me apontam o dedo, convencidos de que me alegrei com a morte de Paulina del Valle porque pretendia meter a mão na herança. Mas o fato é que nada herdei, porque seus filhos e advogados se encarregaram imediatamente de impedir que eu recebesse alguma coisa, o que aliás era desnecessário, pois meu pai havia me deixado o bastante para eu viver decentemente, e o que faltava eu cobria com meu trabalho. Apesar dos inumeráveis conselhos e lições de minha avó, não consegui desenvolver em mim aquele seu faro para os bons negócios; nunca serei rica e me alegro com isso. Frederick Williams também não iria pelejar com os advogados, pois o dinheiro lhe interessava muito menos do que as más línguas vinham dizendo por anos a fio. Além disso, sua mulher lhe tinha dado quantias razoáveis enquanto vivia, e ele, homem precavido, soubera como pôr suas economias a salvo. Os filhos de Paulina não puderam provar que o casamento de sua mãe com o antigo mordomo fora ilegal e tiveram de resignar-se a deixar o tio Frederick em paz; também não puderam apoderar-se dos vinhedos, pois estavam em nome de Severo del Valle; em vista disso, puseram os advogados nos calcanhares dos padres, numa tentativa de recuperar os bens que esses haviam arrebatado assustando a enferma com as chamas do inferno, mas até hoje ninguém ganhou uma questão com a igreja católica, que, como todo mundo sabe, tem Deus do seu lado. Mesmo assim, havia dinheiro de sobra, e os filhos, vários parentes e os advogados vivem dele até hoje.

A única alegria naquelas deprimentes semanas foi o reaparecimento, em nossas vidas, da senhorita Matilde Pineda. Leu no jornal a notícia de que Paulina del Valle havia falecido e se armou de coragem para apresentar-se na casa de onde tinha sido expulsa nos tempos da Revolução. Chegou com um raminho de flores para me dar de presente, em companhia do livreiro Pedro Tey. Depois daqueles anos todos havia amadurecido, e no primeiro momento não a reconheci; ele, ao contrário, continuava a ser o mesmo homenzinho calvo, com pupilas ardentes e espessas sobrancelhas de diabo.

Depois do cemitério, das missas cantadas, das novenas mandadas rezar, da distribuição de esmolas e de outros atos de caridade determinados pela minha defunta avó, assentou-se a poeira do aparatoso funeral, e eu e Frederick ficamos sem mais ninguém na casa vazia. Sentamo-nos na galeria dos cristais, a lamentar a ausência de minha avó, mas de maneira discreta, porque não somos bons de choro, e a recordá-la em suas muitas grandezas e suas poucas fraquezas.

— E agora, tio Frederick, que está pensado fazer? — perguntei.

— Isso depende de você, Aurora.

— De mim?

— Não pude deixar de perceber algo estranho em você, menina — ele disse, com aquela maneira tão sutil de perguntar, uma de suas características.

— Estive muito doente, e a partida de minha avó me deixou muito triste, tio Frederick. É só isso, não há nada de estranho, garanto.

— Lamento que me subestime, Aurora. Eu teria de ser bastante tolo e amá-la muito pouco para não perceber seu estado de espírito. Diga o que está se passando, talvez eu possa ajudá-la.

— Ninguém pode me ajudar, tio.

— Pois tente me pôr à prova, tente... — ele me pediu.

E então compreendi que não tinha mais ninguém neste mundo em quem confiar e que Frederick Williams tinha demonstrado ser um excelente conselheiro e a única pessoa da família com senso comum. Assim, eu podia contar-lhe minha tragédia.

Ouviu-me do começo ao fim, com grande atenção, sem me interromper uma única vez.

— A vida é longa, Aurora. Neste momento você está vendo tudo negro, mas o tempo cura e apaga quase tudo. Nessa etapa é como andar em um túnel, às cegas, parece-lhe que não há saída, mas eu lhe prometo que há. Continue a andar, menina.

— Que será de mim, tio Frederick?

— Terá outros amores, talvez tenha filhos ou será a melhor fotógrafa deste país — respondeu.

— Estou tão confusa, tão só!

— Não está só, Aurora; neste momento estou com você e estarei enquanto você necessitar.

Convenceu-me de que não devia voltar para onde estava meu marido, de que eu podia encontrar uma dúzia de pretextos para adiar minha volta durante anos, embora estivesse certo de que Diego não exigiria meu retorno a *Caleufú*, pois lhe convinha manter-me o mais longe possível. Quanto à bondosa dona Elvira, nada restaria a fazer, exceto consolá-la com uma nutrida correspondência, tratava-se de ganhar tempo, minha sogra não estava bem do coração e não viveria muito, conforme o diagnóstico dos médicos. Tio Frederick garantiu que não tinha pressa nenhuma em deixar o Chile, eu era sua única família, me amava como se eu fosse uma filha ou uma neta.

— Não tem ninguém na Inglaterra? — perguntei-lhe.

— Ninguém.

— O senhor sabe que circulam boatos sobre suas origens, dizem que o senhor é um nobre arruinado, e isso minha avó nunca desmentiu.

— Nada mais distante da verdade, Aurora! — exclamou, rindo.

— Então não tem nenhum escudo de armas escondido por aí? — perguntei, também rindo.

— Olhe aqui, menina — respondeu.

Tirou a jaqueta, abriu a camisa, levantou a camiseta e me mostrou as costas. Estavam cruzadas por horríveis cicatrizes.

— Flagelação. Cem chibatadas por roubar tabaco de uma colônia penitenciária na Austrália. Cumpri cinco anos de pena antes de escapar em uma balsa. Fui recolhido em alto-mar por um navio pirata chinês e me puseram a trabalhar como escravo, mas assim que nos aproximamos de terra escapei novamente. Assim, de salto em salto, cheguei finalmente à Califórnia. Tudo que tenho de nobre britânico é o sotaque, que aprendi de um verdadeiro lorde, meu primeiro patrão na Califórnia. Ele também me ensinou o ofício de mordomo. Paulina del Valle me contratou em 1870, e desde então estive ao seu lado.

— Minha avó conhecia essa história, tio? — perguntei, quando me refiz um pouco da surpresa e consegui recuperar a voz.

— Mas claro! Paulina se divertia muito com o fato de as pessoas confundirem um condenado com um aristocrata.

— Por que o condenaram?

— Por roubar um cavalo quando tinha quinze anos de idade. Iam me enforcar, mas tive sorte, comutaram minha pena e acabei na Austrália. Não se preocupe, Aurora, não voltei a roubar nem um centavo em minha vida, os açoites me curaram desse vício, mas não me curaram do gosto pelo tabaco — disse, rindo.

O fato é que ficamos juntos. Os filhos de Paulina del Valle venderam a mansão da rua Ejército Libertador, hoje transformada em uma escola para meninas, e levaram a leilão o pouco que a casa ainda continha. Salvei a cama mitológica, subtraindo-a antes de chegarem os herdeiros, escondendo-a desmontada em um depósito do hospital público de Ivan Radovic, onde permaneceu até os advogados se cansarem de escarafunchar todos os recantos da casa em busca dos últimos vestígios das antigas posses de minha avó. Compramos, eu e Frederick Williams, uma quinta campestre, não muito longe da cidade, no caminho da cordilheira; contamos com doze hectares de terreno cercado de álamos agitados, invadido de jasmins aromáticos, banhado por um modesto riacho, onde tudo cresce sem pedir permissão. Ali Williams cria cães e cavalos de raça, joga críquete e pratica outras aborrecidas atividades próprias dos ingleses; ali estão os meus quartéis de inverno. A casa é muito antiquada, mas tem um certo encanto, espaço para o meu estúdio fotográfico e para a célebre cama florentina, que se ergue com suas criaturas marítimas policromadas no centro do meu quarto. Nela durmo amparada pelo espírito vigilante de minha avó Paulina, que costuma aparecer a tempo de espantar a vassouradas os meninos de pijamas negros dos meus pesadelos. Tenho certeza de que Santiago crescerá para o lado da Estação Central, e desse modo nos deixarão em paz neste bucólico pedaço de campina entre álamos e colinas.

Graças ao tio Lucky, que soprou em mim seu hálito afortunado no dia em que nasci, e à generosa proteção de minha avó e meu pai, posso dizer que levo uma vida boa. Disponho de meios e tenho liberdade para fazer o que desejo, posso me dedicar a percorrer vagarosamente a abrupta geografia do Chile com minha câmara pendurada no pescoço, tal como venho fazendo nos últimos oito ou nove anos. Nas minhas costas, as pessoas dizem coisas desagradáveis a meu respeito, é inevitável; vários parentes e conhecidos fazem o sinal da cruz quando me veem na rua e fingem não me conhecer, não podem tolerar que a mulher abandone o marido. Essas afrontas não me tiram o sono: não tenho de agradar ao mundo inteiro, mas apenas às pessoas que me importam e que na verdade não são muitas. Os tristes resultados de minha relação com

Diego Domínguez poderiam ter incutido para sempre o medo dos amores repentinos e vulcânicos, mas não foi isso o que aconteceu. É certo que durante alguns meses me senti ferida na asa e que era cotidianamente possuída por uma sensação de absoluta derrota, de ter jogado meu único trunfo e ter perdido tudo. Também é certo que estou condenada a ser uma casada sem marido, o que me impede de "refazer" a vida, como dizem minhas tias, mas essa estranha condição me dá uma grande liberdade. Um ano depois de me separar de Diego voltei a me enamorar, o que significa que tenho a pele forte e cicatrizo com rapidez. O segundo amor não foi uma dessas suaves amizades que com o tempo se transformam em um romance firme, foi simplesmente um impulso de paixão, que se apoderou de nós dois de surpresa e que por pura casualidade chegou a um bom resultado... bem, até agora ninguém sabe como será o futuro. Foi em um dia de inverno, um desses dias de chuva verde e pertinaz, de relâmpagos peneirados, de desassossego de espírito. Os filhos de Paulina del Valle e seus leguleios tinham voltado a nos aborrecer com seus intermináveis documentos, cada um com três cópias e onze selos, que eu assinava sem ler. Frederick Williams e eu tínhamos saído da casa da rua Ejército Libertador e estávamos em um hotel, porque ainda não haviam terminado os reparos na quinta onde hoje vivemos. O tio Frederick encontrou-se na rua com o doutor Ivan Radovic, a quem fazia tempo que não víamos, e combinaram me levar com eles para ver uma companhia espanhola de zarzuela, que fazia uma turnê pela América do Sul, mas no dia de irmos ao teatro tio Frederick apanhou um resfriado e ficou de cama, e assim eu me vi sozinha no vestíbulo do hotel, com as mãos geladas e os pés doloridos, porque os sapatos estavam apertados. Pelos vidros das janelas desciam verdadeiras cascatas, e o vento sacudia como espanadores as árvores da rua, a noite não convidava a sair e por um momento invejei o resfriado do tio Frederick, que lhe permitia ficar na cama com um bom livro e uma xícara de chocolate bem quente, mas a entrada de Ivan Radovic me fez esquecer o temporal. O médico vinha com o abrigo ensopado, e quando me sorriu compreendi que era muito mais animoso do que eu me lembrava. Fitamo-nos olho no olho e penso que só então nos vimos pela primeira vez, ou pelo menos naquela noite eu o observei com atenção e gostei do que vi. Houve um longo silêncio, uma pausa que em outras circunstâncias teria sido muito pesada, mas que naquele momento pareceu uma forma de diálogo. Ele me ajudou a vestir a capa, e nos encaminhamos lentamente para a porta, vacilantes, sempre presos pelos olhos. Nenhum de nós queria desafiar a tormenta que desabava do céu, mas também não queríamos nos separar. Apareceu um porteiro com um grande guarda-chuva e se ofereceu para nos levar até o coche, que esperava na porta, e então saímos sem dizer uma palavra, duvidando. Não tive nenhuma explosão de clarividência sentimental, nenhum extraordinário pressentimento de que éramos almas gêmeas, não visualizei o começo de um amor de romance; nada disso, simplesmente tomei nota dos pulos do meu coração, do ar que me faltava, do calor e do arrepio na pele, da tremenda vontade de tocar naquele homem. Temo que de minha parte nada tenha havido de espiritual naquele encontro, tudo foi luxúria, embora na época eu ainda fosse demasiado inexperiente e meu vocabulário muito reduzido para dar àquela agitação o nome que tem no dicionário. Mas o nome é o de menos, o importante é que aquele transtorno visceral pôde mais que a minha timidez, e ao abrigo do coche, onde não havia escapatória, tomei seu rosto entre as mãos e sem pensar duas vezes beijei-o na boca, do mesmo modo que muitos anos antes tinha visto se beijarem Nívea e Severo del Valle, com decisão e voracidade. Foi uma ação simples e inapelável. Não posso entrar em detalhes sobre o que veio a seguir porque é fácil de imaginar e porque se Ivan lesse esta página teríamos uma briga colossal. Devo dizer que nossas pelejas são tão memoráveis quanto são apaixonadas as nossas reconciliações; este não é um amor tranquilo nem açucarado, mas em seu favor se pode dizer que é um amor persistente; os obstáculos não parecem amedrontá-lo, e sim fortalecê-lo. O casamento é uma questão de senso comum, que a ambos nos falta. O fato de não sermos casados nos facilita o amor de verdade, desse modo cada um pode dedicar-se aos seus afazeres, dispomos de nossos próprios espaços, e quando estamos a ponto de explodir sempre resta a saída de nos separarmos por alguns dias e nos juntarmos de novo quando formos vencidos pela nostalgia dos beijos. Com Ivan Radovic aprendi a soltar a voz e mostrar as garras. Se eu o surpreendesse me traindo — e que nem Deus o queira permitir —, do modo que me ocorreu com Diego Domínguez, não iria me consumir em lamentações, como então, mas o mataria sem o menor arrependimento.

Não, não vou falar sobre a intimidade que compartilho com meu amante, mas há um episódio que não posso ocultar, porque tem a ver com a memória, e essa é, afinal de contas, a razão pela qual escrevo estas páginas. Meus pesadelos são uma viagem às cegas para as sombrias cavernas onde dormem minhas lembranças mais antigas, bloqueadas nos estratos profundos da consciência. A fotografia e a escrita são uma tentativa de guardar os momentos antes que se desvaneçam, de fixar as lembranças para dar sentido à vida. Fazia vários meses que eu e Ivan estávamos juntos, já nos havíamos acomodado à rotina dos encontros discretos, com a bênção do bom tio Frederick, que desde o início ampara os nossos amores. Ivan tinha de pronunciar uma conferência sobre medicina em uma cidade do norte, e eu o acompanhei a pretexto de fotografar as minas de salitre, onde as condições de trabalho são muito precárias. Os empresários ingleses se negavam a dialogar com os operários e reinava um clima de crescente violência, que iria explodir alguns anos mais tarde. Quando isso ocorreu, em 1907, eu estava lá por casualidade, e minhas fotografias são o único documento irrespondível de que a matança de Iquique realmente ocorreu, porque a censura do governo apagou da face da história os dois mil mortos que eu vi na praça. Mas essa é outra história, e para ela não há lugar nestas páginas. A primeira vez que, em companhia de Ivan, fui àquela cidade, não imaginava a tragédia que iria presenciar mais tarde; foi, na verdade, uma curta lua de mel. No hotel nos registramos separadamente, e naquela noite, depois que cada um cumpriu suas tarefas, ele veio ao meu quarto, onde eu o esperava com uma excelente garrafa de *Viña Paulina*. Até então nosso relacionamento tinha sido apenas uma aventura da carne, uma exploração dos sentidos, o que para mim foi fundamental, pois graças a ele consegui superar a humilhação de ter sido rejeitada por Diego e compreender que, ao contrário do que temia, eu não tinha falido em minha condição de mulher. Em cada encontro com Ivan Radovic adquiria um pouco mais de confiança, vencia um pouco de minha timidez e de meus pudores, mas não tinha percebido que aquela gloriosa intimidade havia aberto o caminho para um grande amor. Naquela noite nos abraçamos enlanguescidos pelo bom vinho e pelas fadigas do dia, lentamente, como dois sábios avós que fizeram amor novecentas e dez vezes, e já não podem surpreender-se nem enganar-se mutuamente. Que houve de especial para mim? Nada, suponho, salvo o acúmulo de experiências felizes com Ivan, que naquela noite alcançaram o número crítico indispensável para desbaratar as minhas defesas. Aconteceu que, ao voltar do orgasmo, envolta nos braços firmes de meu amante, senti um soluço que me sacudia por inteiro, e outro e mais outro, até que me vi arrastada por uma incontível maré de choro acumulado. Chorei e chorei, entregue, abandonada, presa entre aqueles braços como não me lembrava de jamais ter estado antes. Um dique se havia rompido dentro de mim e aquela dor antiga se extravasou como a neve quando se derrete. Ivan não me fez perguntas nem tentou me consolar, apertou-me firmemente contra seu peito, deixou-me chorar até que as lágrimas se acabassem e, quando quis dar-lhe uma explicação, fechou minha boca com um longo beijo. Além do mais, naquele momento eu não tinha explicação alguma, teria de inventá-la; mas agora sei — pois aconteceu em várias outras ocasiões — que ao me sentir absolutamente a salvo, abrigada e protegida, começaram a me voltar à memória os primeiros cinco anos de minha vida, os anos que minha avó Paulina e todos os demais haviam encoberto com um manto de mistério. Primeiro, à luz de uma espécie de relâmpago, vi a imagem de meu avô Tao Chi'en murmurando meu nome em chinês, Lai-Ming. Foi um instante brevíssimo, porém luminoso como a lua. Em seguida revivi, acordada, o pesadelo recorrente que me tem atormentado desde sempre, e então compreendi que existe uma relação direta entre meu adorado avô e aqueles demônios vestidos de pijamas negros. A mão que me liberta no sonho é a mão de Tao Chi'en. Quem cai lentamente é Tao Chi'en. A mancha que se estende inexorável sobre os paralelepípedos da rua é o sangue de Tao Chi'en.

FAZIA POUCO MAIS de dois anos que eu vivia oficialmente com Frederick Williams, mas cada vez mais dependente de minha relação com Ivan Radovic, sem a qual já não podia conceber meu destino, quando minha avó materna, Eliza Sommers, reapareceu em minha vida. Voltou intacta, com o mesmo aroma de açúcar e baunilha, invulnerável ao desgaste das penúrias e do esquecimento. Reconheci-a imediatamente, embora houvessem passado dezessete anos desde aquele dia em que fora me deixar na casa de Paulina del Valle e em todo esse tempo eu não tivesse visto uma única fotografia sua e pouquíssimas vezes alguém houvesse dito seu nome na minha presença. Sua imagem permanecera presa às engrenagens da minha nostalgia e ela havia mudado tão pouco, que quando se materializou no umbral de nossa porta com sua maleta na mão, foi como se tivéssemos nos despedido no dia anterior e todos os acontecimentos daqueles anos fossem puramente ilusórios. Única novidade: ela era mais baixa na realidade do que na minha memória, mas isso podia ter algo a ver com a minha própria estatura, pois da última vez que nos tínhamos visto eu era uma fedelha de cinco anos e a olhava de baixo para cima. Ela continuava especada como um almirante, o mesmo rosto juvenil e o mesmo penteado severo, embora o cabelo estivesse salpicado de mechas brancas. Usava ainda o mesmo colar de pérolas que sempre tinha visto em seu pescoço e que, agora sei, não tira nem para dormir. Veio pela mão de Severo del Valle, que durante todos aqueles anos havia mantido contato com ela, mas não me falara disso, porque ela mesma o proibira. Eliza Sommers tinha jurado a Paulina del Valle que nunca tentaria entrar em contato com sua neta, e cumpriu rigorosamente a promessa, até que a morte da outra a livrasse da palavra empenhada. Quando Severo lhe escreveu para anunciar-lhe a morte de Paulina, ela preparou suas malas e fechou a casa, tal como havia feito muitas vezes antes, e embarcou para o Chile. Ao enviuvar em 1885, em São Francisco, empreendera a peregrinação à China, com o corpo embalsamado de seu marido, a fim de sepultá-lo em Hong Kong. Tao Chi'en tinha passado a maior parte da vida na Califórnia e era um dos poucos imigrantes chineses que haviam conseguido a cidadania americana, mas sempre manifestara o desejo de que seus ossos terminassem debaixo de terra chinesa, de modo que sua alma não se perdesse na imensidade do universo sem conseguir encontrar a porta do céu. Essa precaução não foi suficiente: estou certa de que o fantasma de meu inefável avô Tao Chi'en anda por este mundo, pois, se não fosse assim, como explicar que eu o sinta sempre perto de mim? Isso não é apenas imaginação, e minha avó me apresentou algumas provas, como o cheiro de mar que às vezes me envolve e a voz que sussurra uma palavra mágica: meu nome em chinês.

— Olá, Lai-Ming! — Foi assim que aquela extraordinária avó saudou-me ao me rever. — *Oi poa!* — exclamei.

Eu não tinha pronunciado essa palavra — avó materna, em dialeto cantonês — desde os tempos remotos em que vivia com ela no andar de cima de uma clínica de acupuntura no bairro chinês de São Francisco, mas não a havia esquecido. Ela pôs a mão em meu ombro, escrutinou-me dos pés aos cabelos, em seguida aprovou com a cabeça e finalmente me abraçou.

— Fico alegre por você ser tão bonita quanto a sua mãe — disse Eliza Sommers.

— Isso meu pai também dizia.

— Você é alta como Tao. E Severo me disse que também é inteligente como ele.

Em nossa família servimos chá quando a situação é um tanto embaraçosa, e como eu me sinto inibida quase todo o tempo, passo boa parte do tempo servindo chá. Essa bebida tem a virtude de me ajudar a manter os nervos sob controle. Eu estava morrendo de vontade de agarrar minha avó pela cintura e sair dançando uma valsa com ela, de lhe contar minha vida aos borbotões, de soltar as queixas que por anos havia guardado dentro de mim, mas nada disso foi possível. Eliza não é do tipo de pessoa que encoraja familiaridades, sua dignidade acaba por intimidar, e semanas tinham de passar-se antes que ela e eu pudéssemos falar de modo relaxado. Para sorte minha, o chá e a presença de Severo del Valle e de Frederick Williams, que voltou de um de seus passeios pela quinta ataviado de explorador da África, aliviaram a tensão. Assim que tirou o chapéu de abas largas, livrou-se dos óculos escuros e viu Eliza Sommers, alguma coisa mudou na atitude de tio Frederick: enfunou o peito, elevou a voz e arrepiou as penas. Sua admiração dobrou quando viu os baús e as maletas com os selos das viagens; e assim ficou sabendo que aquela pequenina senhora era um dos poucos estrangeiros que tinham conseguido chegar ao Tibete.

Não sei se o único motivo de minha *oi poa* vir ao Chile foi o de me conhecer, suspeito de que estava mais interessada em levar sua viagem até as terras antárticas, onde mulher nenhuma havia posto os pés, mas, qualquer que fosse a razão, sua visita foi fundamental para mim. Sem ela minha vida continuaria pontilhada de zonas nebulosas; sem ela eu não poderia escrever estas memórias. Foi aquela avó materna quem me deu as peças que faltavam para armar o quebra-cabeça de minha existência, falou de minha mãe, das circunstâncias de meu nascimento e me deu a chave final de meus pesadelos. Seria ela também que me acompanharia mais tarde a São Francisco para conhecer meu tio Lucky, um próspero comerciante chinês, gordo, falante, absolutamente encantador, e desenterrar os documentos necessários para atar os cordéis soltos de minha história. A relação de Eliza Sommers com Severo del Valle é tão profunda quanto os segredos que compartiram durante muitos anos; ela o considera meu verdadeiro pai, porque foi o homem que amou sua filha e se casou com ela. A única função de Matías Rodríguez de Santa Cruz foi a de proporcionar alguns genes de modo acidental.

— Pouco importa quem gerou você, Lai-Ming, isso qualquer um pode fazer. Severo foi quem deu seu nome e se responsabilizou por você — Eliza assegurou.

— Nesse caso, Paulina del Valle foi minha mãe e meu pai, carrego seu nome e ela se responsabilizou por mim. Os outros passaram pela minha infância como se fossem cometas, deixando apenas um rastro de poeira sideral — retruquei.

— Antes dela, seu pai e sua mãe fomos Tao e eu, nós criamos você, Lai-Ming — ela esclareceu. E tinha razão, pois aqueles avós maternos haviam exercido uma influência tão poderosa sobre mim, que durante trinta anos eu os levara aqui dentro como uma suave presença, e estou certa de que continuarei a levá-los pelo resto da vida.

Eliza Sommers vive em outra dimensão, ao lado de Tao Chi'en, cuja morte foi um inconveniente, mas não um obstáculo para continuar a amá-lo como sempre. Minha avó Eliza é uma dessas criaturas destinadas a um só e grandioso amor, creio que nenhum outro cabe em seu coração de viúva. Depois de enterrar o marido na China, ao lado da tumba de Lin, sua primeira mulher, e de cumprir os ritos fúnebres budistas tal como ele havia desejado, Eliza estava livre. Poderia ter voltado para São Francisco, para viver com seu filho Lucky e a jovem esposa que ele havia comprado pelo catálogo em Xangai, mas a ideia de converter-se em uma sogra temida e venerada era o mesmo que abandonar-se à velhice. Não se sentia solitária nem atemorizada diante do futuro, já que o espírito protetor de Tao Chi'en anda sempre com ela; na verdade estão hoje mais juntos do que antes, já não se separam um instante sequer. Acostumou-se a conversar com o marido em voz baixa, para não parecer maluca aos olhos dos outros, e à noite dorme do lado esquerdo da cama, para ceder-lhe o espaço da direita, como era de hábito. O espírito aventureiro que a impeliu a fugir do Chile aos dezesseis anos de idade, escondida no porão de um veleiro, para alcançar a Califórnia, reapareceu nela ao enviuvar. Recordou um momento de epifania aos dezoito anos, em plena febre do ouro, quando o relincho de seu cavalo e o primeiro raio de luz do amanhecer despertaram-na em meio à imensidão de uma paisagem agreste e solitária. Naquela madrugada descobriu a exaltação da liberdade. Tinha passado a noite sozinha embaixo de uma árvore, rodeada de mil perigos: bandidos impiedosos, índios selvagens, cobras, ursos e outras feras, e contudo pela primeira vez em sua vida não sentia medo. Fora criada dentro de uma armadura, que lhe restringia o corpo, a alma e a imaginação, assustada até com os próprios pensamentos, mas aquela aventura a havia libertado. Viu-se obrigada a desenvolver uma força que talvez já estivesse nela desde sempre, mas que até então ignorava, por não ter tido necessidade de usá-la. Deixou a proteção de seu lar quando ainda era quase menina, para seguir o rastro de um amante esquivo; grávida do vagabundo, embarcou em um navio no qual perdeu o bebê e por pouco não perdeu a vida, alcançou a Califórnia, vestiu-se de homem e se dispôs a percorrê-la de um extremo ao outro, sem outras armas e ferramentas além do desesperado impulso do amor. Foi capaz de sobreviver sozinha em uma terra de machos, na qual imperavam a violência e a cobiça, mas nesse processo adquiriu coragem e tomou gosto pela independência. Jamais se esqueceu daquela intensa euforia da aventura. Também por amor viveu trinta anos como a discreta esposa de Tao Chi'en, mãe e pasteleira, cumprindo seu dever, sem outros horizontes senão o lar em Chinatown, mas o germe plantado naqueles anos de nomadismo permaneceu intacto em seu espírito, pronto para brotar no momento propício. Quando desapareceu Tao Chi'en, único norte de sua vida, chegou para ela o momento de navegar à deriva. "Lá bem no fundo de mim sempre fui um viajante, o que quero é viajar sem rumo fixo," escreveu em uma carta a seu filho Lucky. Decidiu, no entanto, que antes devia cumprir a promessa que fizera ao seu pai, o capitão John Sommers, de não abandonar sua tia Rose na velhice. De Hong Kong partiu para a Inglaterra, disposta a acompanhar a velha senhora em seus últimos anos; era o mínimo que podia fazer por aquela mulher que se conduzira como se fosse sua mãe. Rose Sommers tinha mais de setenta anos, e sua saúde começava a fraquejar, mas continuava a escrever seus romances de amor, todos mais ou menos iguais; tinha se tornado a mais famosa autora romântica de língua inglesa. Havia curiosos que vinham de longe para vislumbrar sua figura miúda, passeando com seu cão por um parque, e diziam que a Rainha Victoria se consolava da viuvez lendo suas edulcoradas histórias de amores triunfantes. A chegada de Eliza, a quem ela amava como se fosse uma filha, foi uma enorme alegria para Rose Sommers, entre outras coisas porque seu pulso começava a falhar e cada vez mais lhe custava segurar a pena. A partir de então começou a ditar-lhe os romances, e, mais tarde, quando também lhe faltou a lucidez,

Eliza fingia tomar notas, mas na verdade escrevia as histórias, sem que o editor ou as leitoras jamais suspeitassem, para ela foi apenas uma questão de repetir a fórmula. Quando Rose Sommers morreu, Eliza permaneceu em sua casinha do bairro boêmio — muito valorizada, pois a área havia entrado na moda — e herdou o dinheiro acumulado pela mãe adotiva graças aos seus livrinhos de amor. O que primeiro fez foi visitar seu filho Lucky em São Francisco e conhecer os netos, que lhe pareceram bastante feios e chatos; em seguida partiu para lugares mais exóticos, cumprindo finalmente o seu destino de vagamunda. Era uma dessas viajantes que se empenham em procurar os lugares dos quais as outras pessoas costumam fugir. Nada a satisfazia mais do que ver em sua bagagem selos e decalcomanias dos países mais recônditos do planeta; nada lhe dava tanto orgulho como ser alcançada por alguma epidemia peregrina ou mordida por algum bicho que ainda lhe era desconhecido. Durante anos deu voltas e voltas com seus baús de exploradora, mas sempre voltava para sua casinha de Londres, onde a esperava a correspondência de Severo del Valle, com notícias minhas. Quando soube que Paulina del Valle não pertencia mais a este mundo, Eliza decidiu voltar ao Chile — onde havia nascido, mas no qual não tinha pensado durante mais de meio século —, a fim de reencontrar-se com sua neta.

É possível que durante a longa travessia no vapor minha avó Eliza haja recordado seus primeiros dezesseis anos no Chile, este esbelto e garboso país; sua infância aos cuidados de uma índia bondosa e da bela Miss Rose; sua aprazível e segura existência até aparecer o amante que a deixaria grávida, que a abandonaria a fim de lançar-se à procura do ouro da Califórnia e nunca mais daria sinal de vida. Como minha avó Eliza acredita em carma, deve ter concluído que aquele comprido périplo foi necessário para encontrar-se com Tao Chi'en, a quem deve amar em cada uma de suas reencarnações. "Que ideia tão pouco cristã", comentou Frederick

Williams quando tratei de explicar-lhe por que Eliza Sommers não necessitava de ninguém.

Minha avó me trouxe de presente um velho e desconjuntado baú, que me entregou com um piscar travesso de suas escuras pupilas. Continha amarelados manuscritos assinados por *Uma Dama Anônima*. Eram os curtos romances pornográficos escritos por Rose Sommers em sua juventude, outro dos mais bem guardados segredos da família. Li todos eles cuidadosamente, com espírito puramente didático, para proveito direto de Ivan Radovic. Aquela divertida literatura — como se atrevia a tais audácias uma solteirona dos tempos vitorianos? —, juntamente com as confidências de Nívea del Valle, muito me ajudaram a combater a timidez, que no princípio era um obstáculo quase intransponível entre Ivan e eu. É verdade que no dia da tormenta, quando devíamos ir à zarzuela, tomei a iniciativa de beijá-lo no coche antes que o pobre homem conseguisse fazer um gesto de defesa, mas além disso não foi meu atrevimento, e em seguida perdemos um tempo precioso, durante o qual nos debatemos entre a minha tremenda insegurança e os seus escrúpulos, pois, dizia ele, não queria "arruinar minha reputação". Não foi fácil convencê-lo de que minha reputação já estava bastante maltratada antes que ele aparecesse no horizonte, e que continuaria assim, pois eu não tinha a intenção de algum dia voltar para o meu marido, nem de renunciar ao meu trabalho ou à minha independência, tão malvistos por estes lados. Depois da humilhante experiência com Diego me parecia impossível inspirar desejo ou amor; à minha absoluta ignorância em matéria sexual somava-se um sentimento de inferioridade, eu me achava feia, inadequada, pouco feminina; tinha vergonha de meu corpo e da paixão que Ivan despertava em mim. Rose Sommers, a distante tia-bisavó que não cheguei a conhecer, deu-me um fantástico presente ao me ensinar aquela liberdade brincalhona, tão necessária quando se trata de fazer amor. Ivan costuma levar as coisas demasiado a sério, seu temperamento eslavo tende para o trágico; às vezes ele se afunda no desespero porque não podemos viver juntos até que meu marido morra, e então certamente já seremos anciãos. Quando essas nuvens lhe escurecem o espírito, apelo para os manuscritos de *Uma Dama Anônima*, nos quais sempre descubro novos recursos para dar-lhe prazer ou pelo menos para fazê-lo rir. No esforço para entretê-lo na intimidade, fui perdendo o pudor e adquirindo uma segurança que nunca tivera. Não me sinto sedutora, não chegou a tanto o efeito positivo dos manuscritos, mas pelo menos já não tenho medo de tomar a iniciativa de tirar Ivan da mesmice, não permitir que se acomode à rotina de sempre. Seria um desperdício fazer amor como um velho casal, se nem ao menos somos casados. A vantagem de sermos amantes é que isso nos obriga a cuidar bastante de nossa relação, porque tudo conspira para nos separar. A decisão de estarmos juntos deve ser a toda hora renovada, e isso nos mantêm ágeis.

ESTA FOI A história que me contou minha avó Eliza Sommers.

Tao Chi'en não perdoou a si mesmo pela morte de sua filha Lynn. Inutilmente sua mulher e seu filho Lucky repetiram que não havia poder humano capaz de impedir que o destino fosse cumprido, que como *zhong-yi* tinha feito o possível e que a ciência médica ainda era impotente para prevenir ou deter aquelas fatais hemorragias que matavam tantas mulheres durante o parto. Para Tao Chi'en foi como se tivesse andado em círculos para finalmente reencontrar-se onde estivera trinta anos antes, em Hong Kong, quando sua primeira esposa, Lin, dera à luz uma menina. Também ela começara a esvair-se em sangue e, desesperado para vê-la salva, oferecera ao céu qualquer coisa em troca da vida de Lin. O bebê morrera em poucos minutos e ele pensou que esse tinha sido o preço da salvação da mulher. Nunca imaginou que muito tempo depois, do outro lado do mundo, deveria pagar de novo com sua filha Lynn.

— Não diga isso, pai, por favor — replicava Lucky. — Não se trata da troca de uma vida por outra, isso não passa de uma superstição indigna de um homem com sua inteligência e sua cultura. A morte de minha irmã nada tem a ver com a de sua primeira esposa nem com o senhor. Desgraças assim acontecem a todo tempo.

— De que servem tantos anos de estudo e experiência se não pude salvá-la? — Tao Chi'en se lamentava.

— Milhões de mulheres morrem ao dar à luz, o senhor fez o que pôde por Lynn...

Eliza Sommers estava tão arrasada quanto o marido pela dor de ter perdido sua única filha e, como se não bastasse, ainda teria de assumir a responsabilidade de cuidar da pequena órfã. Enquanto ela dormia em pé, de tão cansada, Tao Chi'en não conseguia dormir nem mesmo um segundo; passava a noite meditando, dando voltas pela casa como um sonâmbulo e chorando às escondidas. Havia muitos dias que não faziam amor e, tal como estavam os ânimos naquela casa, não parecia provável que voltassem a fazê-lo em um futuro próximo. Após uma semana, Eliza optou pela única solução que lhe veio à mente: pôs a neta nos braços de Tao Chi'en e anunciou que ela não se achava em condições de criá-la, que havia passado vinte e tantos anos de sua vida cuidando dos filhos Lucky e Lynn, trabalhando como uma escrava, e não tinha forças para recomeçar com a pequena Lai-Ming. Assim, Tao Chi'en teve de encarregar-se de uma recém-nascida sem mãe, a quem devia alimentar de meia em meia hora com leite aguado na mamadeira, porque a menina tinha dificuldade de engolir, e devia embalá-la sem descanso, porque chorava dia e noite com cólicas. A menina sequer agradava à vista, era minúscula e enrugada, com a pele amarelada pela icterícia, as feições alteradas por um parto difícil, e sem um único cabelo na cabeça; mas depois de passar vinte e quatro horas aos cuidados de Tao Chi'en, seu aspecto já não era assustador. E depois de viver vinte e quatro dias dentro de uma bolsa pendente dos ombros do avô, de ser alimentada à mamadeira pelo avô e de dormir ao seu lado na cama, a menina começou a parecer graciosa. E após vinte meses criando-a como se fosse sua mãe, Tao Chi'en estava completamente apaixonado pela neta e convencido de que ela chegaria a ser ainda mais bela que Lynn, apesar de não dispor de nenhum fundamento para tal suposição. A menininha já não era o molusco que fora ao nascer, mas estava longe de parecer-se com a mãe. As rotinas de Tao Chi'en, que antes eram apenas as do seu consultório médico e as poucas horas de intimidade com sua mulher, mudaram por completo. Seu horário girava em torno de Lai-Ming, aquela menina exigente, que vivia agarrada nele, a quem ele tinha sempre de estar contando histórias, cantando para fazê-la dormir, obrigando-a a comer, levando-a para passear, comprando-lhe as mais belas roupas que encontrava tanto nas lojas americanas quanto nas de Chinatown, apresentando-a a todo mundo na rua, porque nunca se tinha visto uma garotinha tão inteligente e curiosa, pensava o avô, obnubilado pelo afeto. Estava certo de que sua neta era um gênio e, para prová-lo, falava-lhe em chinês e inglês, ao que se somou o espanhol estropiado da avó, criando-se assim uma confusão monumental. Lai-Ming respondia aos estímulos de Tao Chi'en como qualquer criança de dois anos, mas a ele parecia que os seus escassos acertos eram provas irrefutáveis de uma inteligência superior. Reduziu seu expediente no consultório a algumas horas no decorrer da tarde, de modo a poder passar a manhã com a neta, ensinando-lhe novos truques, como se faz com um macaco amestrado. Era de má vontade que permitia a Eliza levá-la de tarde para o salão de chá, enquanto ele trabalhava, pois tinha metido na cabeça que podia começar, desde a infância, a ensinar-lhe medicina.

— Em minha família há seis gerações de *zhong-yi*. Lai-Ming será a sétima, já que você não tem a menor aptidão para o ofício — Tao Chi'en anunciou ao filho Lucky.

— Eu pensava que só os homens pudessem ser médicos — disse Lucky.

— Isso era no passado. Lai-Ming será a primeira mulher *zhong-yi* da história — Tao Chi'en replicou.

Mas Eliza Sommers não permitiu que o marido enchesse a cabeça de sua neta, de tão pouca idade, com teorias médicas; haveria tempo para isso mais adiante, no momento era necessário tirar a criança de Chinatown algumas horas por dia, a fim de americanizá-la. Pelo menos nesse ponto os avós estavam de acordo, Lai-Ming devia pertencer ao mundo dos brancos, onde sem dúvida teria mais oportunidades do que no meio dos chineses. Tinham a seu favor o fato de a menina não ter nascido com feições asiáticas, saíra de cara tão espanhola quanto a família de seu pai. A possibilidade de que um dia Severo del Valle regressasse com o propósito de reclamar aquela suposta filha a fim de levá-la para o Chile parecia insuportável aos avós, que por isso mesmo sequer a mencionavam; limitaram-se a supor que o jovem chileno respeitaria o acordo, pois ele tinha dado suficientes provas de honradez. Não tocaram no dinheiro que ele havia destinado à menina, depositaram-no em uma conta bancária especial, para sua futura educação. A cada três ou quatro meses Eliza escrevia uma pequena carta a Severo del Valle, dando-lhe notícias de sua "protegida", como a chamava, para deixar bem claro que não lhe reconhecia o direito de paternidade. Durante o primeiro ano não teve resposta, pois ele andava perdido em sua dor e na guerra, mas depois passou a respondê-las de vez em quando. Tao e Eliza não voltaram a ver Paulina del Valle, pois ela deixou de ir ao salão de chá, sem cumprir a promessa de arrebatar-lhes a neta e arruinar-lhes a existência.

Assim transcorreram cinco anos de harmonia na casa dos Chi'en, até que se desencadearam os inevitáveis acontecimentos que iriam desmantelar a família. Tudo começou com a visita de duas mulheres, que se apresentaram como missionárias presbiterianas e pediram para falar a sós com Tao Chi'en. O *zhong-yi* recebeu-as no consultório, pois pensou que tinham vindo por motivos de saúde, não havia outra explicação para que duas mulheres brancas se apresentassem de inopino em sua casa. Pareciam irmãs, eram jovens, altas, coradas, de olhos claros como a água da baía, e ambas tinham aquela mesma atitude de radiante segurança que costuma acompanhar o zelo religioso. Apresentaram-se com seus nomes de batismo, Donaldina e Martha, e se puseram a explicar que a missão presbiteriana em Chinatown até aquele momento havia se conduzido com grande cautela e discrição, para não ofender a comunidade budista, mas agora contava com novos membros dispostos a implantar normas mínimas de decência cristã naquela área, que, como disseram, "não era território chinês, mas americano, e nele não se podia permitir que a lei e a moral fossem violadas." Tinham ouvido falar das *sing-song girls*, mas em torno do tráfico de meninas escravas para fins sexuais existia uma conspiração de silêncio. As missionárias sabiam que as autoridades americanas recebiam suborno e faziam vista grossa. Alguém lhes havia informado que Tao Chi'en seria o único com coragem suficiente para lhes contar a verdade e ajudá-las, e por isso estavam ali. Tao havia esperado, durante décadas, por aquele momento. Em seu vagaroso trabalho de resgate daquelas miseráveis adolescentes havia contado apenas com a ajuda silenciosa de alguns amigos quacres, que se encarregavam de tirar as pequenas prostitutas da Califórnia e iniciá-las em uma nova vida, longe dos *tongs* e dos alcoviteiros. Sua parte consistia em comprar as que pudesse nos leilões clandestinos e receber as que estavam demasiado enfermas para continuar trabalhando nos bordéis; tratava de curar-lhes os corpos e aliviar-lhes a alma, mas nem sempre o conseguia, muitas morriam sem que ele nada pudesse fazer. Em sua casa havia dois aposentos para abrigar as *sing-song girls*, quase sempre ocupados, mas Tao Chi'en sentia que, na medida do crescimento da população chinesa na Califórnia, o problema das escravas ia piorando e ele sozinho pouco podia fazer para minorá-lo. Aquelas duas missionárias tinham sido enviadas pelo céu; antes de tudo, contavam com o respaldo da poderosa igreja presbiteriana, e, além disso, eram brancas; elas podiam mobilizar a imprensa, a opinião pública e as autoridades americanas para dar fim àquele tráfico impiedoso. Contou-lhes, portanto, em detalhes, como aquelas pobres criaturas eram compradas ou raptadas na China, como a cultura chinesa desprezava as meninas, sendo frequente encontrar naquele país recém-nascidas afogadas em poços ou atiradas na rua, atacadas por ratos e cães. As famílias não as queriam, e assim era fácil adquiri-las por alguns centavos e trazê-las para a América, onde eram exploradas, podendo cada uma render milhares de dólares. Eram transportadas como animais, em grandes caixas de cala trançada, e as que sobreviviam à desidratação e à cólera entravam nos Estados Unidos com falsos contratos de casamento. Todas eram noivas aos olhos dos funcionários da imigração, e a pouca idade, o lamentável estado físico e a expressão de terror que traziam aparentemente não levantavam suspeitas. Ninguém ligava para aquelas garotinhas. O que acontecia com elas era "coisa de *celestial*", e os brancos nada tinham a ver com aquilo. Tao Chi'en explicou a Donaldina e Martha que a expectativa de vida das *sing-song girls*, a partir da iniciação no ofício, era de três ou quatro anos: chegavam a receber trinta homens por noite, morriam de doenças venéreas, aborto, pneumonia, fome e maus-tratos; prostituta chinesa com vinte anos era uma curiosidade. Ninguém fazia um registro de suas vidas, mas, como entravam no país com documentação legal, era necessário fazer registros de óbito, para o caso pouco provável de alguém perguntar por elas. Muitas enlouqueciam. Eram baratas, podiam ser substituídas em um piscar de olhos, ninguém gastava nada com sua saúde, nada para prolongar suas vidas. Tao Chi'en deu às missionárias o número aproximado de meninas escravas em Chinatown, quando eram feitos os leilões e onde se situavam os bordéis, desde os mais pobres, nos quais as meninas recebiam tratamento de animais enjaulados, até os mais luxuosos, dirigidos pela célebre Ah Toy, que havia se convertido na maior importadora de carne humana do país. Comprava meninas de onze anos na China, e nas viagens para a América elas eram entregues aos marinheiros, de modo que ao chegar já sabiam dizer "pague primeiro" e distinguir o que era bronze e o que era ouro de verdade, para não serem engabeladas com o metal dos tolos. As meninas de Ah Toy eram selecionadas entre as mais bonitas e tinham melhor sorte do que as outras, cujo destino era o de serem arrematadas como gado e servirem aos homens mais pobres do jeito que eles exigissem, inclusive os mais cruéis e humilhantes. Muitas se transformavam em criaturas selvagens, adotavam atitudes de animais ferozes, e por isso tinham de ser acorrentadas em suas camas e acalmadas com narcóticos. Tao Chi'en deu às missionárias os nomes dos três ou quatro comerciantes chineses de fortuna e prestígio, entre eles o do próprio filho Lucky, que poderiam ajudá-las na tarefa, os únicos que concordavam com ele quanto à necessidade de eliminar aquele tipo de tráfico. Com as mãos trêmulas e os olhos rasos de lágrimas, Donaldina e Martha tomaram nota de tudo que Tao Chi'en lhes disse, depois agradeceram e, ao se despedirem, perguntaram se poderiam contar com ele na hora de agir.

— Farei o que puder — respondeu o *zhong-yi*.

— Nós também, senhor Chi'en. A missão presbiteriana não descansará enquanto não puser fim a essa perversão e salvar essas pobres meninas, mesmo que tenhamos de abrir a machadadas as portas desses antros de perversão — asseguraram.

Ao saber do que o pai tinha feito, Lucky sentiu-se assediado pelos maus presságios. Conhecia o ambiente de Chinatown muito melhor do que Tao e sabia que este havia cometido uma imprudência irreparável. Graças à sua habilidade e simpatia, Lucky contava com amigos em todos os níveis da comunidade chinesa; fazia anos que realizava negócios lucrativos e ganhava pouco, mas constantemente, nas bancas de *fan-tan*. Apesar de sua juventude, tinha se transformado em uma figura estimada e respeitada por todos, inclusive pelos *tongs*, que nunca lhe haviam feito mal. Durante anos tinha ajudado o pai a resgatar as *sing-song girls*, com o tácito acordo de não meter-se em maiores encrencas; compreendia perfeitamente a necessidade de discrição absoluta para sobreviver em Chinatown, onde a regra de ouro consistia em não se misturar com os brancos — os temidos e odiados *fan-güey* — e resolver tudo, especialmente os crimes, entre os compatriotas. Cedo ou tarde saberiam que seu pai tinha dado informações às missionárias e que estas as teriam repassado às autoridades americanas. Não havia fórmula mais segura de atrair a desgraça, e toda a sua boa sorte não seria suficiente para protegê-los. Foi isso o que ele disse a Tao Chi'en e foi isso o que aconteceu em outubro de 1885, no mês em que eu completava cinco anos.

A sorte de meu avô foi decidida na memorável terça-feira em que as duas jovens missionárias, acompanhadas por três fornidos policiais irlandeses e o velho jornalista Jacob Freemont, especializado em assuntos criminais, chegaram a Chinatown em plena luz do dia. A atividade na rua se deteve e um grande número de pessoas se juntou para seguir a comitiva dos *fan-güey*, inusitada no bairro, que se dirigia a passo resoluto para uma casa de aspecto pobre, em cuja porta estreita e gradeada assomavam os rostos pálidos, cobertos com pó de arroz e carmim, de duas *sing-song girls*, oferecendo-se aos clientes com seus miados e seus peitinhos de cadela descobertos. Quando se viram cercadas pelos brancos as meninas desapareceram no interior, gritando assustadas, e em seu lugar apareceu uma velha furiosa, que respondia aos policiais com uma chuva de injúrias em sua língua. Em resposta a um gesto de Donaldina, um machado apareceu nas mãos de um dos irlandeses, e os policiais começaram a pôr a porta abaixo, para grande estupor da multidão. Os brancos irromperam pela porta estreita, ouviram-se gritos, correrias e ordens em inglês, e antes que transcorressem quinze minutos os atacantes reapareceram, tocando meia dúzia de meninas aterrorizadas, a velha que esperneava enquanto era arrastada por um dos policiais, e três homens que seguiam cabisbaixos, com canos de pistolas pressionando suas costas. Na rua armou-se um tumulto, e alguns curiosos tentaram avançar, com gestos ameaçadores, porém se detiveram imediatamente quando soaram vários tiros no ar. Os *fan-güey* embarcaram as meninas e os outros detidos em um coche fechado da polícia, enquanto os objetos apreendidos eram levados no lombo dos cavalos. A população de Chinatown passou o resto do dia comentando o ocorrido. Nunca antes a polícia tinha agido no bairro por motivos que não dissessem respeito diretamente aos brancos. Entre as autoridades americanas havia grande tolerância em relação aos "costumes dos amarelos", como os qualificavam; ninguém se dava ao trabalho de averiguar os lugares onde se fumava ópio, as baiucas de jogo e muito menos o que acontecia com as meninas escravas, que consideravam outra das grotescas perversões dos *celestiais*, como comer cachorro cozido com molho de soja. O único a não demonstrar surpresa, e sim complacência, foi Tao Chi'en. O ilustre *zhong-yi* esteve a ponto de ser agredido por uma dupla de ferrabrases de um dos *tongs*, no restaurante onde sempre almoçava com sua neta, quando manifestou, em voz suficientemente alta para ser ouvida por cima da barulheira do local, sua satisfação por finalmente as autoridades de São Francisco terem começado a fazer alguma coisa no caso das *sing-song girls*. Embora a maioria dos comensais das outras mesas considerasse que em uma população predominantemente masculina as meninas escravas eram um indispensável artigo de consumo, apressaram-se em defender Tao Chi'en, que era a figura mais respeitada da comunidade. Se não fosse pela oportuna intervenção do dono do restaurante, teria estalado uma briga generalizada. Tao Chi'en retirou-se indignado, conduzindo a neta com uma das mãos e na outra levando o almoço embrulhado em uma folha de papel.

Talvez o episódio do bordel não tivesse produzido maiores consequências se dias mais tarde ele não se repetisse em outra rua do bairro: com as mesmas missionárias presbiterianas, o mesmo jornalista Jacob Freemont e os mesmos três policiais irlandeses, mas dessa vez respaldados por mais quatro funcionários e dois enormes cães, loucos para se livrarem de suas correntes. A manobra durou oito minutos, e Donaldina e Martha levaram dezessete meninas, dois proxenetas, uma dupla de guarda-costas e vários clientes que saíram segurando as calças. A notícia da ação realizada pela missão presbiteriana e pelo governo dos *fan-güey* correu como um rastilho de pólvora por Chinatown e chegou também às imundas celas onde sobreviviam as escravas. Foram inúteis as ameaças de moê-las a pau caso se rebelassem ou as pavorosas histórias que lhes contavam sobre a maneira como os demônios brancos as levavam a fim de chupar-lhes o sangue; a partir daquele momento as meninas se puseram a descobrir meios de chegar aos ouvidos das missionárias, e em questão de semanas as incursões da polícia aumentaram, juntamente com os artigos que iam saindo nos jornais. Daquela vez, finalmente, a pena insidiosa de Jacob Freemont se punha a serviço de uma boa causa, sacudindo as consciências dos cidadãos com sua eloquente campanha sobre o horrível destino das pequenas escravas em pleno coração de São Francisco. O velho jornalista morreria pouco depois, sem ter tido oportunidade de medir o impacto de seus artigos; em compensação, Donaldina e Martha veriam o fruto de seu zelo. Conheci-as dezoito anos mais tarde, por ocasião de uma viagem a São Francisco; ainda têm o rosto corado e o mesmo fervor messiânico nos olhos, continuam a percorrer Chinatown diariamente, sempre vigilantes, mas já não são chamadas de malditas *fan-güey* e ninguém mais escarra quando elas passam. Agora chamam cada uma delas de *lo mo*, mãe amorosa, e se inclinam a fim de saudá-las. Elas resgataram milhares de vítimas e eliminaram o tráfico aberto de meninas, embora não tenham conseguido acabar com outras formas de prostituição. Meu avô Tao Chi'en estaria muito satisfeito com elas.

Na segunda quarta-feira de novembro, Tao Chi'en, como fazia todos os dias, foi buscar sua neta Lai-Ming no salão de chá da esposa, na Praça da União. A menina ficava com a avó Eliza na parte da tarde, até que o *zhong-yi* terminasse a consulta do último paciente, para então sair a fim de apanhá-la. Eram apenas sete quadras entre a casa e o salão de chá, mas Tao Chi'en tinha o costume de percorrer as duas principais ruas de Chinatown, naquele horário em que eram acesas as lâmpadas de papel das lojas, em que as pessoas davam por encerrado o trabalho e saíam em busca dos ingredientes para o jantar. Passeava de mãos dadas com a neta pelos mercados, observando as pirâmides de frutas exóticas trazidas do outro lado do mar, os patos laqueados que pendiam dos ganchos, os cogumelos, insetos, mariscos, fressuras de animais e plantas que só ali podiam ser encontrados. Como em sua casa ninguém tinha tempo de cozinhar, Tao Chi'en escolhia com cuidado os pratos que levaria para o jantar, quase sempre os mesmos, porque Lai-Ming era muito cheia de manhas para comer. Seu avô tentava-a com bocados dos deliciosos cozidos cantoneses que eram vendidos nas barracas de rua, mas em geral levava sempre as mesmas variedades de *chau-mein*, juntamente com as costelas de porco. Naquele dia, Tao Chi'en usava pela primeira vez um novo terno, confeccionado pelo melhor alfaiate chinês da cidade, que trabalhava apenas para os homens de maior distinção. Durante muitos anos tinha se vestido à maneira americana, mas desde que obtivera a cidadania procurava trajar-se com esmerada elegância, como sinal de respeito à sua pátria adotiva. Parecia muito esbelto em seu perfeito terno escuro, camisa engomada, gravata larga, capa de tecido inglês, chapéu alto e luvas de pele de cabrito cor de marfim. O aspecto da pequena Lai-Ming contrastava com o estilo ocidental de seu avô, vestia calças largas e casaco de seda acolchoado, em alegres tons de amarelo e azul, tudo tão volumoso, que a menina se movia em bloco, como um urso, o cabelo terminando em uma trança e a cabeça protegida por um gorro negro, bordado à moda de Hong Kong. Ambos atraíam olhares em meio à confusa multidão, quase toda masculina, quase todos vestidos com aquelas calças típicas e aquelas túnicas negras, tão comuns, que a população chinesa parecia uniformizada. As pessoas se detinham para saudar o *zhong-yi*, pois, mesmo que não fossem pacientes seus, pelo menos o conheciam de vista e de nome, e os comerciantes davam algo de presente à neta a fim de obter a simpatia do avô: um besouro fosforescente em sua pequenina gaiola de madeira, um leque de papel, uma guloseima. Em Chinatown o anoitecer tinha sempre uma atmosfera festiva, ruídos de conversas em voz muito alta, regateios e pregões; cheirava a fritura, condimento, pescado e lixo, porque as sobras eram acumuladas bem no meio da rua. O avô e sua neta passaram pelos lugares onde habitualmente faziam suas compras, conversaram com os homens que jogavam *mah-jong* sentados nos passeios, foram ao pequenino estabelecimento do vendedor de ervas a fim de apanhar uns remédios que o *zhong-yi* havia pedido de Xangai, pararam rapidamente diante de uma sala de jogo para ver da porta as mesas de *fan-tan*, pois Tao Chi'en era fascinado pelas apostas, embora as evitasse como a peste. Também beberam uma xícara de chá verde na tenda do tio Lucky, onde puderam apreciar seu mais novo estoque de antiguidades e móveis entalhados, que acabava de chegar, e em seguida deram meia-volta para refazer, em passos vagarosos, o caminho de casa. De repente aproximou-se correndo um menino que, muito agitado, pediu ao *zhong-yi* para acompanhá-lo voando, porque havia ocorrido um acidente: um homem fora pisoteado no peito por um cavalo e estava cuspindo sangue. Tao Chi'en seguiu-o com a máxima pressa, sem soltar a mão da neta, por uma ruazinha lateral, e depois outra e mais outra, avançando por passagens estreitas, na louca topografia do bairro, até que se viram sós em um beco sem saída, iluminado apenas pelas lâmpadas de papel de algumas janelas, brilhando como vaga-lumes fantásticos. O menino desaparecera. Tao Chi'en percebeu que havia caído em uma armadilha e tentou retroceder, mas era tarde. Vários homens armados de cacetes surgiram das sombras e o cercaram. O *zhong-yi* havia estudado artes marciais em sua juventude e sempre levava uma faca no cinto, por baixo da jaqueta, mas não podia defender-se sem soltar a mão da menina. Teve uns segundos para perguntar o que queriam, o que estava acontecendo e ouvir o nome de Ah Toy, enquanto os homens de pijamas negros, com os rostos mascarados, dançavam ao seu redor e logo lhe desferiram nas costas as primeiras bordoadas. Lai-Ming sentiu-se atirada para trás e tratou de agarrar-se ao avô, mas a mão querida soltou-a. Viu os cacetes subindo e descendo sobre o corpo de seu avô, viu um jorro de sangue descer de sua cabeça, viu-o cair com a boca no chão, viu como continuaram a espancá-lo até reduzi-lo a um montão de carne ensanguentada sobre os paralelepípedos da rua.

"Quando trouxeram Tao em uma padiola improvisada e vi o que tinham feito com ele, algo se partiu em mil pedaços dentro de mim, como um recipiente de vidro, e ali se derramou para sempre a minha capacidade de amar. Sequei por dentro. Nunca mais voltei a ser a mesma pessoa. Sinto afeição por você, Lai-Ming, e também por Lucky e seus filhos, tive afeição por Miss Rose, mas amor só posso sentir por Tao Chi'en. Sem ele nada me importa muito; cada dia que vivo é um dia a menos na longa espera até reunir-me a ele de novo", confessou-me um dia minha avó Eliza Sommers. Acrescentou que sentiu muita pena de mim, por ter tido de presenciar, aos cinco anos de idade, o martírio da pessoa a quem mais amava, mas tinha acreditado que com o tempo o trauma se apagaria. Também acreditara que minha vida ao lado de Paulina del Valle, longe de Chinatown, seria suficiente para que eu esquecesse Tao Chi'en. Não imaginou que a cena do beco ficaria para sempre em meus pesadelos, nem que o cheiro, a voz e o leve roçar das mãos de meu avô me perseguiriam até mesmo eu estando desperta.

Tao Chi'en chegou ainda vivo aos braços de sua mulher, dezoito horas mais tarde recuperou a consciência e poucos dias depois voltou a falar. Eliza Sommers havia chamado dois médicos americanos que em várias ocasiões tinham recorrido aos conhecimentos do *zhong-yi*. Examinaram-no com tristeza: tinham partido sua coluna vertebral e, no caso improvável de sobreviver, metade do corpo ficaria paralisada. A ciência nada podia fazer por ele, disseram. Limitaram-se a limpar seus ferimentos, acomodar um pouco os ossos quebrados, costurar-lhe a cabeça e aplicar-lhe doses maciças de narcóticos. Enquanto isso, esquecida de todos, a neta se encolhia em um canto do quarto, junto à cama do avô, chamando-o silenciosamente, *oi goa! oi goa!*, sem compreender por que ele não lhe respondia, por que não lhe permitiam aproximar-se dele, por que não podia dormir, como sempre, embalada em seus braços. Eliza Sommers administrou as drogas ao enfermo com a maior paciência, a mesma com que tentou fazê-lo engolir, com a ajuda de um funil, algumas colheres de sopa. Não se deixou arrastar pelo desespero. Tranquila, sem chorar, ficou ao lado de Tao durante muitos dias, até que ele pôde falar-lhe através dos lábios inchados e dos dentes partidos. O *zhong-yi* sabia, sem a menor dúvida, que naquelas condições não poderia viver; e nem queria, foi o que confessou à mulher, a quem pediu que não lhe desse mais de comer e beber. O amor profundo e a intimidade absoluta que haviam compartido por mais de trinta anos lhes permitiam adivinhar mutuamente os seus pensamentos; não houve necessidade de muitas palavras. Se teve a tentação de rogar ao marido que vivesse inutilizado em uma cama, só para não abandoná-la neste mundo, Eliza engoliu as palavras, porque o amava demasiado para lhe pedir tal sacrifício. Por sua vez, Tao Chi'en nada teve de explicar, porque sabia que Eliza faria o indispensável para ajudá-lo a morrer com dignidade, tal como ele faria por ela, se as coisas tivessem ocorrido de outra maneira. Concluiu que também não valia a pena insistir para que ela levasse seu corpo de volta à China, pois isso já não lhe parecia realmente importante e não desejava pôr uma carga a mais em cima dos ombros de Eliza; ela, porém, tinha decidido que a qualquer preço o levaria. Nenhum dos dois tinha ânimo para discutir o óbvio. Eliza simplesmente lhe disse que não era capaz de deixá-lo morrer de fome e de sede, pois isso poderia demorar muitos dias, semanas talvez, e ela não permitiria que sofresse tão longa agonia. Tao Chi'en disse-lhe, então, o que devia fazer. Fosse ao consultório, abrisse um determinado armário e trouxesse um vidro azul que havia lá dentro. Ela o ajudara na clínica durante os primeiros anos de sua relação e ainda o fazia quando por acaso a assistente faltava, sabia ler os nomes chineses escritos nos recipientes e também sabia como aplicar uma injeção. Lucky entrou no aposento a fim de receber a bênção do pai e saiu, logo depois, sacudido pelos soluços. "Nem Lai-Ming nem você devem se preocupar, Eliza, porque não vou deixá-las desamparadas, estarei sempre por perto para protegê-las, nada de mau poderá suceder a nenhuma das duas", murmurou Tao Chi'en. Ela ergueu a neta nos braços e aproximou-a do avô, para que se despedisse. A menina viu aquela cara tumefacta e recuou assustada, mas então descobriu as pupilas negras que a olhavam com o mesmo amor seguro de sempre, e o reconheceu. Agarrou-se aos ombros do avô e, enquanto o beijava e o chamava desesperada, ia deixando-o molhado de lágrimas quentes, até que a separaram dele com um puxão, levaram-na para fora e fizeram-na aterrissar no peito de seu tio Lucky. Eliza Sommers voltou ao aposento no qual tinha sido tão feliz com o marido e fechou suavemente a porta atrás de si.

— O que aconteceu naquela ocasião, *oi poa*? — perguntei-lhe.

— Fiz o que devia fazer, Lai-Ming. Em seguida me deitei ao lado de Tao e o beijei longamente. Seu último suspiro ficou comigo...

Epílogo

Se minha avó Eliza não tivesse vindo de tão longe para iluminar os recantos sombrios de meu passado e se não existissem as milhares de fotografias que se acumulam em minha casa, como poderia eu contar esta história? Teria de forjá-la com a imaginação, sem dispor de nenhum material além dos fios evasivos de muitas vidas alheias e algumas recordações ilusórias. A memória é ficção. Selecionamos o mais brilhante e o mais obscuro, ignorando o que nos envergonha, e assim bordamos o extenso tapete de nossa vida. Mediante a fotografia e a palavra escrita tento desesperadamente vencer a condição de minha existência, reter os momentos antes que se desvaneçam e limpar a confusão do meu passado. Cada instante desaparece em um sopro e logo se transforma em passado, a realidade é efêmera e migratória, pura saudade. Com estas páginas e estas fotografias mantenho vivas as lembranças; é com elas que retenho uma verdade fugitiva, mas, apesar de tudo, verdade, e elas provam que esses fatos aconteceram e que esses personagens passaram pelo meu destino. Graças a elas posso ressuscitar minha mãe, morta quando nasci, minhas aguerridas avós e meu sábio avô chinês, meu pobre pai e outros elos da longa cadeia de minha família, de sangue misturado e ardente. Escrevo para elucidar os velhos segredos de minha infância, definir minha identidade e criar minha própria lenda. Afinal, tudo que temos com plenitude é a memória tecida por nós mesmos. Cada um escolhe um tom para contar a própria história; gostaria de optar pela durável clareza de uma fixação em platina, mas nada em meu destino tem essa luminosa claridade. Vivo entre difusos matizes, velados mistérios, incertezas; o tom adequado para contar minha vida se ajusta melhor ao de um retrato em sépia...

Impresso no Brasil pela
Geográfica.